HISTORICAL
ATLAS OF ISLAM

イスラーム
歴史文化地図

マリーズ・ルースヴェン　アズィーム・ナンジー ✣ 著　中村公則 ✣ 訳
MALISE RUTHVEN　AZIM NANJI

悠書館
YU SHO KAN

HISTORICAL ATLAS OF ISLAM

by

Malise Ruthven & Azim Nanji

Japanese Translation Published by Arrangement with Quantum Publishing Ltd.

through The English Agency (Japan) Ltd.

Printed in Singapore

Historical Atlas of Islam

Malise Ruthven
&
Azim Nanji

目　次

掲載地図一覧

序　文

2001年9月11日以来、イスラーム――人類の約5分の1を占める――について大衆媒体が語らぬ日はなかった。4機のアメリカン航空機を乗っ取ったテロリスト達は、ニューヨークの世界貿易センターやワシントン近郊の国防省に突っ込んでいき、3000人以上の死者を出した。これを契機として、米国とその同盟国は、テロに対する戦争を始め、アフガニスタンとイラクにおける二つのムスリム政権を排除することとなった。新聞のコラムや放送局のスタジオのみならず、カフェや居酒屋でも、家庭でも至る所で熱を帯びた議論が展開された。学術会議や大学院生のゼミなどで高度な雰囲気の中で議論が行なわれていた問題が、今や大衆の主たる関心事となったのである。“聖戦”とは一体何なのか？　普通の穏健な信徒達によって信奉されている“平和の宗教”が、どうして怒れる少数者を代表する憎悪のイデオロギーになってしまうのか？　共産主義崩壊後、イスラームは何ゆえそんなに情熱的な激しさを加えることになったのか？　あるいは東洋学の重鎮たるバーナード・ルイスが書いた本の題名を借りれば、「イスラーム世界はなぜ没落したのか？」

こうした設問は決して学問的とは言えないが、少なくとも地球上の大多数の人々の主要関心事ではある。イスラームまたはその亜流――いかに歪められ、正道を踏みはずし、堕落し、過激派に乗っ取られたものであろうと――が考慮に入れなければいけない力となったこと、あるいは脅威となる可能性を持った現象に貼られるレッテルとなったことを否定する人は少なかろう。ナイロビやダールッサラーム、モンバサ、リヤド、カサブランカ、バリ島、チュニジア、ジャカルタ、ボンベイ（ムンバイ）やイスタンブールといった世界の諸都市や観光地で、9月11日以前も以降も無数の傷害事件や大量殺人事件が惹き起され、それらはイスラーム過激派の仕業であるとされてきた。事件記録も長大となり、犠牲者の数もふえている。人々や諸政府の反応は怒りにあふれ、当惑気味であった。国際的な平和と安全を求める広範囲に及んだこれらの反応の結果は、人々（広告主の利益になるように世論を動かす大衆媒体の編集者ばかりではなく）に、イスラーム主義者の極端な意思表明は21世紀の論議と行動のために議題を提供していると確信させるのに充分であった。西洋の電子機器で足跡をたどっていって分かることは、西洋やいや増していくムスリム世界に住むムスリム達は、よそ者達の関心が高くなっていくに従い、否定的側面の露出が増えていくことに憤激している。イスラームは平和の宗教である。“イスラーム”とは神への絶対的帰依を意味する動名詞であり、平和を意味するサラームという言葉と語源的に結び付いている。ムスリム達が集まりに出たり見知らぬ人と会って行なう普通の挨拶は“アッサラーム・アライクム”（あなたがたの上に平安あれかし）というものである。イスラームが暴力的な宗教だと言って非難する西洋人はその

本質を誤解している。テロ行為に対して“ムスリムの”とか“イスラームの”とかレッテルを張るのはいちじるしく公平を欠いている。ティモシー・マックヴェイのような狂信的右派キリスト教徒がオクラホマ市の連邦ビルを爆破した時、誰も彼のことを“キリスト教徒の”テロリストとは呼ばなかった。これは9月11日以前に米本土で起きた最悪の残虐行為であった。多くのイスラーム信奉者から見ると、自らの信仰を失ったか宗教的偏見によって真相が見えなくなっている“西洋人達”はイスラームを“理解”していないのである。敵対的な大衆媒体の中には、西洋人の見方を歪めてイスラーム恐怖症――ユダヤ人の代りにムスリムを置き替えた反セミティズムと等価のものだ――を助長するものもあった。西洋で学問の訓練を受けた学者の中には、間違って形成されてきたオリエンタリズムという色眼鏡を通してイスラームを観ることを非難する者もいる。オリエンタリズムの背後に帝国主義の存在が想起され、専門家の知識が権力に奉仕していたからである。

これは危険をはらんだ論争の多い領域であり、ここにあえて踏み込んで行く著者は、自己の危険負担においてそうしているのである。他の宗教的伝統同様、イスラームもあらゆる一般化に向けて道は開かれている。なぜなら、イスラーム信仰の規範を記述するにあたって、重要な異文が存在しており、かなりの多様性が見られるからである。定義の問題はより難しくなる。というのは、イスラームには教会のようなピラミッド型組織がなく、ローマ法王に該当する存在がおらず、何がイスラーム的で何がイスラーム的でないかを決定する権限者がいないからである。（プロテスタントでさえ教会はローマ・カトリック教会に対して自己の立場を明らかにする。）

ユダヤ人である事と同様ムスリムである事は、信仰のみならず血統を受け容れることである。ムスリムであるとされた人々は、いろいろな方法で自らの宗教を遵守している。特定の宗教的規則や信仰に縛られなくても、文化的にムスリムであることはできる。ユダヤ人が

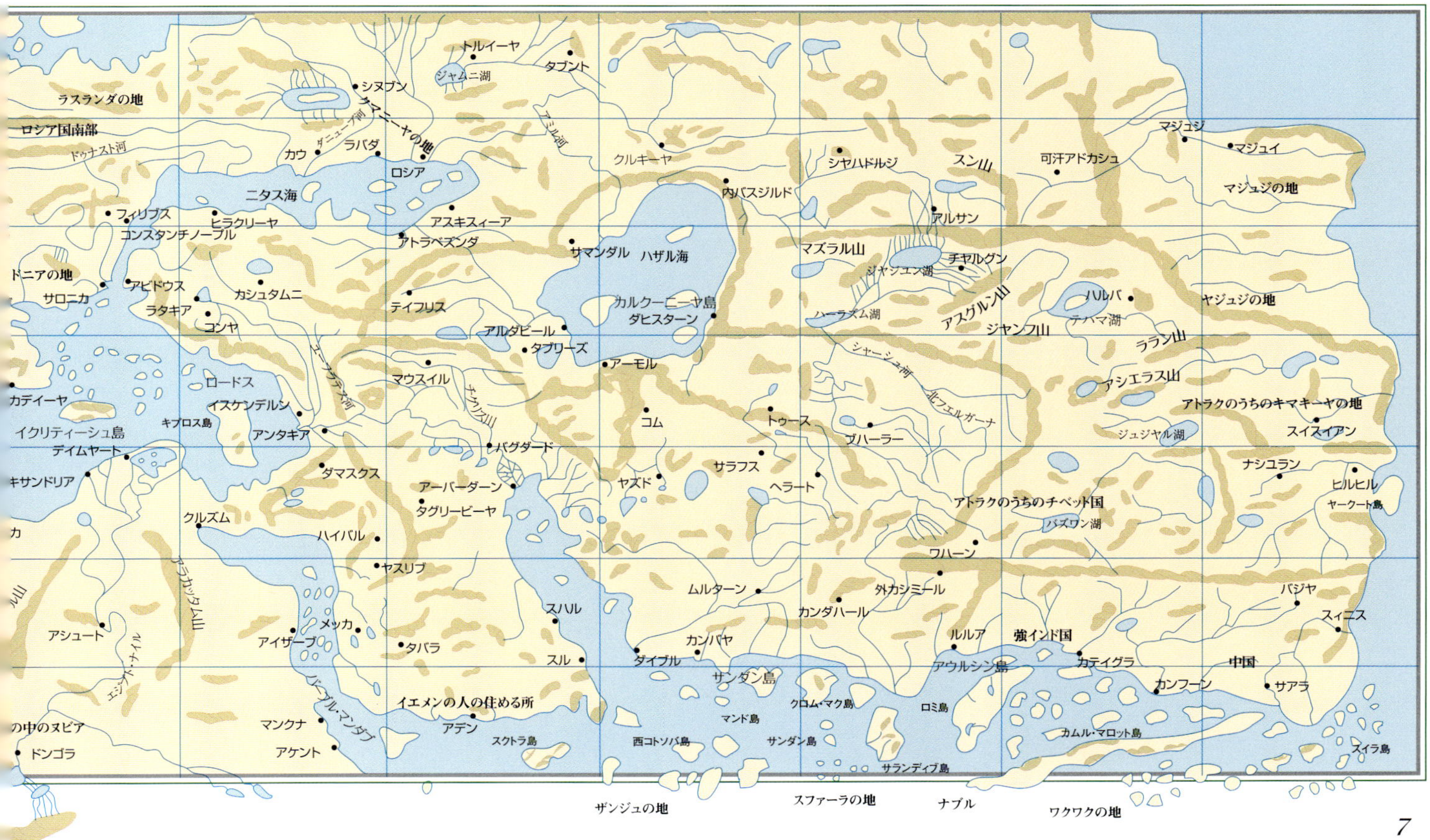

イドリースィーの描いた世界
594〜1154年

文化的にユダヤ人であり得るのと同じことである。多くの無宗教的欧米人を“文化的キリスト教徒”として叙述することは、西欧文化の発展過程でキリスト教が果した新時代を画する重要性にかんがみ、妥当ではない。そういう言い方が稀にではあるが使われたことがあるという事実は、西欧の文化的覇権とその普遍性主張の度合いを露呈している。キリスト教が西欧文化を下から支えていることは自明のことであり、誰もそれを明らかにしなくても困りはしない。同時に“キリスト教的”という言葉も、もっぱらプロテスタントの原理主義者達が、非宗教的な人道主義者や自分達が絶対認められない見解を持った宗教信者と自らとを区別するために使用してきた。

定義に関する同様の問題はイスラーム世界にもある。ありとあらゆる種類の信仰や儀式についてキリスト教諸教会の中で神学的見解の不一致が見られるごとく、イスラーム圏の内部においても、それぞれ儀式面で異なっていたり、解釈や実践面で別個の伝統を保持しているいろいろな集団がある。

イスラームの中で歴史的に重要な二つの分派はスンニー派とシーア派である。

シーア派とは、預言者ムハンマド（570年頃～632年）が亡くなる直前に自分の従弟であり娘ファーティマの夫であるアリーを後継者に指名したと主張している派である。彼らはまた、アリーとファーティマの血を受け継いだイマーム（霊的指導者）の位は先行イマームの指名によって引き継がれてきたと信じている。シーア派中の多数派である“十二”イマーム派の人達は、最後のイマームが873年に“お隠れ”になり、未来の世にマフディー（救世主）として再臨なされると信じている。

これに対してスンニー派の人達は、預言者は教友の一人であるアブー・バクル（在位632～634年）に好意的な指示を行なったと主張している。アブー・バクルは預言者歿後、共同体の指導者達の合意にもとづいてカリフに就任した。彼は2代目カリフとしてウマル（在位634～644年）を指名した。ウマルは臨終に際し指導的ムスリム達の推薦にもとづきウスマーン（在位644～656年）を指名した。ウスマーン亡き後は、また時の指導的ムスリム達の合意によってアリー（在位656～661年）が4代目カリフに選ばれた。多数派を占めるスンニー派の見解によれば、4人のカリフ達はみな、“正しく導かれてカリフ”職に就いたのであった。

時経てシーア派とスンニー派はそれぞれ全く別の共同体になってしまった。両者ともいろいろな分派に分れていき、独特の運動をし、別々の傾向を持ったものへと組織化されていった。これらお互いに異なり、しばしば争い合った諸集団間の関係は、総じて言うと、前近代の都市社会においては、相互共存と知的討論にもとづいていたと言えよう。

しかしながら近年、過激派や急進的な集団の間で、宗教的反対者を非難したり、相手がイスラーム的ではないと決めつけたりする傾向が見られる。こうした狭量な態度は、ムスリム大衆の中で、イスラーム共同体内での解釈の多様性がますます意識されつつあることと対照的だろう。

ムスリム世界の一部で表明された宗教的不寛容は複雑な起源を持っており、17世紀の欧州において盛んであった清教徒的過激主義と同じように、経済的・社会的変化を混乱させる徴候ともなりうる。本文と地図からも分かる通り、ムスリム世界にとって近代は、自らの内部から発展的に醸成されてきたものではなく、植民地主義者の勢力がもたらしたものである。“善を勧め、悪を禁ず”べく神によって命ぜられた“最高の共同体”は、中国以外の世界で最も文明化された地域で維持していた倫理的・政治的優位を失った。イスラームが優位を保っていた間は寛容性も生まれた。ムスリムの学者や神学者達はお互いに論争をたたかわせたが、シャハーダ――信仰告白――を誓い、メッカに向って礼拝する者を非難したりしないよう気をつけていた。米国の学者カール・エルンストも“今日の世界では、どんな社会でも宗教的多元性は社会学的事実である。仮にある集団が他の者に対する権威を主張して、彼らの忠誠と服従を要求するならば、それは宗教的言辞を通しての力の行使として体験されるであろう”と言っている（カール・エルンスト著『ムハンマドに従いて：現代世界においてイスラームを再考する』ロンドン&チャペル・ヒル刊、206頁）。

実際には常にそうではなくても、原則としてムスリムとはイスラームに従う人のことである。イスラームというアラビア語は、“服従すること”を意味する。あるいはもっと正確に言うと、預言者ムハンマドに啓示として下された如き神の意思に対して“自己放棄すること”を意味する。啓示は610年頃からムハンマドの死に至るまで口伝えで下され、その内容はコーランに収録されている。コーランはイスラームという宗教がそれに基礎を置く聖典であり、さまざまな文化体系がそこから流れ出た。西洋の大学で仕事をしている少数の学者の中には修正主義者的な立場をとる人がいて、コーランの起源に関して伝統的なイスラーム的解説に異を唱える人もいる。彼らは、コーランはアラブが肥沃な三日月地帯を征服したのち口誦で伝えられたものが集大成されたのだと論ずる。しかしムスリムでもムスリムでなくても大半の学者は、コーランはムハンマドの在世中下された啓示が蓄積され記録されたものだと考えている。聖書と違って、複数の原作者がいた形跡はない。特に新約聖書と比べてみるとよい。そこではイエスの言葉が四つの別々のイエス伝の中に取り込まれている。それらの伝記は各々別個の原作者によって書かれたものと推定されている。コーランには預言者の生涯の出来事に言及した記事が多々見られるが、決して詳細にわたるものではない。預言者および政治家（アラビア半島の諸部族を統一する運動の指導者として、やや近代的なこの言葉を用いることができるとして）としてのムハンマドの経歴を述べた物語は、別々に伝えられた口承の集成体である。それらはハディース（預言者言行録）と呼ばれ、ムハンマド亡き後に集成され記録されたものである。

コーランは114章《スーラ》に分かたれていて、各章はさまざまな長さから成る節《アーヤ》に分けられている。最初の章は開端章《ファーティハ》と呼ばれ、7句から成る祈願文であり、さまざまな儀式において唱えられ、毎日の礼拝においても用いられる。開端章を除く各章は、大体少しずつ短くなっていくような順番で配列されている。最も短い章が終りの方にきて、最長の章が初めの方に配列されている。最も標準的な版では、各章がメッカ啓示（短くなる傾向があり、それゆえ聖典の終りの方に位置する）とメディナに預言者が移住していた時期の啓示とに分けられている。メディナに預言者が初期の信者達とともに移住して行ったのは、622年のことであった。メッカにおける迫害を避けるためであったが、この年がイスラーム暦の元年となった。メッカ啓示、とりわけその初期の啓示は、自己責任や天国と地獄における賞罰について生き生きとした力強い啓示を行なっており、神の創造力と至高性の証として自然界の美しさと素晴らしさを称揚している。一方メディナ啓示では、多くの同じ主題を繰り返しつつ、社会的問題や立法上の諸問題について積極的な教えを説いている（性的関係や相続を支配する掟や一定の犯罪を規定する罰の問題も含まれている）。こうした諸啓示は、ハディースの内容によって補うことによって、イスラーム聖法（シャリーア）として知られている法体系発展の核となっていったのである。イスラームを奉じたさまざまな学者が、その後これらの聖法を補足し体系化するために、他の法源を付け加えていった。

信仰しているムスリムにとってコーランは、人の手が加えられていない、神の言葉が直接書き取られたものである。近代におけるムスリムの学者のうち何人かは、ムハンマドを神の言葉の受動的な伝え手として描いている。ムハンマド自身は文字が読めなかったとされている。しかし彼は活動的で成功した商人だったので、この点に疑問を持つ学者もいる。大部分のムスリムにとってコーランは、第3代目ウスマーン（在位644～656年）の時代に書き取られ、欽定とされたものであり、“創作されたもの”ではなく、神と共に永遠に存在するものである。それゆえ、信仰しているムスリムにとってのコーランが占める位置は、キリスト教徒にとってのキリストに相当する。神は人を通じてではなく、聖典に含まれた言葉を通じて御自身を顕現なされたのである。仏教、キリスト教、ヒンドゥー教、ユダヤ教、シーク教やゾロアスター教などの他宗教においても、基本的な経典は聖なるものとして特別の地位を有している。ムスリム支配者達は、啓典の民に宗教的寛容を示すことによって、この一般原則を認めた。

632年にムハンマドが崩御すると、続く世紀におけるイスラームの領土的拡張は当初急速に進み、肥沃な三日月地帯を越えて遙かかなたにまで拡大していった。イスラームと預言者の聖なる呼びかけに対する信仰は――戦利品に対する欲望とあいまって――アラブの遊牧民達を恐るべき戦闘機械に変えてしまった。彼らはビザンチン軍もサーサーン朝ペルシャ軍も打ち負かした。ビザンチン帝国の各地が略取されていく一方、ペルシャ全土がムスリムの征服と植民を許した。最初はイスラームはおおむね“アラブの”宗教であり続けた。ムスリムの司令官達は、その遊牧民軍を征服地の郊外に駐屯させ、新しい臣民達（キリスト教徒、ユダヤ教徒やゾロアスター教徒など）に兵役の代りに人頭税《ジズヤ》を払わせ、自治を許した。イスラーム化の過程は、婚姻関係を通じてゆっくりと進行していった。臣民の支配層も新たなムスリム選良の仲間に加わりたかったからである。また、貧窮化し故郷から引き離された人達が、支配者の宗教の中に心の支えを見出したせいもある。あるいはまた、人々が以前からの支配者に幻滅を感じ、新しい創造的な統合体の中で教えを説きつつも、彼らの文化的伝統を尊重してくれるものに精神的にしっくりくるものを感じたからでもある。そうした過程の中で初期ムスリムの伝道者が果した役割は決定的であった。

しかしながらイスラームの神学体系は力強い文化的広がりを持っていた。そのことによって、“アラブ”の宗教が普遍的な宗教へと発展していくことができた事情を説明できるかも知れない。まごうかたなき“啓典の宗教”として、イスラームは聖なる言葉を文書にして

▶コーランの彩色写本の見開き頁。この写本は1399年に完成された。ティームールがデリーを占領した翌年である。コーランのタウバ（改悛）章の一節が書かれている。［井筒俊彦訳『コーラン』上－276頁参照］

提示しているが、それによって学問に権威を付与し、文字が読めない者が一般的であった文化に読み書き能力をもたらしたのである。ヴォルテールの偽善の定義がそうであった如く、啓典崇拝は、文字が読めない者が学問に対して捧げる賛辞なのである。悪徳が美徳に対して捧げる賛辞といった関係ではないが。預言者に対する啓示は言葉という形でもたらされた。イスラーム帝国の辺境に住む遊牧民が何度も繰り返して中央権力を掌握した。そうやって自らを文明化しつつ、代るがわるイスラーム文化の権威を維持する者となっていった。大アッバース帝国が崩壊してしまうと、イスラーム世界のすべて（もちろんムスリム以外の人間もいてよい）を包含する普遍的なカリフ制という夢は、実現不可能な企図となってしまった。中央政府が地方王朝の野心を打ち挫くためには兵站線があまりにも長くなりすぎた。しかしコーランに象徴される識字能力の権威と、モスクやその他の公共建築物の壁を飾るみごとな書道作品は、聖典自体の細密な写本とあいまって、強力な魅力を放っていた。残虐さで悪名高き蒙古人侵入者でさえも、帝国の西部においては、イスラームの精神的・審美的能力の前では息をのまざるをえなかった。

本書の地図は、預言者の時代から現代に至るまでのイスラーム史を網羅することを意図して国家や宗教的権威の変遷を総合的に説明しようとするものではない。そうではなくて、遙かな昔や最近において重要であった地域への窓を開くことによって、イスラーム史の重要な局面に光が当てられることが望ましいのだ。そうすることによって、過去から現在に至るまで引き継がれてきた諸紛争（好機であった場合もある）の遺産を説明する一助となろう。地理学はイスラーム史を理解する上で決定的に重要であり、近代と何かと多くのつながりを持っている。

本書の地図が示しているように、大西洋からインダス渓谷にまで広がっているイスラーム圏の中央地帯は、遊牧民や半遊牧民が絶え間なく流れ込んでくる地帯であった。近代以前、すなわち銃砲や空軍力が使用され、近代的な輸送手段が中央政府（たいてい植民宗主国の管理下にあったが）の管理下にあった周辺地域にもたらされる以前は、都市は遊牧民の侵略をこうむりやすかった。イスラームの制度が天才的なところは、改宗した遊牧民達に法や慣習、彼らが時を経て文化的順応を余儀なくされていった信仰の土台の枠内での学問を提供した点である。

アラブの歴史哲学者イブン・ハルドゥーン（1332～1406年）は、彼が生まれた北アフリカの王朝交代劇を見て、王朝周期説を唱えた。彼の理論に従うと、降水量の少ない不毛地帯における主たる農業生産様式は牧畜中心のままである。農民と異なり、牧畜民は“部族”の系譜（父系の血族集団）に従って組織される。彼らは政府による統制から比較的自由である。都市居住者よりずっと大きい機動力を駆使して、彼らは定期的な課税を脱れられる。彼らは、庇護を与える見返りに彼らの収穫物の一部を取り上げてしまう封建領主の統制下にも入らないでいられる。いや実際は、不毛の地では、常に武装し、時には都市を略奪したり占領してしまったりするのは遊牧民の方なのである。イブン・ハルドゥーンの洞察は、ムスリムの“封建制”について語ることがいかに不適切なことであるかを我々に教えてくれる。例外はエジプトとメソポタミアの大河渓谷地帯においてのみ認められる。そこでは定住農民が土地を耕しているからだ。不毛地帯では、牧畜民は他の土地使用者との複雑な取り決めに従って季節ごとに家畜群を移動させる。用益権は所有権ではない。所有地と領地の間には切れ目があるのである。降水量の多い欧州地域では両者の間に切れ目がなくなった。欧州では、封建制とその派生物である資本主義が根付いて、とどのつま

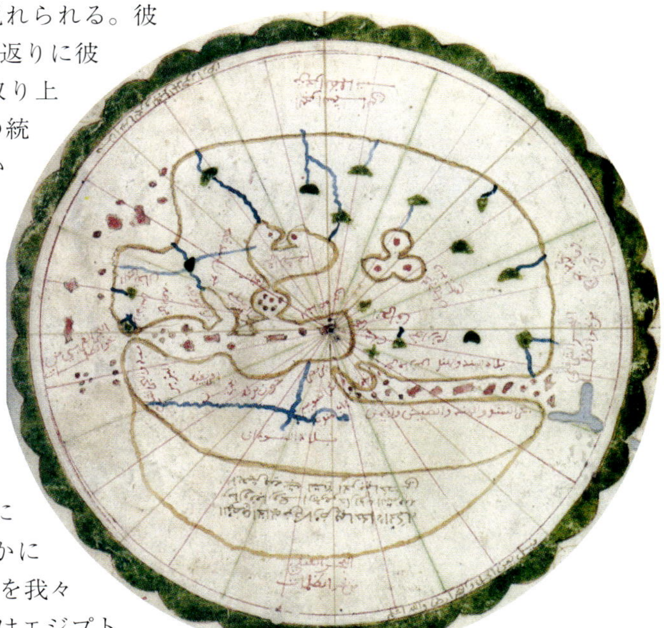

▼チュニジアのスファックス州のシャラフィッ・スファックスィー家が1571～72年に描いた世界地図。

りブルジョワ国家を創出し、田舎を圧倒した。農業は商業化され、田舎社会は都会の価値観や統制に従属することになった。これに反して西アジアや北アフリカの大半の地では、辺境の人達は空軍力がものを言う時代が来るまでは、国家の統制をまぬがれてきた。現在でもその発展過程は、アフガニスタンのようなところでは、完成というにはほど遠い。アフガニスタンでは、今なお部族社会の構造が中央政府の権威に抵抗している。

都会のモロッコ人は自分達の国の部族制地域について暗示的な言葉を持っている。バラドゥッシバー（「無礼講の国」の意）は、バラドゥルマフザン（「文明化された中央」の意）と対立する言葉で、後者は周期的に前者の餌食になるのである。イブン・ハルドゥーンの理論では、部族民の優位性はアサビーヤに依拠している。アサビーヤは通常は集団感情とか連帯意識とか訳されている。この連帯意識は、究極的には、砂漠や不毛地帯の苛酷な環境から生まれてくるものである。そういった地域では分業もあまりないし、人間は生き残りのためには血縁関係に依存せざるを得ない。これとは反対に、都市生活は共同の、または協同の連帯意識を欠いている。公民の協同的集団利益が血族関係に優越する有産階級の連帯意識の欠如は、イスラーム法の運用においても一部跡づけられる。ローマ法と違ってイスラーム聖法には、“法人”としての協同的集団を認める規定がない。

原初的な公式化においては、イブン・ハルドゥーンの理論は、彼がよく識り理解していた北アフリカの環境に適用された。しかし彼の理論は、イスラーム出現から現在に至るまでの西アジアや北アフリカのより広大な地域の歴史を説明する範型としても役立つ。その理論の鍵となるのは、宗教と連帯意識《アサビーヤ》との間にある弁証法的な交互作用である。イブン・ハルドゥーンの連帯意識《アサビーヤ》という概念は、ムスリムの社会史・政治史を説明する彼の理論にとっては中心的な概念であるが、“原初の”範型を採るにせよ“交互作用の”理論を採るにせよ、近代の民族学理論とかみ合わせることが可能である。イブン・ハルドゥーン理論の鍵となるものは、人類学者にして哲学者たるエルネスト・ゲルナーが選び出した彼の主題の中の二つに見出される。すなわち、（1）“指導権は優越性によってのみ得られ、優越性は連帯意識《アサビーヤ》によってのみ得られる。”（2）“砂漠のようなところに住むことができるのは、連帯意識という絆を持った人々としての部族のみである。”

遊牧民が都市に対して力の上で優越していたことは、王朝的な軍事政権やその別形態、マムルーク（軍人奴隷）制度とか制度化された連帯意識《アサビーヤ》によって支えられた王朝が、欧州の植民地経営以前のイスラーム史において常態となる諸条件を提供していた。イスラーム聖法が法的に法人を認めていないことが、都市の資本主義的発展の前提となる法人が“自然な”血族関係を凌駕することを妨げていた。植民地経営以前の時代、イスラームの高度の文化的伝統は常にこれらの原初的連帯意識や民族意識と影響を与え合ってきたが、ついにそれらを置き替えることはなかった。

形式的にはイスラームの倫理は地方的な連帯感と対立するものである。地方的な連帯感は特定の信者に他者と違った特典を認めるからである。理論的には至上の神のもと、ただひとつのムスリム共同体――ウンマ――があるのみである。実際にはこの理想はしばしば修正を余儀なくされ、アサビーヤ（部族の連帯意識）を“神に至る道”のひとつとして数えねばならなかった。イスラームの方正さは、定時の礼拝や巡礼やその他敬虔な勤行を通じてムスリムとしての一体感を実現した。そして時がたつにつれて、都会生活者の間に高度に文化的な“大”伝統と呼ばれる聖典字句拘泥者的敬虔さを醸成していった。しかしそれだけで、地方の部族が持つ拮抗する力を凌駕するのに充分な恒久的集合共同体が形成されたのではない。彼らは、宗教と関係ない俗人でも、部族的なるものや村落、あるいは都市移住者の職能別集団や宗派に属していた。宗派は、スンニー派の間で四つの法学派《マズハブ》に分れ、さまざまな神秘主義者《スーフィー》教団（“共同社会的に”構成されるより、血族関係にもとづく傾きがあった）が存在し、スンニー派とシーア派に分れていて、ムスリムはそのいずれかに所属していたのである。

米国の浸礼派《バプティスト》キリスト教徒と同じく、イスラーム（特に全世界のムスリムの90％を含む正統派スンニー派のイスラーム）は保守的で民衆主義《ポピュリスト》的な勢力である。彼らはきっちりした教条主義的な統制や教会風の統制に抵抗する。一方、ムスリムの聖典字句拘泥主義と方正さは共通の言語を提供して、人種や民族や国境を越えて使われた。それは近代以前の世界で知られた最大規模の“国際社会”を生み出した。しかしそれは共通の国民的同一性と解されるような統合的社会秩序を下から支える思想を提供することに成功しなかった。西欧では、中世キリスト教の諸制度が、ローマ法にもとづく構造と連携して、近代的な国民国家を出現させる前提条件を整備した。イスラーム圏では国家の道徳的基礎が部族的な連帯意識《アサビーヤ》という現実によって絶えず掘り崩されていた。近代的国民国家を出現させる前提条件は事実上存在すると認めることはできても、法的には認められることはなかった。これは、10世紀・11世紀まではキリスト教徒たる競争者のはるか上をいっていたひとつの文明がなぜ、終局的には自らが異教徒とみなした——今でも構成員のうちにはそうみなしている者もいる——人々の政治的・文化的優越のもとで遅れた文明となってしまったかという問いに対するひとつの理由となりうる。

同時代に存在したムスリム達の思い出の中に埋め込まれた植民地経営時代以前のイスラームの仕組は、当時の政治的生態学に素晴らしく適合していた。“神に至る道のため聖戦《ジハード》を行なう”という戦略が、実際的あるいは軍事的な理由から採択された時でも、イスラームの信仰と文化は受益者であった。遊牧民の征服者達やマムルーク（軍人奴隷）達は、敵を寄せつけぬようにするためイスラームの信仰と文化を周辺地域から輸入し、イスラームの主要な擁護者となり、信仰共同体の守護者にしてその文化や学問体系の庇護者となった。

社会全体がこうした仕組の記憶を持っていたことは、今日の多くの若きムスリム達の想像力に強く訴えかける力を持った。特に植民地化を通しての近代化の最近の歴史的記憶が、屈辱と退却、さらに分割と衝突によって引き裂かれた世界に普遍的な真理と正義をもたらすというイスラームの使命に対する裏切りの物語として表現され得る時代には、このことがあてはまる。2001年９月11日に米国を襲った暴力沙汰は、過去について理想化された浪漫的な幻影を抱き、現在の屈辱的状況に憤慨している人々の絶望に根ざしたものだったかもしれない。他方、同時多発テロの作戦を企画した人達はおおむね教育程度が高く、洗練された人達であり、近代社会の仕事のやり方に通じていた。15人の乗っ取り犯の大半がサウディ・アラビア国民でアシール地方の出身者であったのは偶然だとは思われない。近代に画定されたイエメンとの国境に近いこの貧しい山岳地帯は、1920年代にサウード王家によって征服され、いまだにイエメンの多くの部族民達と接触を保っている。すべての穏健な人達同様、もしイブン・ハルドゥーンがこの９月11日の無差別虐殺事件を知ったら恐怖感を覚えていたであろう。しかし彼が驚いたかどうかは疑わしい。

基礎をなす信仰箇条と勤行

イスラームの伝統の中で、すべてのムスリムが守らねばならぬ一定の基本がある。最も重要なのが信仰告白である。「神以外に神はない。ムハンマドは神の使者である」と証人達の前で述べること（シャハーダと呼ばれている）は、イスラームに改宗し、ウンマ（イスラーム共同体）に帰属するための必要条件である。

ムスリムはタウヒード（神の唯一性）が真実であると主張する。彼らは神が歴史の中で預言者を通じて人間と交流を保ってきたと信じている。預言者達の中には、アブラハムやモーセやイエスの名があり、ムハンマドは最後の預言者であり、コーランは彼に啓示された。個人生活や社会生活において、ムスリム達は道徳的・倫理的な振舞いをするよう要請される。神の御前で釈明できるようにするためである。

コーランはまた勤行の枠組もはっきり書いてあり、これがムスリム達の守るべき規範となった。

勤行のひとつが礼拝である。いくつかの形がある。たとえばサラートは儀式として行なう礼拝であり、個人的に行なわれるジクルは瞑想的なもので、神の名を唱える。ドゥアーは祈願である。ムスリムは祈祷《サラート》を行なう際、カアバの方向に向って跪拝する。カアバとは、メッカの聖殿の中央に位置する四角い建物で、刺繍で飾られた黒い絹布でおおわれている。祈祷《サラート》は毎日、早朝、正午、午後、日没時、夜に行なわれるが、状況によっては２回を１回にして併せ行なうこともある。礼拝は家の中で個人的に行なうこともあり、公園や街路といった公共空間で執り行なわれることもある。あるいはまたモスク（英語の mosque は、「跪拝の場」を意味するアラビア語 masjid が転訛したもの）やその他の集会所で行なわれる。アザーン（招祷）はモスクより高く聳える光塔（ミナーレット）から呼びかけられる。アザーン（招祷）の中には、シャハーダ（信仰告白）や「礼拝に来たれ」という命令と同時にタクビール（アッラーフ・アクバルという文句。「神は至大なり」の意）が唱えられる。昔は、ムアッジン（招祷者）によって節をつけられた美しい声が日に５回、光塔の上から発せられた。しかし今日では、たいていの光塔が拡声器を備え付けていて、ムアッジン（招祷者）の声の美しさが損なわれている。金曜日の正午に行なわれる礼拝は集団礼拝であり、イマーム（礼拝導師）や高位聖職者によるフトバ（説教）が伴なっている。イスラーム初期には、カリフまたは支配者の名がフトバ（説教）の中に誦み込まれていた。領土が他の支配者の手に落ちた時（しばしば起ったことであるが）、政府が変ったことを公式に表明する方式は、新しい支配者の名をその国の主たる礼拝堂で、フトバ（説教）の中に入れ込むというものであった。

もうひとつの基本的な勤めはザカート（喜捨）である。ザカートは、任意的に行なわれる慈善行為のサダカ（自発的喜捨）と混同してはいけない。昔は、喜捨《ザカート》は、貧者を援助する富裕層の義務を強調することによって、共同体感覚を養うことが目的であって、宗教的指導者や政府に対し支払われた。現代ではさまざまなムスリム集団が自らの伝統に特有な勤行を遵守している。

サウムとは聖なるラマダーン月（断食月）の日中に行なわれる断食である。この時間帯には、信者は飲食・喫煙・性行為をさし控える。アブー・ハーメドル・ガザーリーは中世の神学者であり神秘思想家であったが、断食修行による功徳をいくつも挙げている。その中には、心が純化されることや、空腹や苦行や自己卑下に伴う感性の鋭敏化、食欲を抑えることによって克己心が養われること、空腹感を共有することによって人々の間に連帯感が生まれることなどが挙げられている。たらふく食べている人は、“飢えている人のことを忘れがちであり、さらには飢えそのものを忘れてしまう傾きがある”のである。断食月《ラマダーン》は伝統的に家族が再結束し、宗教的瞑想にひたる時である。多くのムスリム諸国では、断食は日没と共に終り、そのあと御馳走がでることになっており、そのまま夜まで続くおおっぴらな宴会の機会でもある。断食月《ラマダーン》はイスラーム暦（ヒジュラ暦と言い、太陰暦である）の第９月であり、太陽暦より11日少ないのがイスラーム暦である。そういうわけで、ムスリムの行なう他の祝祭日と同じく、断食月《ラマダーン》がどの季節に当るかは毎年異なり、35年で一周する。夏に当ると、多くの国でこの断食行が苛酷なものとなる。日が長くなるからである。もしも断食月《ラマダーン》が６月中旬に当ったりすると、ノルウェーやカナダのような高緯度地に住んでいるムスリム達は、エジプトやサウディ・アラビアのような国々の同宗者と同様に几帳面に日中の断食を実行していたら、健康面で問題が出てくるであろう。こういった難点に関してムスリムの学者達はさまざまな解決法を考え出している。ひとつの解決法は、間接的な（取り囲んでいる）太陽光と直射光とを区別するというやり方である。もうひとつの解決法は、そもそもイスラームの諸規則は温暖地帯に位置している場合が多い大半のムスリ諸国民のために作られたのだという議論をもとにしている。極北に住むムスリムは、自分達に一番近いムスリム多数派国で行なわれている手本にならうべきなのだ。

もうひとつ重要な儀式的な勤めがある。信者《ムスリム》はもし出来ることなら、せめて一生に一度、ハッジ（メッカ巡礼）を果たすことが望ましいとされている。歴史的にはハッジは、いろいろな所に住んでいるムスリム世界の構成員が寄り集まってきて、接触がもてる主要な手段のひとつであった。蒸気船や飛行機などの大量運搬機関が適切な手段で人々がハッジを果せるようになる以前の前近代においては、帰国した巡礼者達はハージ（メッカ巡礼を果した人）という尊称をたてまつられ、ハージでない者よりも高い地位を故郷で享受することができた。ハッジは精神的な達成感を与えるだけではなく、さまざまな地域からやってきた人達が会うことを可能にしたので、しばしば商売の機会をも生み出した。またそれは宗教的・政治的改革運動をも促進した。多くの政治的運動がメッカ巡礼での出会いから生まれ出てきた。北アフリカのファーティマ朝成立（909年）にまで導かれたシーア派の叛乱から、近代のイスラーム復興運動に至るまで、そうである。断食月《ラマダーン》の最後には断食明けの祭りが行なわれる。ハッジ（メッカ巡礼）の絶頂には犠牲祭が行なわれ、ムスリムが参加して犠牲が屠られる。この二大祭はどこでもムスリムが遵守している宗規に定められた祭りである。その他にも、ムスリムの間では敬虔かつ精神的な勤行が多々ある。それらは長い間に発達してきたもので、信仰実践の特殊な解釈と、その地方的伝統との相互影響にもとづいていた。

ムスリム世界の自然地理学

イスラーム世界の版図は、今では大西洋沿いの北アフリカ海岸からインドネシア群島に至るまでの広大な領域にわたっているにもかかわらず、イスラームが発生した西アジアの中核的地域はその発達に決定的な影響を及ぼした。西欧や北米と比べると、この地域は一年中降水が少ない。冬期には大西洋から西風に乗って運ばれてきた雨と雪がアトラス山やリーフ山地やキュレナイカ山塊やレバノン山にたっぷり降り注ぐ。残余はオマーンの山岳緑地帯、ザーグロス山脈、アルボルズ山脈やアフガニスタンの山々に降る。しかし予報できるような定期に降る雨は、イエメンやドゥファールの高原に降る雨で、これはインド洋の季節風をとらえて降る。もうひとつはアルボルズ山脈の北麓にあり、カスピ海沿岸に横たわる地方にもよく雨が降る。これは、ロシアから南へ流れていく湿り気を帯びた空気をとらえて降るのである。

◐ニジェールのアガデスにある礼拝堂。泥製。最初に建てられたのは14世紀のこと。建物は工人によって絶えず更新されている。側壁から木の棒が突き出しているので、それを足場にして工人が新しく泥を付け加えていくことができる。

大量の水を要する小麦のような作物が食品輸入という形で現われたり、地下から掘り出した水（何百年間も帯水層に蓄えられていた）が現代の発掘技術によって利用可能となった近年までは、農業は成り行きまかせの部分が非常に多いものであった。何千年間も小麦を生産してきた畑が、年降水量が通常50センチの代りに3センチになれば、役に立たなくなるであろう。古代の人々はこの事をよく理解していたので、穀物倉を備えるようにした。農業はエジプトやメソポタミア（現在のイラク）の大河渓谷では発達した。ここでは、アフリカの熱帯雨によって惹き起された年々の洪水やアナトリアやイラン高原の雪どけ水が定期的な収穫をもたらし、古代シュメール、アッシリアやエジプト等の都市を基盤とする複雑な文化の発達を容易にした。チグリスやユーフラテスやナイル河などの栄養分豊かな水を使用する灌漑組織を目盛をきちんと測って操作するために、記録や制禦のための複雑な仕組を必要とした。そのために軍事的権力を持った者の側で統治にたずさわる字の書ける聖職者官僚の存在を必要とした。中国の黄河やインダス河渓谷と並んで、肥沃な三日月地帯の三大河水系は人類文明の発祥地である。共通の法的原則にのっとったきちんとした統治機構を持った最初の国家群は、今から5000年以上も前にこの地域に出現した。

農業生産のために耕土が必要とする水が有限であることは、不毛地帯における人間生活の発展に決定的な衝撃となった。地域によって状況はさまざまであるが、温帯地方の生活様式と南極や北極地方の生活様式との間にはいくつかの特徴的な違いが見られる。降水が少なく、いつ降ってくるかわからぬ地域では、畜産——駱駝、羊、山羊、牛や、適していれば馬などを飼育すること——が相当数の人間にとって最も確実な生計手段である。“まごうかたなき砂漠”あるいは、風によって形成された移動する砂丘の砂の海は、アラビアや北アフリカの大地のほぼ3分の1近くを占めているが、人間や動物の生育には全く向いていない地方で、牧夫や交易業者や軍隊もおおむね居住を避けてきた。しかしより広大な半砂漠地帯では、遊牧と半遊牧が組み合わさった形の牧畜が発達した。冬期には牧夫も家畜群も涸谷《ワーディー》や半砂漠地帯へと足を伸ばしていく。最少量の降水を見たあと萌え出た草や植物を家畜たちに喰《は》ませるためである。盛夏には、彼らは可能なら高原の牧草地へ移動していくか、池や井戸の近くへ集まる。

生産物の一部が税金として支配者にとられてしまうか、供物として僧侶にとられてしまう農業耕作者とは違って、遊牧的な牧畜業者はしばしば国家権力の軛《くびき》からのがれようとする。人々は部族社会の中に組み込まれ、男系の血族集団が共通の男系先祖から系統を引き継ぐ。武勇に秀でていることは賞揚される。なぜなら、そこでは食糧資源が乏しく、部族同士あるいは“支族”同士で競争しあわねばならぬこともあり、生き残るために定住地の村落を襲撃せねばならぬこともあったからである。人の資産は共同体で共有され、作物を生み出す土地という形よりは、慣行に従い、家畜という形で保有されていた。資産と領地とは同一のものではない（降水量の多い所ではそうなる傾向がある）。なぜなら、土地は季節が異なれば別の使用者に占有されるかも知れないからである。共同体成員全員が利害関係を有している泉や井戸といった決定的に重要な資源は、しばしば神に所属するものと考えられ、聖なる家族とみなされた一門の管理に委ねられる。

◀イスラームが絹の道《シルク・ロード》に沿って勢力を確立していくに従い、旅行者や地方の改宗者のために礼拝堂が建てられた。中国新疆省のこの礼拝堂の意匠には中央アジアの影響が見られる。

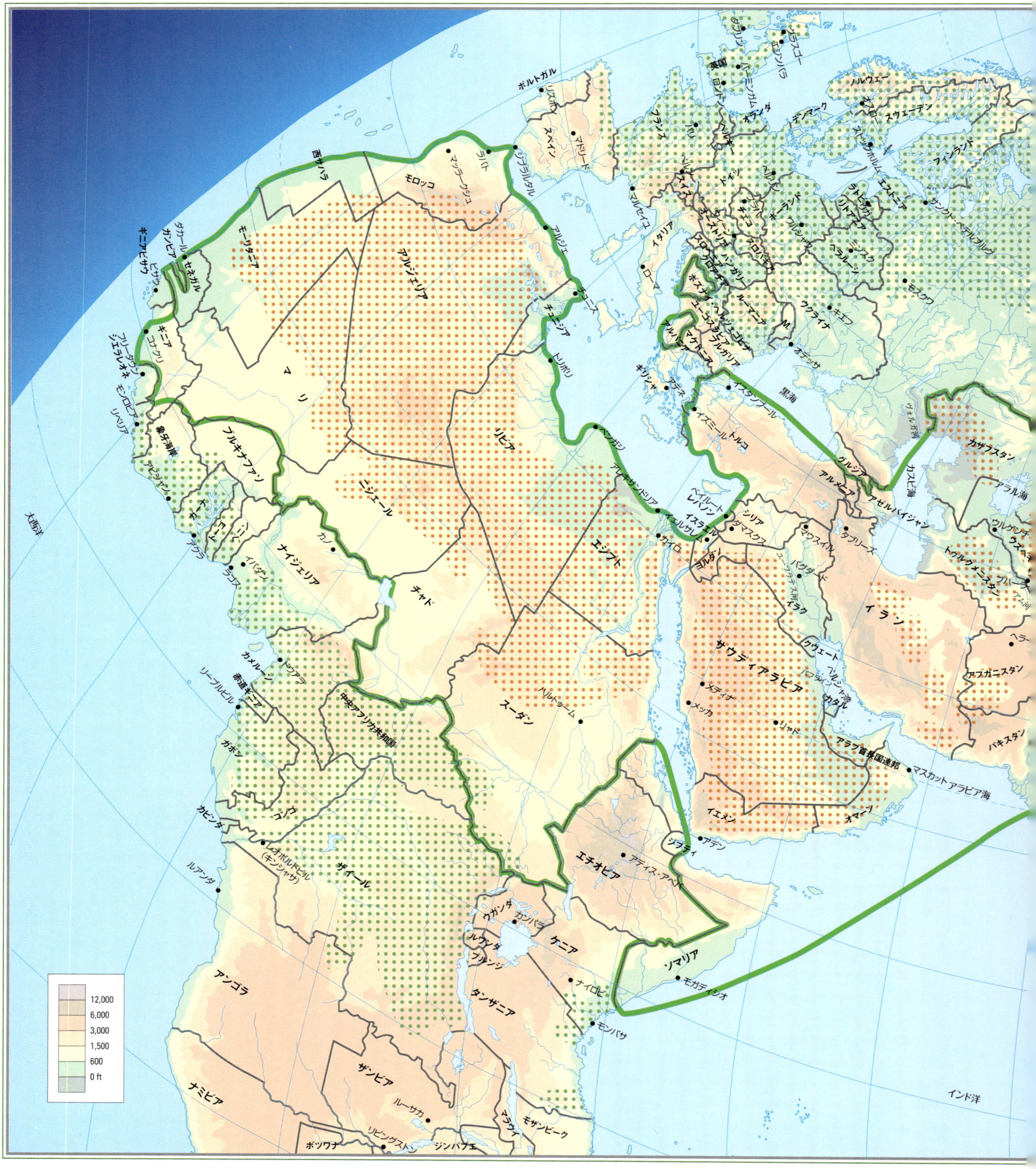
ポルトガル
リスボン
スペイン
マドリード
フランス
英国
ロンドン
オランダ
デンマーク
ノルウェー
スウェーデン
フィンランド
エストニア
ラトビア
リトアニア
ポーランド
ベラルーシ
モスクワ
ウクライナ
キエフ
オデッサ
イタリア
ローマ
ルーマニア
ブルガリア
ギリシャ
アテネ
黒海
トルコ
イスタンブール
イズミール
グルジア
アルメニア
アゼルバイジャン
カスピ海
カザフスタン
アラル海
トゥルクメニスタン
ウズベキスタン
イラン
タブリーズ
アフガニスタン
パキスタン
西サハラ
モロッコ
ラバト
マッラークシュ
ジブラルタル
アルジェ
アルジェリア
チュニス
チュニジア
トリポリ
リビア
ベンガジ
アレキサンドリア
エジプト
カイロ
イスラエル
イェルサレム
レバノン
ベイルート
シリア
ダマスクス
ヨルダン
イラク
バグダード
マウスィル
クウェート
ペルシャ湾
カタル
サウディアラビア
メディナ
メッカ
リヤド
アラブ首長国連邦
マスカット
アラビア海
オマーン
イエメン
アデン
ジブティ
エチオピア
アディス・アベバ
ソマリア
モガディシオ
ケニア
ナイロビ
モンバサ
ウガンダ
カンパラ
ルワンダ
ブルンジ
タンザニア
スーダン
ハルトゥーム
チャド
ニジェール
マリ
モーリタニア
セネガル
ガンビア
ダカール
ギニアビサウ
ギニア
コナクリ
シエラレオネ
フリータウン
リベリア
モンロビア
象牙海岸
アビジャン
ブルキナファソ
ガーナ
アクラ
トーゴ
ベニン
ナイジェリア
カノ
イバダン
ラゴス
カメルーン
ドゥアラ
赤道ギニア
リーブルビル
ガボン
中央アフリカ共和国
コンゴ
カビンダ
レオポルドビル
(キンシャサ)
ザイール
ルアンダ
アンゴラ
ザンビア
ルーサカ
ナミビア
ボツワナ
リビングストン
ジンバブエ
マラウイ
モザンビーク
大西洋
インド洋
12,000
6,000
3,000
1,500
600
0 ft

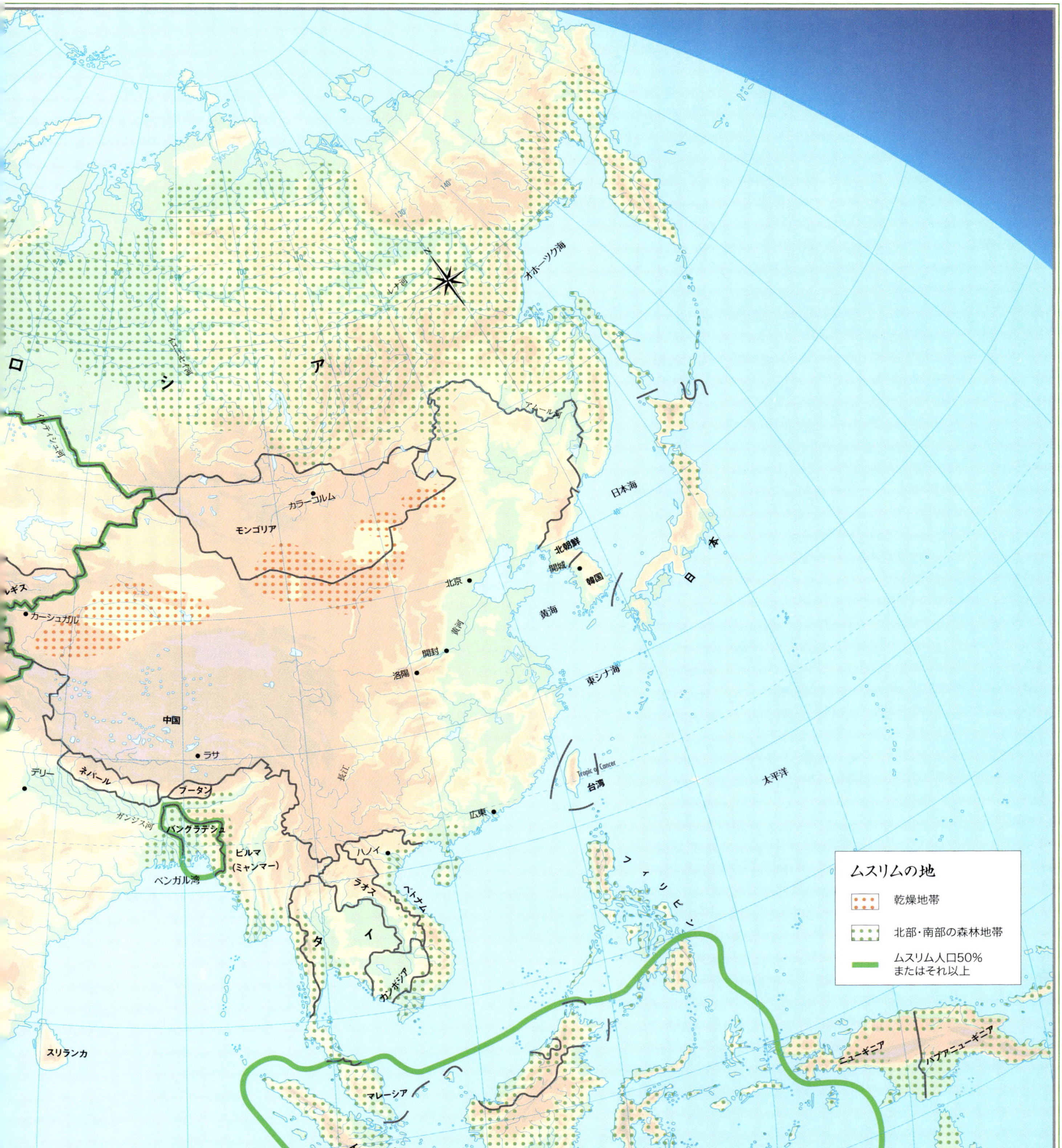

オホーツク海
レナ河
エニセイ河
ロ
シ
ア
アムール河
イルティシュ河
カラーコルム
モンゴリア
日本海
北朝鮮
開城
韓国
日
本
北京
黄海
黄河
開封
洛陽
東シナ海
カーシュガル
中国
ラサ
Tropic of Cancer
台湾
太平洋
デリー
ネパール
ブータン
長江
広東
ガンジス河
バングラデシュ
ビルマ
(ミャンマー)
ハノイ
ベンガル湾
フィリピン
ラオス
ベトナム
タ
イ
カンボジア
スリランカ
マレーシア
イ ン ド ネ シ ア
ニューギニア
パプアニューギニア
ムスリムの地
乾燥地帯
北部・南部の森林地帯
ムスリム人口50%
またはそれ以上

イスラーム圏の諸言語と諸民族

今日の世界には、おおよそ10億人のムスリムが住んでいる——人類の約5分の1である。そのうち最大の単一言語民族集団が約15％のアラブ人である。すべてのアラブ人がムスリムであるわけではない——エジプト、パレスチナ、シリアやイラクには、かなりの数のアラブ人キリスト教徒がいる。またモロッコには、アラビア語を話すユダヤ人が少数ながらいる。——これらの少数派共同体は、主に移民が原因で、ここ近年、急速に数を減らしつつある。コーランやイスラームの教学・法学の言葉としてアラビア語はイスラーム世界で長く圧倒的な地位を占めていた。それに次ぐ地位を占めたのがペルシャ語であった——ペルシャ語はイランとインドのムガール朝宮廷で公用語であった。

非アラブ民族の間にイスラームが広がっていったことは、しかし、アラビア語を少数派の言語にしてしまった——多くの非アラブ・ムスリムもコーランはアラビア語で読んだのだが。1983年に出版されたある民族学的調査によると、400以上の民族・言語集団がムスリムであるという。アラブ人に次いで数の多い民族・言語集団を順番に挙げていくと次のようになる。ベンガル人、パンジャーブ人、ジャワ人、ウルドゥー語話者、アナトリアのトルコ人、小スンダ列島人（東ジャワ出身者）、ペルシャ語話者、ハウサ人、マレー人、アーザリー語話者、フラニ人、ウズベク人、パシュトゥーン人、ベルベル人、スィンド語話者、クルド人とマドゥラ島人（ジャワ北東のマドゥラ島出身者）である。各集団は多いもので1億人（ベンガル人）から、少ないもので1,000万人（スィンド語話者、クルド人、マドゥラ島人）にわたる。一覧に挙げられたより小さい集団のうち、最少のもの——ワイト人はエチオピア北部の漁撈・狩猟民——は2,000人以下である。しかしながら、1,000万人以上の人口によって話されている言語のうち三つ——ジャワ語、スンダ語とマドゥラ語——は、インドネシアの学校で教えられている公用語バハサ・インドネシア語によって圧倒されつつある。インドネシアは世界最大のムスリム人口を抱えた国家なので、バハサ・インドネシア語は、最も話されているムスリムの言語としてアラビア語に追いつくことができる。

自らの民族的出身地国に住んでいるムスリムに加えて、現在では何百万というムスリムが欧州や北米に住んでいる。（フランス語、ドイツ語、オランダ語やその他の欧州語と並んで）英語を話す第二世代のムスリム系欧州人、米国人、カナダ人にとって英語が商業・学術・科学面で国際語であるならば、ムスリム達の間での英語の成長は最近の重要な発達である。

国際的に認められた領土にもとづく近代的な国民国家や（多くの場合）ひとつの共通言語、ひとつの共通の法制度や代議制制度（任命制であれ、選挙制であれ）などは、多くのムスリム世界の人々にとってごく最近の現象なのである。欧州勢力との間の取り決めに従い、近代の国境線はしばしば言語や民族的帰属にもとづいて定められており、クルド人やパシュトゥーン人のように別々の国に所属することになった民族も出てきた。植民地主義的干渉があって彼らが国際連合構成国家という枠組の中に閉じ込められるようになるまでは、ムスリムの国家は、領土国家としてよりは共同体として組織されることが多かった。国家は地図上に引かれた国境線で区切られていなかった。政府の権力は、欧州でそうであった如く、一般的に認められた固定的な範囲内で均質的に機能していたのではない。むしろそれは“距離や自然、人間などの障害によって、徐々に弱められる傾向をもった、数多くの拠点都市から放射された力と考えた方がよいだろう。”（アルバート・ホーラーニー『アラブの人々の歴史』第三書館、142頁）ルネサンス期イタリアや英国、オランダなどでは、愛国心は、都市や都市国家や近代的な領土国家に焦点を当てて考えられていたが、世界に広がるイスラーム圏というより大きな枠組の中では、氏族や部族に焦点を当てて愛国心というものがとらえられていた。地方の連帯感は、いとこ同士の結婚のような同族結婚が多くの共同体において望ましいとされた風習によって強化された。氏族に対する忠誠心は宗教によってさらに補強された。部族の指導者達は、しばしば彼らの叛乱や征服戦争を正当化するために、異教徒の敵に対する真のイスラームの防衛をするのだと訴えた。

近代西洋史の視点から観ると、不毛地帯に発達した統治機構は、対立を惹き起しやすく、不安定であった。降水量の多い欧州では、国家は支配者と臣民との間の憲法をめぐる闘争から立ち現われてきた。その闘争は、共通の国民的・政治的・文化的アイデンティティ（それもアイルランドでのように、時には試練にさらされることもあった）を分け持つ民族的には同質の人々の中での階級闘争によって活性化された。不毛地帯では、優勢な氏族ないし部族に基盤を置いた王朝が、従属する集団に対して権力を行使した。あるいはまたその優勢を保持し続けようとしてマムルーク（軍人奴隷）を遠隔の辺境から輸入しようとした。マムルーク達は土着住民と最少限の接触を持っただけだった。農業耕作者や都市居住者は、遊牧民掠奪者――いわゆる“城門に迫った野蛮人”――の攻撃を受けやすいままであった。氏族を拘束していた連帯意識は、都市民の連帯感よりも強力であった。西欧の対抗者が持っていたような法人を形成せんとする精神を欠いていたため、ムスリムの都市階級は、欧州や北米の近代的国家組織を生み出した“ブルジョワ的”ないし資本主義的な革命を達成することができなかった。

しかしながらこの同じ歴史的事象を違った風に見ることもできるのである。イスラームがそこに根を張ったカザフ草原から北アフリカ大西洋岸（それに北インドとサハラ南部の同様の地）に至るまでの広大な領域において牧羊を旨とする遊牧中心主義が優勢であったとしても、相対的に弱体な農業国家群が、遊牧掠奪者に課税したり、軍事力をもって彼らを統制することができなかったことは、イスラームの道徳力と文化的威信によって均衡が保たれた。植民地経営時代以前には、くり返し掠奪者達はイスラームの最も信頼できる護持者となっていった。学究的なエルネスト・ゲルナーの言い方を借りるならば、“狼が牧羊犬になる”のである。預言者ムハンマドが、彼自身の言行やコーランの雄弁さやコーランから発生した統治の仕組をもってアラブの部族民達を服従させたように、聖法《シャリーア》と人間的な法制度（法学《フィクフ》）は、遊牧民掠奪者と耕作者や都市居住者との間の絶え間ない争いに折り合いをつけさせてきた。今日のムスリム大衆の歴史的記憶に埋め込まれてきた社会機構とは、イスラーム聖法に従って治められている社会正義を支配者は守らねばならないという責務に基礎を置いたものである。現代のムスリムが直面している恐るべき難事は、現代の状況とは大変異なる文脈の中で作り出されてきた政治的・社会的伝統をどう活用するのかということである。

▼サハラ以南地方サーヘルのトゥアレグ人の警官。トンブクトゥの中枢から、トゥアレグ人は地中海と西アフリカの交易路を統制した。

諸言語とイスラームの人々
ムスリム人口50%またはそれ以上
英語　帝国の言語、共通語として使用
ベルギー
ルクセンブルク
チェコ
スロバキア
ウクライナ
オーストリア
モルドバ
スイス
ハンガリー
ルーマニア
フランス
セルビア
ジプシー語
ボスナイ・ヘルツェゴビナ
ボスニア語
タタール語
カスピ海
ユーゴスラビア
ブルガリア
黒海
ジプシー語
ポマク語
ローマ
イタリア
アルバニア
ルーメリア・トルコ語
イスタンブール
グルジア
マドリード
アルバニア語
ポマク語
アルメニア
アゼルバイジャン
ボスニア語
アンカラ
アーザリー語
ポルトガル
ポマク語
スペイン
ギリシャ
アーザリー語
リスボン
地中海
トルコ
アテネ
チェルケス語
ユルック語
チュニス
アルジェ
アラビア語
クルド語
フランス語
ルーメリア・トルコ語
シリア
ロル語
ラバト
バフティヤーリー語
カサブランカ
ベルベル語
レバノン
バグダード
トリポリ
カシュガーイー語
イスラエル
アレキサンドリア
ヘブライ語
イラク
モロッコ
カイロ
ヨルダン
クウェート
アルジェリア
英語
アラビア語
リビア
エジプト
サウディ・アラビア
西サハラ
リヤド
アラビア語
フランス語
トゥブ語
トゥブ語
ベジャ語
モーリタニア
アラビア語
トゥアレグ語
メイドブ語
ベルベル語
マリ
ニジェール
トクロール語
トゥブ語
ビリン語
ウオロフ語
ミミ語
ハウサ語
セネガル
フラ語
ソンガイ語
チャド
ベリ語
ジャバルティ語
カネムブ語
アラビア語
ハルトゥーム
アミール族語
ダカール
フラ語
ソニンケ語
カネムブ語
マバ語
タマ語
イエメン
セレル語
ディオラ語
フナ語
ハウサ語
ブドゥマ語
ブドゥマ語
トゥンジュル語
マサリト語
フール語
ベルティー語
エリトリア
バンバラ語
モシ語
ソンガイ語
フラ語
アラビア語
クーリー・アラビア語
ダジュ語
ハッダード語
スーダン
ワイト語
ティグレ語
マンディンカ語
マンディンカ語
ブルキナ
カヌリ語
バルマ語
シニャル語
トゥンジュル語
タカーリー語
アファール語
フラ語
バンバラ語
デュラ語
ソンガイ語
ハウサ語
ハッダード語
ジャハンカ語
フラ語
ソニンケ語
バトヌン語
フラ語
カヌリ語
フォンゴロ語
フラ語
ヌビア語
ギニア
セヌフォ語
ハウサ語
カナバリ語
グバギ語
コトコ語
ソマリ語
ソニンケ語
デュラ語
フラ語
ハウサ語
コナクリ
スス語
ヤルンカ語
セヌフォ語
モシ語
モレ・ダグバニ語
シャンガワ語
ヌペ語
グバヤ語
アディス・アベバ
テムネ語
フラ語
デュラ語
ガーナ
レシャワ語
フラ語
アルゴッバ語
ソマリ語
メンデ語
マンディンカ語
ナイジェリア
エチオピア
マンディンカ語
ヨルバ語
ヨルバ語
ヨルバ語
グバヤ語
グラゲ語
ヴァイ語
象牙海岸
アカン語
ラゴス
中央アフリカ共和国
オロモ語
リベリア
アクラ
サダマ語
アビジャン
カメルーン
ソマリア
トーゴ
ガンダ語
ソガ語
オロモ語
ソマリ語
大西洋
ベニン
コンゴ民主共和国
ウガンダ
ケニア
ニャンコレ語
北東バントゥー語
ガボン
ナイロビ
コンゴ
ニャムウェジ語
スワヒリ語
キンシャサ
中央タンザニア語
タンザニア
ダールッサラーム
ルアンダ
スワヒリ語
ヤオ語
アンゴラ
ヤオ語
ヤオ語
ザンビア

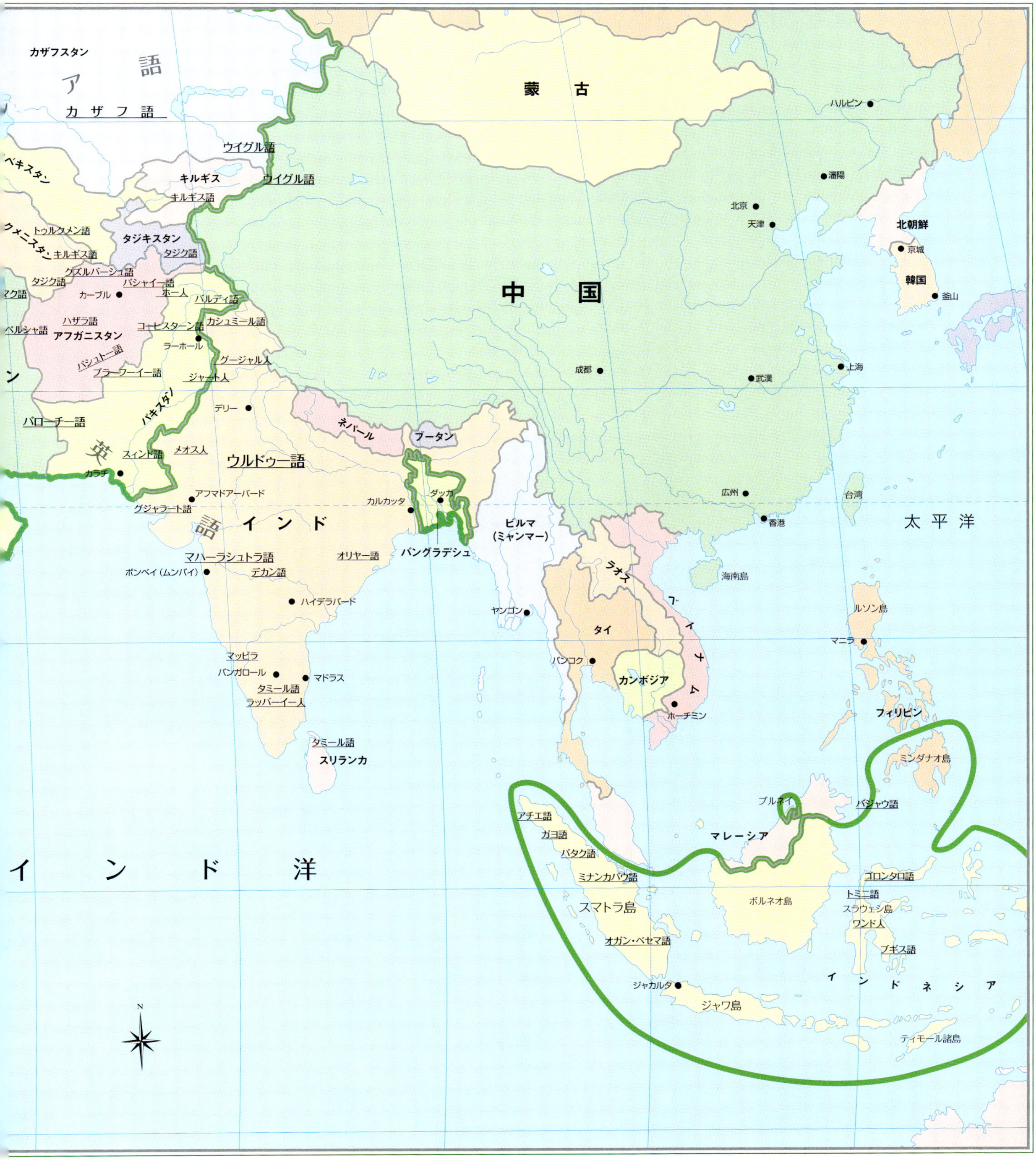
カザフスタン
ア　語
カ　ザ　フ　語
ウイグル語
ベキスタン
キルギス
ウイグル語
キルギス語
トゥルクメン語
タジキスタン
クメニスタン
キルギス語
タジク語
クズルバーシュ語
タジク語
パシャイー語
マク語
カーブル
ホー人
バルティ語
ハザラ語
ペルシャ語
アフガニスタン
コーヒスターン語
カシュミール語
ラーホール
パシュトー語
グージャル人
ブラーフーイー語
ン
ジャート人
パキスタン
デリー
バローチー語
ネパール
ブータン
英
スィンド語
メオス人
ウルドゥー語
カラチ
アフマドアーバード
ダッカ
カルカッタ
グジャラート語
語　イ　ン　ド
ビルマ
(ミャンマー)
バングラデシュ
マハーラシュトラ語
オリヤー語
ボンベイ(ムンバイ)
デカン語
ハイデラバード
ヤンゴン
マッピラ
バンガロール
マドラス
タミール語
ラッバーイー人
タミール語
スリランカ
イ　ン　ド　洋
蒙　古
ハルビン
瀋陽
北京
天津
北朝鮮
京城
中　国
韓国
釜山
成都
武漢
上海
広州
台湾
香港
太　平　洋
ラオス
海南島
ヴ
イ
ナ
ム
タイ
ルソン島
マニラ
バンコク
カンボジア
ホーチミン
フィリピン
ミンダナオ島
ブルネイ
バジャウ語
アチエ語
ガヨ語
マレーシア
バタク語
ミナンカバウ語
ゴロンタロ語
トミニ語
ボルネオ島
スマトラ島
スラウェシ島
ワンド人
オガン・ベセマ語
ブギス語
ジャカルタ
イ　ン　ド　ネ　シ　ア
ジャワ島
ティモール諸島
N

イスラーム以前の古代

ムスリム共同体は７世紀のアラビアに出現した。この地域は、古代の文明、帝国、文化や民族集団が支配的だった所だ。メソポタミア文化の痕跡は今でもチグリス・ユーフラテス両河地域に残っている。また地中海とペルシャ湾にはさまれた地域は、商船がこれらの海域を行き来していた隣接勢力の強い影響力を長らく感じ続けていた。東ローマ帝国であり、東方正教会の国でコンスタンチノープルに本拠を置いていたビザンチウムは、この地域における最初のキリスト教国であり、ペルシャ（現代のイランのこと）に本拠を置いていた強力なゾロアスター教国家サーサーン朝帝国と対峙していた。いろいろな主要国家間での争いが潮の干満のように押し寄せてきては消えていった事は、アラビアの繁栄していた地域との関係同様、南方貿易に影響を及ぼした。いくつかのアラブ王国の歴史は、今に残る考古学的遺跡からしのぶことができる。たとえば、ペトラ（紀元前1世紀～紀元後1世紀）からはナバタエ人の歴史がわかる。パルミラ（紀元後2～3世紀）の遺跡もある。より後のガッサーン朝の遺跡も残っているが、その庇護者はビザンチンとラフム朝だった。ラフム朝はサーサーン朝帝国に臣従していた。

ムスリム世界に出現することになった知的生活面への主たる影響は、ペルシャやギリシャやインドからもたらされた知を蓄積していた学士院や学術機関によって与えられた。とりわけ、医学や科学や哲学の分野におけるヘレニズムとペルシャの遺産は、ムスリム社会に知的探求の強力な伝統を生み出すことになったのである。古典古代の遺産やヘレニズムの遺産をいろいろな形で、たとえば建築や哲学や芸術の形で、あるいは都市的な形や農業の形で保持しつつも、この地域の文化は、程度の差はあれ、地中海世界の国際的な性格に影響されていた。この地域の主な宗教のうち、キリスト教も東方正教会という形で南部アラビアで支配的であった。一方ゾロアスター教はイランとメソポタミアで支配的であった。ユダヤ教は近東で長い歴史を持っており、メディナ同様イエメンやアラビア半島のここかしこのオアシスには小さなユダヤ教徒共同体があった。これらすべての諸伝統が受け継いできた諸価値や文学や慣習が、この広大な多くの信仰形態や多民族を抱える環境の中で共存していた。預言者ムハンマド歿後１世紀の間にムスリムによる征服に襲われたのはこういった環境であった。時経てそれは、イスラームという宗教によって結び付けられた一大文明の一環となっていく。一方、古代のさまざまな遺産の継続性も維持されていった。

▼ナクシェ・ロスタムの摩崖浮彫。サーサーン朝の創始者アルダシール１世叙任式図。

ムスリム征服前のアラビア
サーサーン朝の占領地、607〜28年
カルブ人 アラブの部族
黒海
コンスタンチノープル
アンカラ
アナトリア
東ローマ帝国
アタレイア
カフカス山脈
カスピ海
アルダビール
カズヴィーン
レイ
エデッサ
ダーラー
ダビーク
ハッラーン
ニシビス
アンティオキア
アレッポ
ハマー
キプロス島
トリポリ
ホムス
パルミラ
地中海
ダマスクス
ティール
カエサレア
ヤルムーク
アレキサンドリア
イェルサレム
アジュナーダイン
ムウタ
フスタート
(カイロ)
ペトラ
ガッサーン王国
カルブ人
ラフム人
ジャフーラー
ネハーヴァンド
クテシフォン
サーサーン朝ペルシャ
カルバラー
クーファ
カーディスィーヤ
エスファハーン
バスラ
イスタフル
(ペルセポリス)
バクル人
ペルシャ湾
スイーラーフ
ガタファン人
サハラ砂漠
ジュハイナ人
メディナ
バドル
紅海
ヒジャーズ
キンダ人
アルヤマーム
ハニーファ人
オマーン湾
Tropic of Cancer
ノバティア人
砂漠の遊牧民
マアズーン人
スライム人
メッカ
クライシュ族
マックーラ人
ドンゴラ
ハワージン人
ルブウルハーリー
(空白地域)
アズド人
マフラ人
サーサーン朝の属領
イエメン
アルワ人
アラビア海
アクスーム人
ヒムヤル人
N
0 200 km
0 200 miles

ムハンマドの布教と諸戦役

▲ムハンマドの肖像は描いてはいけないと考えられていたが、彼のおじハムザやその他の者の英雄的な功業を描いた絵はムスリム最初の叙事詩を思わせる。1561～71年頃にインドで描かれたとされるこの絵は、物語が傍らで語られるのと同時に、観客に見せる大型の絵だ。

イスラームという言葉は、アラビア語の名詞で、自分自身を他者に委ねるという意味のアスラマという動詞に由来する。第一義的には能動分詞ムスリムは、預言者ムハンマド（570頃～632年）の教えを通じて啓示された如き神に対して自分自身を委ねる人の意である。ムハンマドは、コーランの中に書かれているような神の啓示をさずけられた人とムスリム達によって信じられている。ムスリムはコーランを、神が人類に与えた最後の啓示であるとみなしている。ムハンマドの３番目の後継者であるカリフ・ウスマーン（在位644～656年）の時代にコーラン全114章が結集された。コーランは、尊敬されていた商人であるムハンマドの出身地メッカで啓示されたと言われているが、彼がメディナに滞在していた間（622～632）の啓示もある。

メッカでは、コーランが高慢や貪欲の罪を非難していることや社会的義務の怠慢を叱責していること、神の審きがあることを警告していること、異教の神々を攻撃していることなどが、ムハンマドおよびその信者達を、自らの部族クライシュ族との闘争へと導いていった。クライシュ族でも彼の仲間は排斥され、イスラームに改宗した者は迫害を受け、一部はエチオピアのアクスームへ避難していった。しかし神の信託を受けた預言者としてのムハンマドの名声は、メッカの範囲を越えて広がっていった。彼はヤスリブの反目し合っている部族党派間で裁判官ないし調停者として来てほしいと招かれた。ヤスリブはメッカ東北400kmの所にあるオアシス定住地で、のちにマディーナトゥンナビー（「預言者の町」の意）と呼ばれるようになった所である。通常短く省略してマディーナ（メディナというのは日本などで流布している訛った言い方）と呼ばれる。ムスリムのヒジュラ（聖遷）は622年に行なわれ、この年をもってイスラーム暦が始まる。メディナにいた頃ムハンマドは事実上の支配者であったが、コーランの章句中にはこのメディナ期の啓示もあり、そこにはいくつかの立法的条項（たとえば結婚だとか相続に関する条項）が含まれていて、これらがのちイスラーム法となったものの基礎をなす。メッカの人達との何回かの戦闘ののち、ムスリム達は勝利をおさめた。晩年ムハンマドはメッカに凱旋した。道中、各部族は彼に恭順の意を表した。彼は古代からの巡礼儀式を改め、アニミスト的側面を放棄した。そして彼がこれこそアブラハムの本源的一神教であると信ずるものへ方向転換させた。さらなる遠征ののち、彼はメディナに戻った。そこで彼は短い病を得た後、632年に世を去った。

ムハンマドの布教と諸戦役
(632年まで)
ムハンマド、メディナに聖遷
諸戦役
632年までにムハンマドに征服された地
632〜34年にアブー・バクルに征服された地
戦跡と年代
30°
35°
40°
45°
50°
アナトリア
マラシュ
サモサタ
エデッサ
ダビーク
ハッラーン
アンティオキア
アレッポ
ラッカ
キプロス島
トリポリ
ホムス
地 中 海
ダマスクス
カエサレア
ダミエッタ
ガザ
アレキサンドリア
イェルサレム
ヘリオポリス
フスタート
(カイロ)
ビ ザ ン チ ン 帝 国
ナイル河
アスワン
ノバティア
マックーラ
アルワ
アクスーム
紅
海
ヒジャーズ
625
メディナ
624
メッカ
サンアー
マウスィル
ティグリス河
ユーフラテス河
カズヴィーン
レイ
ハマダーン
ジャフーラー
ネハーヴァンド
クテシフォン
ワーシト
クーファ
カーディスィーヤ 636
エスファハーン
バスラ
ケルマーン
シーラーズ
スィーラーフ
サ ー サ ー ン 朝
ペ ル シ ャ 帝 国
ドゥーマトゥル・ジャンダル
ペ ル シ ャ 湾
アル・ヤマーマ
ア ラ ビ ア
オ マ ー ン 湾
632
マスカット
630
ル ブ ウ ル ハ ー リ ー
(空 白 地 域)
633
633
ア ラ ビ ア 海
N
0
400 km
0
400 miles

イスラームの拡大、750年まで

ムハンマドの死はムスリム共同体を明白な指導者のいない状態に置いた。彼の最も古い教友であったアブー・バクル（在位632～634年）が何人かの指導者達によって初代カリフないし後継者と認められた。アブー・バクルと彼の後継者ウマル（在位634～644年）治下、ムハンマド歿後離反しはじめていた諸部族は、イスラームという錦の御旗のもとで再統合され、恐るべき軍事的・イデオロギー的勢力へと変貌していった。アラブ人は半島を出てビザンチン帝国諸州の半分を征服し、同様にしてサーサーン朝ペルシャ帝国を敗った。ペルシャ帝国の首都クテシフォンは637年に、イェルサレムは638年に陥落した。ウマルの後継者ウスマーン（在位644～656年）治下、646年までにエジプト全土がアラブ人ムスリムの統治下に入った。エジプトとシリアから船を調達してきたアラブ人は、海上からの襲撃も敢行し、649年にキプロス島を征服し、654年にロードス島を劫掠した。ビザンチンの支配者層とエジプトやシリアの臣民達の間にあった宗教上の違いは、次のことを確実にした。すなわち、ムスリムは無関心のまま放置してもらったり、あるいは異邦人によるビザンチンの支配を何十年も苦々しく思ってきた同じ一神教徒達によって歓迎されることもあったのである。しかし非宗教的な要因も重要であった。アラブ人には信仰のためという動機もあったが、戦利品目当てという動機もあった。以前は遊牧民掠奪者達は戦利品を奪っていくか、あるいは土地を占有して地主か農民として征服地に散らばっていった。カリフ・ウマルは将来を見通した決定をくだし、俸給を支給するから部族民達は定住するようにと勧めた。その俸給は共通の国庫から支払われ、こうすることによって征服地の統制がとれた。アラブ人は現地住民と切り離して軍営にとどめおかれた。その軍営はやがてイラクにおけるバスラやクーファのような軍営都市へと発展していった。戦利品の分配をめぐって緊張が走り、それが公然たる内乱勃発へと進むこともあったが、巣立ちしたばかりのイスラーム政府によってなされた全面的な統制が王朝的な支配のもとに置かれ続けた。個々の王朝は、平等と正義というイスラーム的な原則に反する統治であるとして、しばしば挑戦を受けることはあったが、統治の王朝的な仕組は、社会機構の一般に行なわれている形態や父系血族集団に適合しており、近代に至るまで範型として残った。ウマイヤ朝時代にイスラームは目ざましい拡大を続け、アラブ人襲撃者は中央フランスやインダス渓谷にまで到達した。

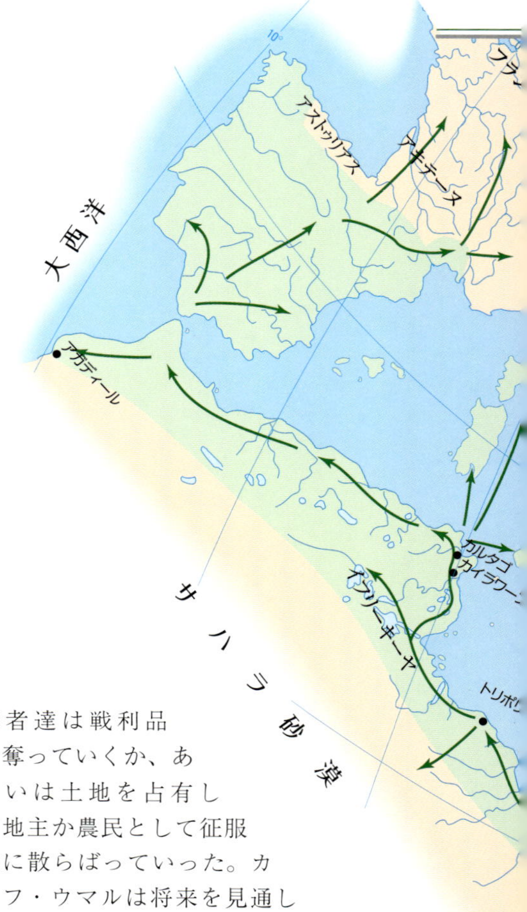

▼イェルサレムの岩のドーム。691～92年にカリフのアブドゥル・マリクが建立。アラブ征服後最初に建てられた大建築。神の唯一性を讃えるコーランの唱句で飾られている。ムハンマドはここから昇天して奇跡の旅をしたと伝えられている。

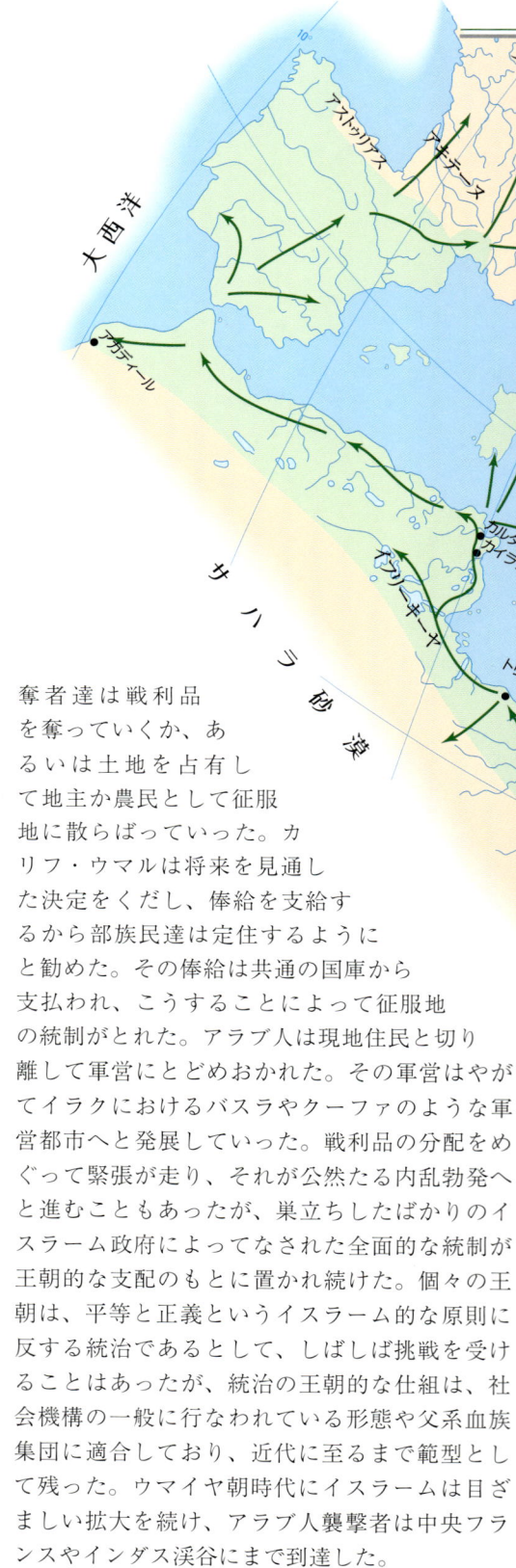

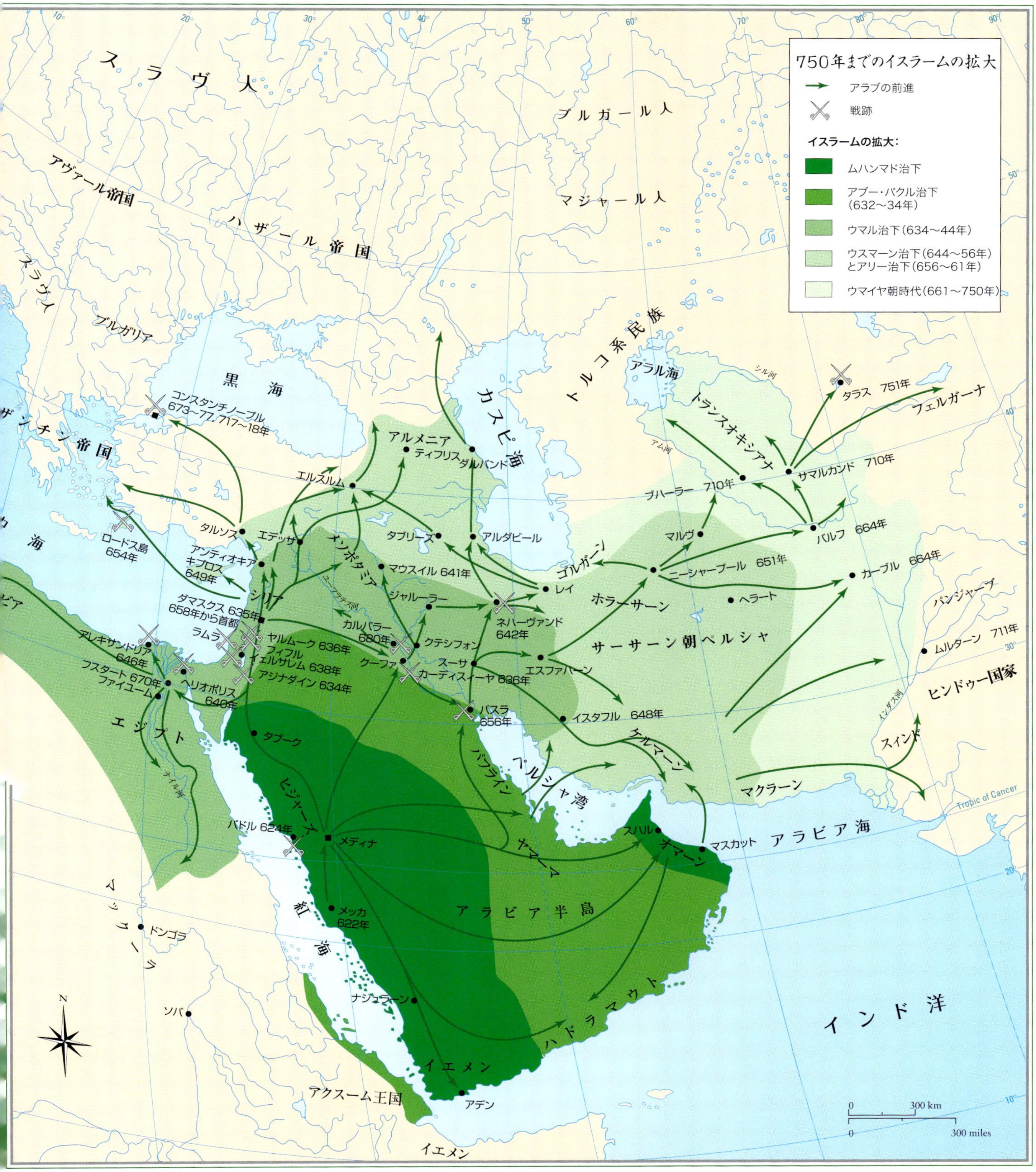
750年までのイスラームの拡大
アラブの前進
戦跡
イスラームの拡大:
ムハンマド治下
アブー・バクル治下（632～34年）
ウマル治下（634～44年）
ウスマーン治下（644～56年）とアリー治下（656～61年）
ウマイヤ朝時代（661～750年）
スラヴ人
ブルガール人
アヴァール帝国
マジャール人
ハザール帝国
スラヴ人
ブルガリア
トルコ系民族
黒海
コンスタンチノープル 673～77, 717～18年
ビザンチン帝国
カスピ海
アラル海
シル河
タラス 751年
フェルガーナ
トランスオキシアナ
アム河
サマルカンド 710年
ブハーラー 710年
アルメニア
ティフリス
ダルバンド
エルズルム
タルソス
エデッサ
タブリーズ
アルダビール
マルヴ
バルフ 664年
ロードス島 654年
アンティオキア
キプロス 649年
メソポタミア
モスル 641年
ゴルガーン
ニーシャープール 651年
カーブル 664年
シリア
エウフラテス河
レイ
ホラーサーン
ヘラート
パンジャーブ
ダマスクス 635年
658年から首都
ジャルーラー
ネハーヴァンド 642年
カルバラー 680年
ラムラ
ヤルムーク 636年
フィフル
イェルサレム 638年
アジナダイン 634年
クテシフォン
スーサ
クーファ
カーディスィーヤ 636年
エスファハーン
サーサーン朝ペルシャ
ムルターン 711年
アレキサンドリア 646年
フスタート 670年
ファイユーム
ヘリオポリス 640年
バスラ 656年
イスタフル 648年
インダス河
ヒンドゥー国家
エジプト
タブーク
ケルマーン
スインド
ナイル河
バフライン
ペルシャ湾
マクラーン
ヒジャーズ
Tropic of Cancer
バドル 624年
メディナ
ヤマーマ
スハル
オマーン
マスカット
アラビア海
マックーラ
メッカ 622年
アラビア半島
紅海
ドンゴラ
ハドラマウト
インド洋
ナジュラーン
ソバ
イエメン
アクスーム王国
アデン
イエメン
300 km
300 miles
N

イスラームの拡張、751 ～ 1700 年

イスラームは征服と改宗によって拡大した。イスラーム信仰は剣によって広められたと言われたこともあったが、そうではない。コーランは明瞭に次のように述べている。すなわち、“宗教には強制があってはならぬ”（第2章256節）と。貢税を払いさえすればユダヤ教徒もキリスト教徒も自らの宗教を護持し続けることを許した預言者の先例にならい、歴代カリフは、啓典の民（ゾロアスター教徒も含む）すべてに、ジズヤ（人頭税）を払うという条件で従来の宗教的慣行を維持する権利を認めた。ジズヤは軍役に服さないでよい代りに支払う税金であった。当初イスラームはアラブ人の宗教であるにとどまっていた。イスラームは統一の象徴であり、優越性の印であった。改宗が多く行なわれるようになると、改宗者はアラブ部族民のマワーリー（改宗隷属民）となるよう求められた。アラブ人が覇権的地位を担い続けるのが当然とみなされたのである。

しかしながら、多くの要因が初期征服事業後も人々の改宗を促した。キリストの神性と人性の間の適切な平衡の取り方をめぐっての何世紀にもわたる学究的な神学論争にうんざりしていたキリスト教徒にとっては、イスラームは自分達を厚遇してくれている宗教だった。イスラームではキリストはムハンマドの先行者として名誉ある地位を占めていた。同様にユダヤ教徒にとっても、イスラームは、アブラハムとモーセの伝統の中に列せられる改革宗教と見ることもできた。ユダヤ教徒同様、闇の力から人類を救い出すために派遣されてきた救世主という終末論的思想を信じていたゾロアスター教徒は、イスラーム的な外装の中で、シーア派の信仰に従って、アリー一門を来たるべき救世主と同定することは比較的容易だったであろう。終末論的な考え方は普遍的な訴求力を持っており、ほぼすべての宗教的伝統の中に見出されるものである。イスラーム勢力のインド征服事業ののち、シーア派の終末論の中にある再臨なさるべきイマームの姿は、来たるべきヴィシュヌ神の化身とみなされることもあったであろう。大都市地域では、古い伝統を断ち切った改宗者達は、ムスリムとしての権利を主張したり、イスラームの啓示の普遍性を強調したり、新しい社会秩序や政治的権力の形態を確立していく中でイスラームが果たす合法化機能を強調することによって、アラブの宗教から部族意識や風習を取り除く上で役に立った。さらに改宗手続の並外れた簡単さである。証人の前で、「神以外に神はない。ムハンマドは神の使徒である」と唱

◆現在のチュニジアのカイラワーンにある大礼拝堂の塔。9世紀建立。古代カルタゴの遺跡近く。昔の物見櫓と灯台を土台にして三つの塔が積載された形。

えさえすればよいのである。秘儀的な宗教がしばしば複雑な改宗手続を要するのと好対照をなしている。サハラ砂漠以南のアフリカでは、地方の精霊達はイスラーム化されて、コーランの中の天使や霊魔や悪魔達の列の中に組み込まれてしまった。祖先崇拝は、地方の血族集団をアラブ人ないしイスラーム神秘主義者（スーフィー）の精神的一族に融合することによって適合せしめられた。

改宗の背後には多くの世俗的配慮があった。イスラームの結婚政策は、イスラームという宗教の拡大に有利になるようにと考えられている。たとえばアフル・ル・ジンマ（被保護民）の女性がムスリムと結婚しても自らの信仰を変える必要はないが、逆の場合は当てはまらない。そして子供はムスリムとして養育されることが期待され、かくて次の世代以降のイスラーム化が確保される。この人口統計学的利点は、勝者が敗者たる部族の婦人を娶ることが当り前であったような社会においては、かなりの重みを持っていた。より一般的には、才気があり野心的な個人が支配者階級に入っていこうとする自然な傾向があった。イスラーム社会がイランやイラクの諸都市のような大都会で発達してくると、法学や預言者の伝承に関する知識が、文学、天文学、哲学、医学や数学といった世俗的な学問と並んで、貴族階級の人間が他者を差別化する指標となった。社会的野心によって鼓舞された改宗を単なる日和見主義と考えて見過すべきではない。古典時代の絶頂期においては、中国を除けばイスラーム世界は最も発達した洗練された社会だったのである。そうした社会が提供した洗練された落着きと秩序の範型は、意識的な布教活動とは別に、それ自体の訴求力を発揮した。中核的な地域の周辺に住む人々は、イスラームという宗教とさまざまな形で出会うこととなった。教育を受けた読み書きのできる商人と出会った者。各地を放浪する学匠に出会った者。カリスマ的な托鉢僧に出会った者。印象的な随行員を引き連れた自国の王子に出会った者。洗練された知識人に出会った者や、広範囲に異なった文化的背景を持つ聴衆に適した託宣や儀式を考え出すことに巧みな秘教的伝統から出てきたダーイー（宣教者）に出会った者など、いろいろである。中央で統制された布教計画がなかったので、この宗教は、有機的に広がっていくのに充分適していたことがわかった。

▼ムハッカク書体で書かれたコーラン。1308年バグダードで製作された。大型版なので礼拝堂の中で会衆が皆で朗唱する時呈示された。

Arctic Circle
Tropic of Cancer
Tropic of Capricorn
太平洋
大西洋
グリーンランド
アイスランド
(デンマーク
スコット
アイルラン
イング
ルーパート・ランド
ニューファウンドランド
ニューフランス
ノバスコシア
ブリティッシュ・コロニーズ
ポルトガル
アゾレス諸島
マデイラ諸島
モロッコ
カナリア諸島
フロリダ
バハマ
キューバ
イスパニョーラ島
ニュースペインの副王支配地域
ベリーズ
ジャマイカ
プエルトリコ
モスキート海岸
カーボ・ベルデ諸島
セントルイス
テルクル
カリ
マリ
ポルトガル領ギニア
トリニダード
サンタフェ・デ・ボゴタ
キト
レシフェ
リマ
バイア
ペルーの副王支配地域
ラパス
サンティアゴ
ムスリムの拡大
(750〜1700年)
900年までの拡大地域
1300年までの拡大地域
1500年までの拡大地域
1700年までの拡大地域
1300年までの喪失地域
1500年までの喪失地域
1700年までの喪失地域

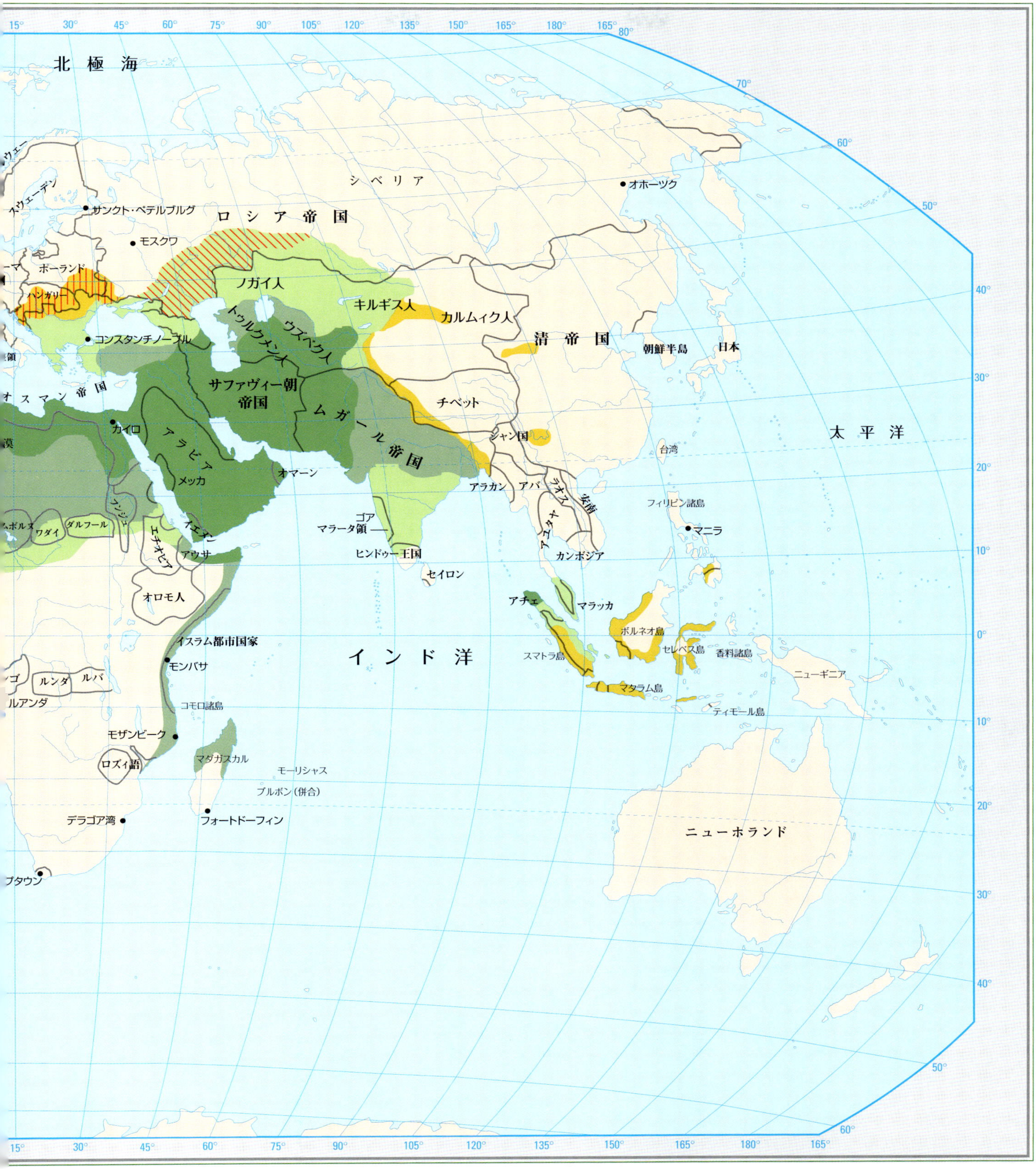
北極海
シベリア
ロシア帝国
サンクト・ペテルブルグ
モスクワ
オホーツク
ポーランド
ハンガリー
ノガイ人
キルギス人
カルムィク人
トゥルクメン人
ウズベク人
コンスタンチノープル
オスマン帝国
サファヴィー朝帝国
ムガール帝国
清帝国
朝鮮半島
日本
チベット
シャン国
台湾
太平洋
カイロ
アラビア
メッカ
オマーン
イエメン
エチオピア
アウサ
フンジュ
ダルフール
ワダイ
オロモ人
イスラム都市国家
モンバサ
ルンダ
ルバ
ルアンダ
コモロ諸島
モザンビーク
ロズィ語
マダガスカル
モーリシャス
ブルボン（併合）
デラゴア湾
フォートドーフィン
インド洋
ゴア
マラータ領
ヒンドゥー王国
セイロン
アラカン
アバ
ラオス
安南
アユタヤ
カンボジア
フィリピン諸島
マニラ
アチェ
マラッカ
ボルネオ島
スマトラ島
セレベス島
香料諸島
ニューギニア
マタラム島
ティモール島
ニューホランド

スンニー派、シーア派、ハーリジュ派、660～1000年頃

指導者問題をめぐって発生したイスラームの主要な分派活動は、預言者崩御の時に遡るが、最初の内乱（656～661年）によって激化し、次の世代でその結実を見る（680～81年。カルバラーの悲劇）。初代カリフ、アブー・バクルは、預言者の最も古い教友中の一人であったが、預言者の最も若い妻アーイシャの父親でもあった。預言者が崩御するや、彼は最初の改宗者で気取らない指導者であるウマルの強力な支持を得て、拍手喝采をもってカリフに選ばれた。アブー・バクルが逝去すると、ウマルのカリフ職就任は広く認められ、ムスリム国家が形をとりはじめたのは、彼の10年に及ぶ在任期間中であった。ウマル治下、諸征服事業の結果の然らしむる所であるさまざまな緊張が走った。戦利品の分配や新しいムスリム社会における部族長の地位をめぐって争いが表面化しはじめた。こうした緊張は、ウマルの峻厳かつ清教徒的な統治によって押さえ込まれたが、彼の後継者ウスマーンの御代になって、悲劇的な表面化を見ることになる。ウスマーンは、エジプトやイラクから帰還した不満分子の兵士達によってメディナで暗殺された。初期の改宗者として新しい宗教にたずさわったことで知られていたが、ウスマーンはメッカのウマイヤ家と結び付いていたので、そのことがそもそもムハンマドの啓示に違背していた。より敬虔な人を犠牲にして自分の縁故の者を贔屓にしたかどで彼は非難されていた。敬虔な人達はアリーのまわりに集まってきた。アリーは預言者の従弟であり、最も近い男性縁戚だった。アリーは、幾人かの信者達から、当初預言者の後継に指名されていたのは彼であるとみなされていたので、今やカリフ職の重任を担うこととなった。アリーはウスマーン殺害者を罰することができなかったので、ムハンマドに最も近かった教友タルハとズバイルの二人による叛乱を誘発してしまった。叛乱にはアーイシャが加勢した。タルハとズバイルを敗ることはできたが、アリーはスィッフィーンの戦いでシリア総督でウスマーンの縁戚であったムアーウィヤを打ち破ることができなかった。最終的にはアリーがムアーウィヤとの妥協を求める決定を下したことが、彼の陣営中の主戦論者達を怒らせてしまった。彼らはアリーの陣営を出て行ってしまったので、後世ハーリジュ派（出ていった人）と呼ばれるようになった。アリーは、658年7月ハーリジュ派を征伐したが、運動を継続するに充分なだけの数が生き残り、今日では穏健なイバード派として残存している。ハーリジュ派指導者の一人イブン・ムルジャムは、661年にアリーを暗殺することによって仲間のかたきをとった。アリーの長男ハサンは勝利者ムアーウィヤと対立しなかった。ムアーウィヤは初代ウマイヤ朝カリフとなった。ムアーウィヤが680年に死んだ時、カリフ位はムアーウィヤの息子ヤズィードに世襲された。アリーの次男フサインは、カリフ位を預言者ムハンマド直近の子孫の手に取り戻すべく努力したが、果せなかった。フサインと彼の少数の部下が、680年、ヤズィードの兵士達によってカルバラーで惨殺されたことは、イラクのアリー支持者達の間に事件を後悔する一運動を喚びおこした。彼らはのちシーア派、すなわち“アリー党”と呼ばれるようになった。

▶ムガール朝皇帝とその末裔は、歴史と信仰の智恵に対して変らぬ関心を寄せていた。そのことは彼らの回想録や絵画からも偲ばれる。1600年代までに、皇帝ジャハンギールの絵師達は、二人またはそれ以上の賢者か聖者達が討論しているという構成を発達させた。ムガール朝の絵師達は、画面の人物が生きているかのように、伝説上の聖者を描くことに昔から尻込みしたりしなかった。この絵に出てくるのはムスリム正統派の人物で、左下に一人だけ、坊主頭のダルヴィーシュ（神秘主義修道者）がいる。

ハールーヌッラシード治下のアッバース朝カリフ制

▲ハールーヌッラシードが伝奇的に描かれているが、背景はオスマン様式の礼拝堂であり、描かれたのは19世紀のこと。オスマン朝スルターンによってカリフ制が復活されたのは、欧州勢のムスリム臣民に与える権利とスルターンのキリスト教徒臣民に対して欧州勢が要求している権利とを平衡させるためであった。

カリフ・ハールーヌッラシード（在位786～809年）の御代は、アッバース朝治下、軍事的征服と領土獲得が頂点に達した時代であり、カリフ制はインドや中央アジアの境界からエジプトや北アフリカにまで伸張した。ハールーヌッラシードは、殺された兄のアル・ハーディー（在位785～86年）からカリフ職を引き継ぐ前は、軍事的指導者として頭角を現した。彼はイフリーキーヤ（現在のチュニジア）、エジプト、シリア、アルメニアやアゼルバイジャンなどさまざまな地で総督を勤めた。彼はビザンチン帝国との戦いにおいて敵を寄せつけなかった。786年カリフに即位するや、ハールーンはフランク国王シャルルマーニュ（在位742～814年）との間に外交関係を確立した。中国との間にも外交的・商業的関係が樹立された。

ハールーヌッラシードの御代はしばしば黄金時代であったと言われる。重要な文化的、文学的活動が行なわれた時期であった。この時期に彼の庇護のもとで美術やアラビア語文法学や文学や音楽が花開いたのである。ハールーヌッラシードは、有名な説話集『千夜一夜物語』の中で一きわ目立って異彩を放っている。彼の廷臣の中には、酒を謳った詩で有名な詩人のアブー・ヌワース（815年歿）や、音楽家のイブラーヒーム・ル・マウスィリー（804年歿）がいた。アッラシードおよびその息子達の師傅であったアル・キサーイー（805年歿）は、当代随一のアラビア語文法学者であり、コーラン朗誦者であった。古典の諸文献がギリシャ語やシリア語やその他の諸言語からアラビア語に翻訳された。ハールーヌッラシードは気前の良いことで有名だった。巧みな詩を献上したりすると、褒美として馬や袋一杯の金《きん》を賜ったり、田舎の地所を下賜されたりすることもあった。彼の妻のズバイダは慈善事業で有名だった。とりわけ、イラクからメディナに至る巡礼路の途中に無数の井戸を掘らせんとした事業で知られている。

しかし信心の方もおろそかにはされていなかった。スーフィズム（イスラーム神秘主義）はカリフ制のもとで栄えた。名高い禁欲

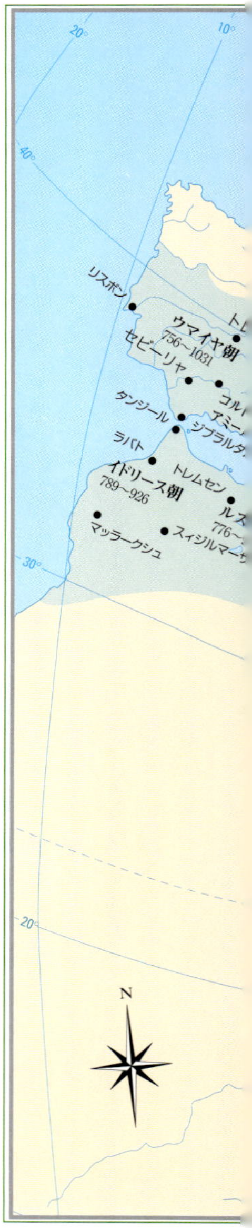

主義者にして神秘家のマアルーフ・ル・カルヒー(815年頃歿)は、バグダードにおけるイスラーム神秘主義道の指導的な解説者の一人であった。スーフィズムに対するのとは対照的にハールーヌッラシードは、シーア派を禁圧しようとする政策をとった。

ハールーヌッラシードの治世の後半は政治的不安定で特色づけられる。800年にイブラーヒーム・ブヌル・アグラブをイフリーキーア総督に任命したことは、この地の半独立性を認めたことになった。続いてハールーヌッラシードがバルマク家の全権力を崩壊せしめたことは、政治的・領土的衰退時代への序章をなすものであった。ハールーヌッラシードは、二人の息子アル・アミーンとアルマアムーンに帝国領土を二分し、兄のアル・アミーン（在位809～813年）を後継者に指名した。その後の2年間にわたる内戦はこうしたこともあずかって起ったのであろう。引き続いて不安定と叛乱の時代が続く。アル・マアムーン（在位813～833年）の御代は知的側面では輝かしい時代であったが、領土的衰微とアッバース朝の勢威の衰えが感じられる時代であった。

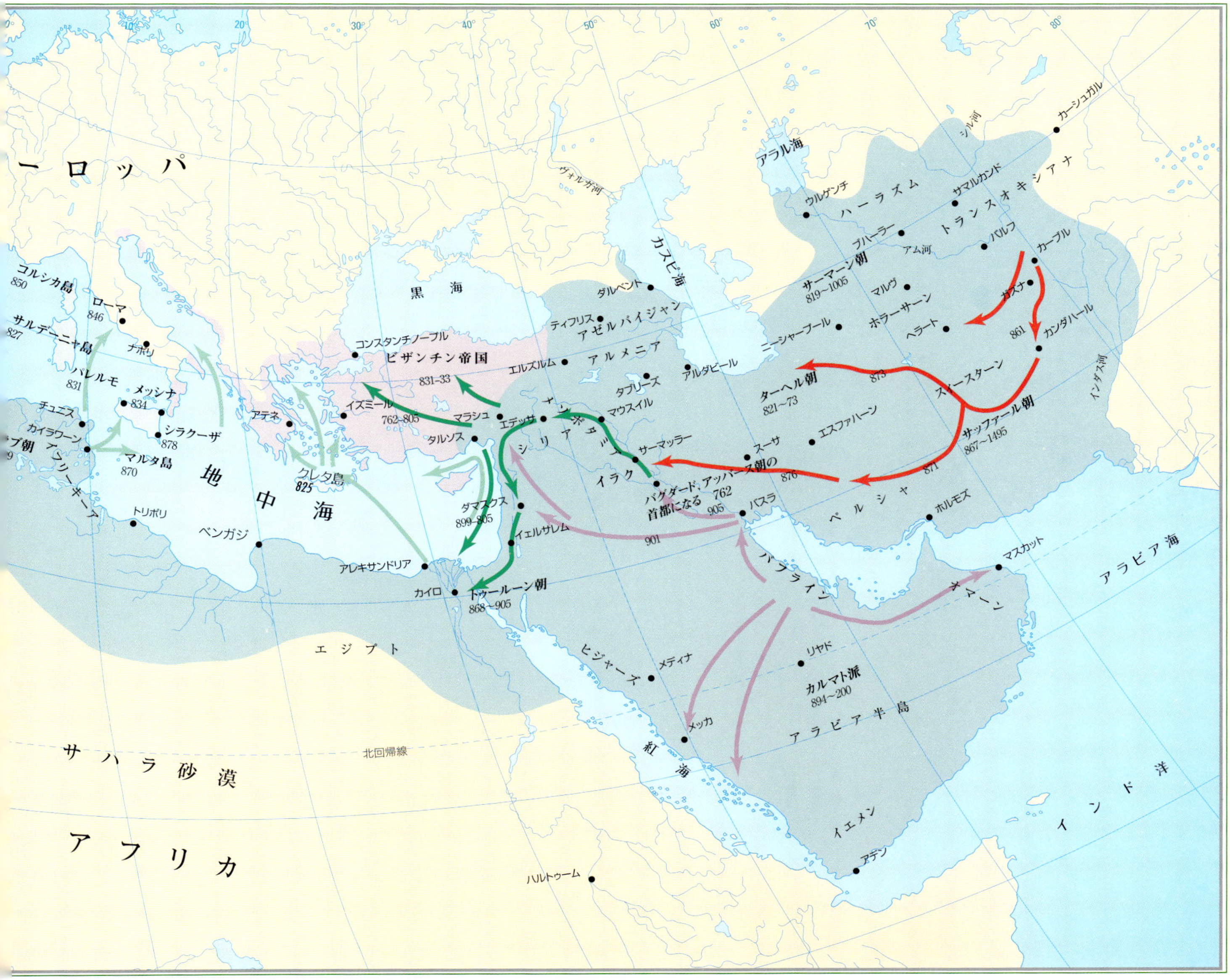

イスラーム、イスラーム法およびアラビア語の拡大

イスラームの急速な拡大は、旧世界に恐るべき変化をもたらす力として作用した。ウマル・イブヌル・ハッターブ（644年歿）の御代の終りまでに全アラビア半島が征服されてしまった。ビザンチン帝国のシリア領やエジプト領と同様、サーサーン朝帝国の大半も征服されてしまった。イマーム・アル・フサイン（680年歿）の死をもたらしたカルバラーの悲劇に続いて、ウマイヤ朝（661～750年）の成立と共に新局面が現れてきた。ウマイヤ朝はその版図をスペインのエブロ河から中央アジアのオクソス河にまで拡張した。遙かな辺地に至るまで万人に及ぶ権威を要求しつつ、ウマイヤ朝はその首都をダマスクスに置いた。そして、アッバース朝（750～1258年）が勃興してその首都をバグダードに置く（766年）まで、その統治に挑戦するものはなかった。一方、スペインはウマイヤ家の統治下に置かれたままだったが、新しい地方的政権がアッバース朝の覇権に挑戦した。エジプトのファーティマ朝（909～1171年）然り、イランやイラクのセルジューク朝（1038～1194年）然り。レヴァント地方に侵入した何波かの十字軍も然りであろう。

思想における多くの伝承が盛んに行なわれた。たとえばスンニー派法学では4つの法学派（ハナフィー派、マーリク派、シャーフィイー派、ハンバル派）が残った。シーア派では、イマーム・アリー・ブン・アビー・ターリブ（661年歿）以降の12人のイマームを認める十二イマーム派が主流になった。思弁神学の方法論についてムウタズィラ派やアシュアリー派神学が樹立されたことは知的活動の高まりを示すものである。哲学や科学や神秘主義も円熟性を示した。重要な学術中心地が多く成立し、それに引きずられるように写本の産地が簇生した。たとえば、カイロのアズハル、チュニスのザイトゥーナ、フェスのカラウィーン、アンダルシア地方のコルドバの文芸同人、イラクのナジャフやカルバラーの諸学院、イランのコムやマシュハドにある諸学院などである。

アラビア語はコーランの言葉だったので、新改宗者は否応なくこれと直面しなければならなかった。アラビア語は中世イスラーム世界の共通語となったので、その優位性は、宗教から法学に至る領域の用語として、公的、知的、文学的用語として明白であった。西方イスラーム圏ではアラビア語が土着言語を圧倒していた一方、ペルシャ語は東方イスラーム圏で使われ続けた。アラビア語字母を採用し、アラビア語語彙を多く借用したペルシャ語は10世紀に文学的な復興をとげ、イランのみならず、トランスオキシアナや北インドで優勢な言語となった。

このイスラーム思想の形成期に起った問題は啓示と理性の関係というか、しばしば両者間に緊張が生じたことである。アッバース朝のカリフであるアル・マアムーン（在位813～833年）の御代、ムウタズィラ派と呼ばれた神学者の一団がいた。彼らはギリシャの哲学者達の作品を吸収し、神を純粋理性と同一視するなど、議論において合理主義的な態度をとった。ムウタズィラ派にとって、神によって創造された世界は、人間が理性をもって理解することができない合理的原理に従って運行されているのである。自由な行為者として人間は自らの行為に対して倫理的な責任を負っている。それゆえ、善と悪は固有の価値を持ち、神の正義は普遍的な法の制限を受ける。彼らは、コーランはある時点で創造されたものであり、神によってムハンマドに啓示されたものだが、それは神の本質の一部ではないという見解を固く守った。ムウタズィラ派に反対する人達すなわち正統派の学者達は、コーランは“創造されたものではない”はずで、神と共に永遠であると主張した。正統派は、神の命令をあれこれ問題にしたり、知的探究の対象にしたりすることは人間のすることではなく、人間の行為は究極的には前もって決定されていると信じた。ムウタズィラ派の学説は、ミフナ（異端審問所。ムウタズィラ派の学説に従わない聖職者や公務員を弾圧した）に支えられて一時代を風靡した。しかしながら、それもアル・ムタワッキル（在位847～61年）の時代にひっくり返った。アフマド・ブン・ハンバ

ル（855年歿）という英雄的な人物に象徴される民衆の反発が圧力となったのである。イブン・ハンバルは、投獄や拷問にも屈せず抵抗し続け、“創造されたものではない”コーランの立場を堅持した。理性と啓示との間では、アブル・ハサヌル・アシュアリー（935年歿）の著作において一種の妥協がなされた。彼は、“創造されたものではない”コーランの立場を擁護するため合理主義的な方法論を活用し、人間の責任の程度というものを斟酌《しんしゃく》した。しかしムウタズィラ派の敗北の結果は広範囲な影響を残した。カリフは教義問題における最終的権威であることをやめた。正統派スンニー派の神学者達は倫理的命令について次のような学説を抱懐した。すなわち、ある行為が正しいのは神がそれを命じたからである。それが正しいから神が命じたのではないと。ムウタズィラ主義というのは多くの保守的なイスラーム教徒にとって罵詈《ばり》である。特にサウディ・アラビアではそうだ。この国は法学においてハンバル派の学説に従っている。

▶カイロのアル・アズハル中庭。970年、シーア派のファーティマ朝の時代に建てられた。のちにスンニー派最高の学問の中心地となり、重要な文献保管所となった。

後続国家群、1100年まで

▶この粘土細工ははっきりとした肉体的特徴を示しており、アラブ人やペルシャ人の註釈者は、カリフによって徴募されたトルコ系兵士の典型例であると記している。

最大版図に達した時もアッバース朝帝国はすべてのイスラーム圏を一本にまとめることはできなかった。スペインでは、独立した王朝が、ウマイヤ家の生き残りアブドゥッラフマーン１世（在位756～788年）によって樹立された。ウマイヤ朝カリフ・ヒシャームの孫である彼は、ウマイヤ朝滅亡時の総殺戮《りく》をのがれて、さまざまな冒険を経てイベリア半島にたどり着いた。ここで彼は、アッバース朝から派遣されていた知事の代りに、自分を新しい指導者として受け容れるようアラブ人やベルベル人を説得した。現在はモロッコとなった国に、アリーとファーティマの血を引いたイドリース・ブン・アブドゥッラーがやってきた。彼は、786年にシーア主義にもとづく叛乱に失敗してアラビア半島から脱出し、元ローマ帝国領の首府だったヴォリュビリスに到達した。ここで彼は部族連合を糾号し、急速に南モロッコを征服した。彼の息子イドリース２世は808年にフェスを建設した。チュニジア（イフリーキーヤ）では、年貢を納める代りに自治を許されていた、ハールーヌッラシードの総督イブラーヒーム・ブン・アグラブの子孫が926年まで続いた王朝を樹立した。選ばれたイマームないしカリフという原則を固守した厳格なハーリジュ派は、ワルグラ・オアシスやターヘルトやスィジルマーサを拠点にして

独立国家を樹立した。10 世紀にファーティマ朝に滅ぼされたターヘルトについて年代記作者イブン・サギールは次のように書いている。曰く、「外国人はこの都に立ち寄るのではなく、市の中に家を建てて住みつくのである。その豊かさに、イマームの公正な振舞いや自分の監督下にある人に対する正しい態度、さらに人や財産が享受している安全性に心惹かれるからである」と。

しかし帝国の中枢では、政治的かつ宗教的な緊張が高まっていた。ハールーヌッラシードの息子アミーンとマアムーンとの間に王位継承をめぐる争いが起り、それが内乱に発展して 10 年続いた。この内乱はアッバース朝の軍隊とカリフ制度を弱体化した。マアムーンはこの争いに勝ったのであるが、コーランは時の中で創造されたものであるという学説にもとづく合理主義者らしい態度から、イスラーム正統派の一類

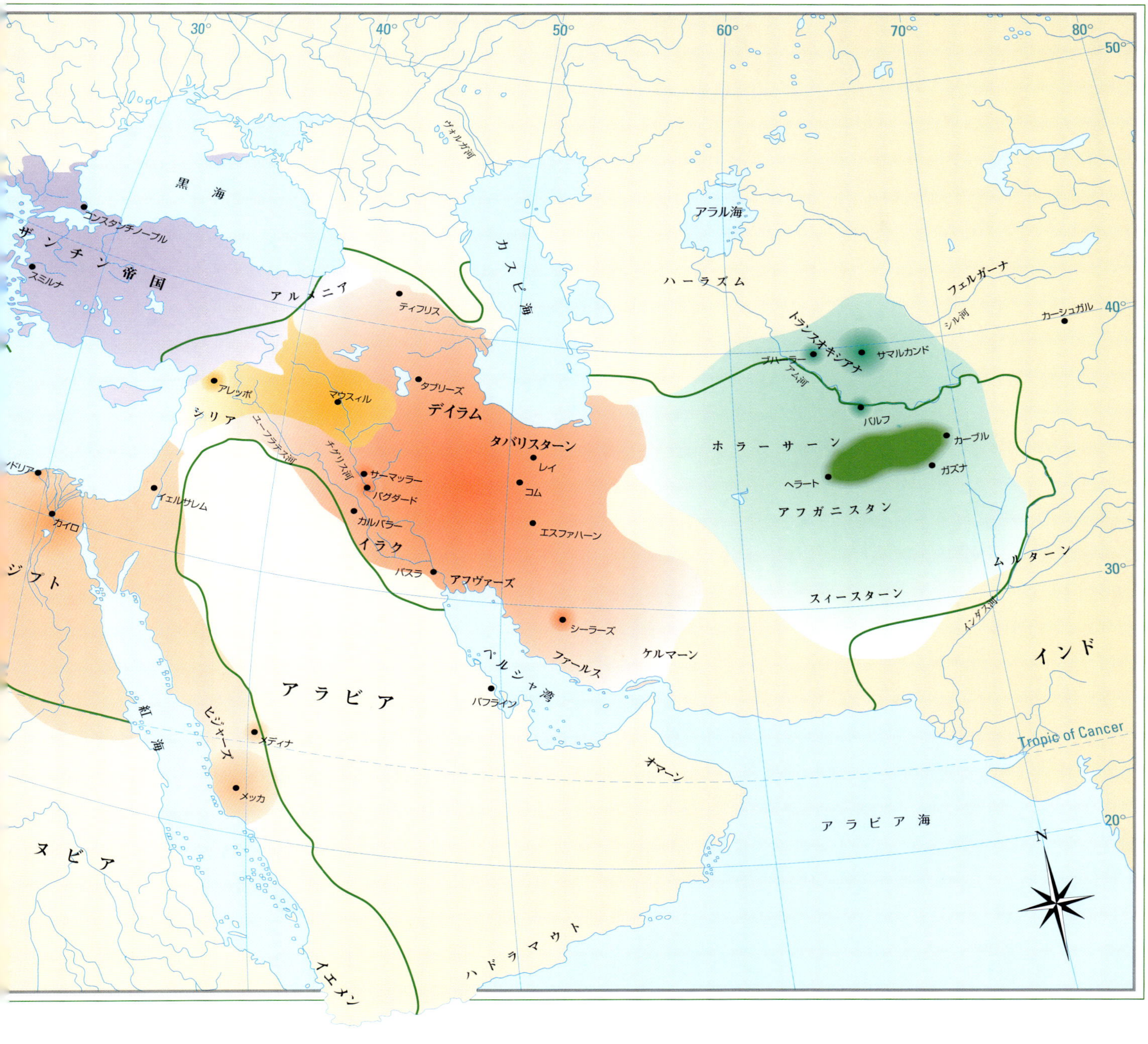

型を押し付けようとしたため、アフマド・ブン・ハンバルのまわりに集まって来た多くのウラマー（学識のある宗教人達）の強烈な反発を受けた。イブン・ハンバルは、聖典は“創造されたものではない”永遠のものであるとみなしていた。コーランを創造されたものとみなす学説は、神の言葉としてのコーランの思想を損ずると彼は考えた。ハンバル派は、コーランと集成されたハディース（預言者ムハンマドの言行録集）のみを法源と認め、自らをその資格を有する解釈者と考えた。彼らはカリフを共同体の意思を執行する者とはみなしたが、信仰の源泉とはみなさなかった。

カリフの宗教的権威が衰えていくに従い、政治的・経済的統制力も衰えていった。イラクを含む農耕地帯では、中央政府を犠牲にして、イクター制（封邑制）が地主階級を育て上げていた。イランや東方諸州では、マアムーンの最も有能な部将であるターヘルが世襲的な一行政単位を樹立していた。ターヘル朝の勢力を殺《そ》ぐために、マアムーンの後継者ムウタスィムは、トルコ語を話す中央アジアの部族民から徴募してきた傭兵にますます依存するようになった。——このことが帝国の崩壊を早め、事実上の遊牧民諸王朝への樹立へと事態を導いて行った。サーマッラーに新都を建設したことは、ますますカリフを臣民から切り離してしまう結果になった。10 世紀末までにアッバース朝カリフは、名目上の君主といっても良いようなものになってしまい、アリーの血統を重んずる人達からもその正統性について挑戦を受けていた。最も過激なのがカルマト派の運動であった。イラクやシリアやアラビアで起った叛乱で、扇動された農民や遊牧民が参加し、イスマアイール・ブン・ジャアファルを通してアリーの血統を受け継いだ救世主《マフディー》の名において行なわれた。920 年代カルマト派はバフラインに独立国を建設し、930 年にはメッカを占領してカアバ神殿

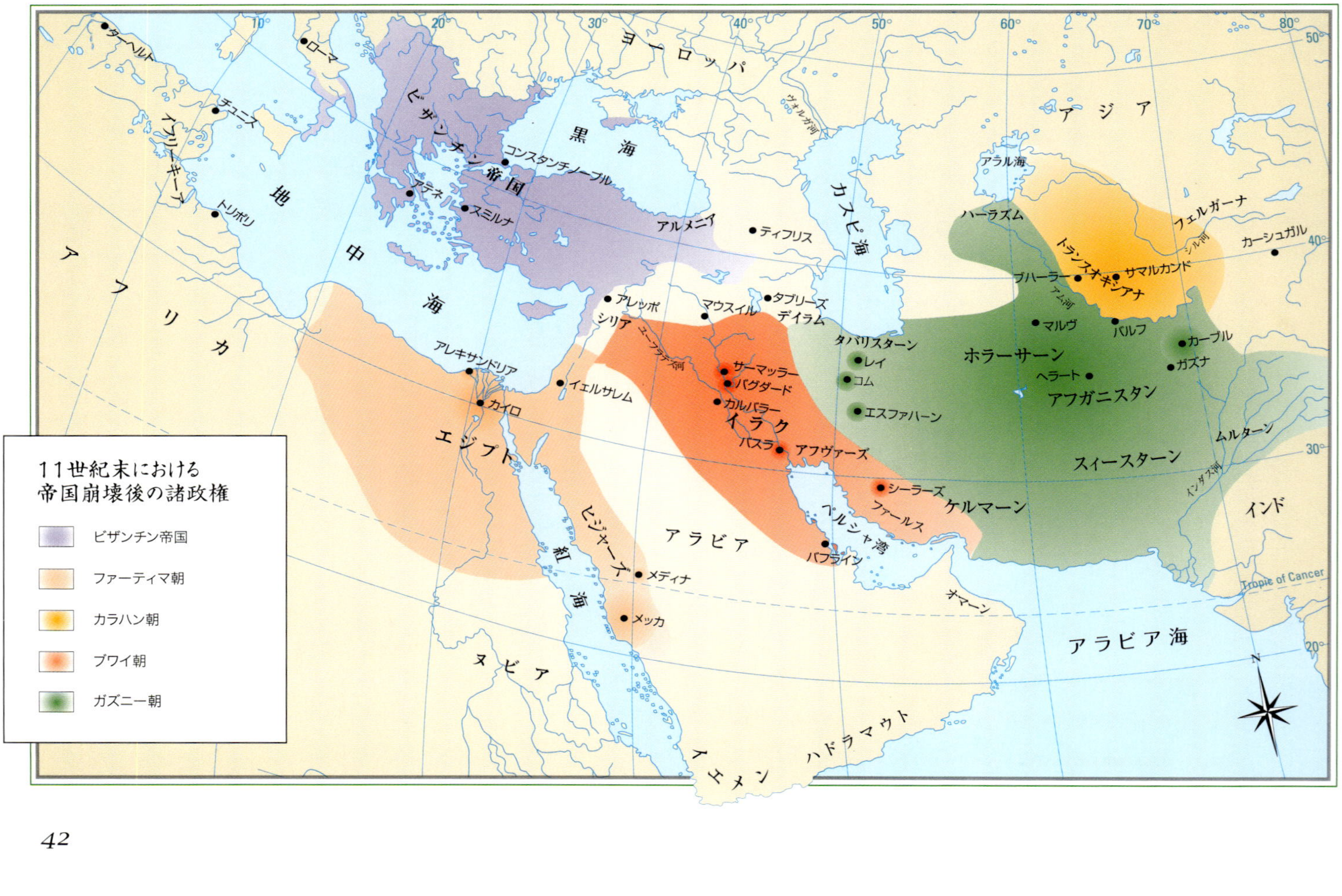

の黒石を持ち出すようなことをして、ムスリム世界を震撼させた。969年のエジプト——イブン・トゥールーンとその後継者達やイフシード朝のもとですでに半独立国家となっていたが——はイスマアイール派のファーティマ朝の征服する所となった。ファーティマ朝はアリーとイスマアイールの血を引く現存せるイマームを戴く新しいカリフ制を布いた。北部シリアとチグリス上流域では、遊牧アラブのハムダーン家——やはりシーア派——が半自治的な、時には独立した国家を作っていた。ホラーサーンとトランスオキシアナでは、サーマーン家が、侵入してくる遊牧部族に対抗して、アラブ文化とペルシャ文化が融合した高度の文化を守るべくターヘル朝にとって代った。帝国の中枢地——イラクや西部イラン——においてさえ、カリフはシーア派ブワイ朝の事実上の虜われ人であった。ブワイ朝は、カスピ海南岸地方のデイラムに住む剽悍な山岳戦士出身の王朝であった。

内陸アジアでは、すでにサーマーン朝がブハーラーに都を定めて栄えていたが、トルコ語を話す遊牧民達がイスラームを奉ずるようになったことは、ガーズィー(信仰戦士)としてのサーマーン朝人士の役割をくつがえすものであった。彼らは遊牧部族民の侵入に対してイスラームを防衛するよう委託された辺境戦士であった。マムルークとかグラームとして知られている奴隷戦士を山岳地や不毛地帯から徴募してくるという慣行は帝国の分解を早めるものであった。中央の権力が衰えてくると、マムルーク達はさらに進んで“奴隷王朝”を自ら樹立しようとした。このようにして、ホラーサーンにおける以前の宗主サーマーン朝にとって代ったガズニー朝は、カーブルの南方にある辺境の地ガズニーに拠って立った奴隷戦士が樹立した王朝であった。999年にサーマーン朝が滅亡した時、セブクテギンの子マフムード王(在位998～1030年)は、トルコ系のカルルク族が建てた王朝カラハン朝との間に勢力画定協定を結んだ。かくて彼はカラハン朝勢力をオクソス河流域より北方に閉じ込めておくことができた。マフムードはインダス河を越えてパンジャーブ地方に恒久的な支配を確立した。さらに北インド遠征を敢行し、諸都市を掠奪して、数々の芸術作品を偶像崇拝によるものとして破壊した。この遠征は彼に異教徒に対する信仰戦士《ガーズィー》としての恐るべき名声をもたらした。西境では、“古くからのイスラーム”の地で、彼はブワイ朝勢力をほぼイラク国境にまで押し返した。

▲ガズニー朝のマフムード、ガンジス河を渡る。トルコ系軍人の総督から独立してガズニー朝を創始した彼らは、のちにインドへムスリム勢力を拡大させた最初の政権という名声を得た。この絵は14世紀初頭にラシードッディーンが編纂した『集史』からとったもの。

セルジューク朝時代

自らの権威に対して挑戦を受け、軍事力および有効な政治力に欠けるところがあるにもかかわらず、アッバース朝カリフは、預言者の正統な後継者にしてムスリム共同体の長として、大半の民衆や多くの部族民の眼には、まだまだ巨大な威信を有するものと映じていた。世界をイスラームの館（ダール・ル・イスラーム）と戦争の館（ダール・ル・ハルブ）に二分して考えたことは、求心的方向にも遠心的方向にもイスラームの拡大を容易にした。ムスリム商人や学者や放浪するスーフィーに出会った辺境出身の部族民達がイスラームを受容した時、カリフ達は部族長達を知事に任命して自らの支配を正当化する傾向があった。改宗は遊牧民を公式に（いつもそうではなくても）シャリーア（イスラーム聖法）に従わせることによって文明化した。そして砂漠の住民と草原の住民や都会人や定住地住民の間の文化的格差を減らしていった。改宗したばかりの遊牧民達はしばしば最大の建設者となったり、芸術や建築や文学などイスラームの高度の文化の最高の庇護者となった。同時に、改宗は支配者が中核地帯を遊牧民の掠奪者から防衛するのを難しくした。なぜなら、遊牧民達がもはや異教徒ではなくなったら、彼らに対するジハード（聖戦）はその存在理由を失ってしまうからである。

▲セルジューク族のアナトリア平原への急速な前進に続いて、コニヤ（前のイコニウム）が彼らの首都となった。この丹念に装飾されたインジェ・ミナーレ学院の門はセルジューク様式の驚くべき豊かさを示している。学校の名前は"細身のミナーレット"から取ったが、1900年雷のために破壊された。

二つのトルコ語を話す部族民カルルク族とオグズ族は、こうした過程に重要な貢献をした国家を作った。トランスオキシアナでは、カラハン朝がアッバース朝カリフの名目的な宗主権を受け容れ、一部はアラブやペルシャの範型から派生した新しいトルコ文化の庇護者となった。ガズニー朝を敗ったあと、セルジューク家一門に率いられたオグズ族は、ホラーサーンの支配者となり、セルジューク帝国の基礎を築いた。彼らは1055年にブワイ朝を敗ってバグダードに入城し、そこでカリフが首領トゥグルル・ベイ・スルターン（「諸世紀の保持者」の意）に戴冠した。こうした公式承認が得られる見返りに、スルターン達はイスラーム法を支え、外敵か

らイスラームを防衛することに同意した。1071年のマンズィケルトの戦いで、ビザンチン軍がセルジューク朝に大敗を喫したことは、1096年の第１回十字軍派遣へとつながって行く要因のひとつであった。セルジューク族は、アナトリア平原の半分を征服し、後のオスマン・トルコ帝国支配の下地を築いたが、彼らの権力機構は、帝国の統一を保ったり、さらなる遊牧民の侵入からイスラームの辺境を守るには断片的すぎた。

新兵徴募、900 ～ 1800 年

軍人を辺境地域、主に内陸アジアの草原地帯やカフカスやバルカン地方などから徴募するやり方は、近代に至るまで、イスラームの統治機構の顕著な特色であった。マムルーク（「所有された者」の意）として知られるこれらの兵士達は、高地や草原地帯から奴隷として買われたり、戦いに敗れた部族の捕虜達であった。スルターンの親衛隊員や宮殿の警護兵として連れて来られると、彼らはイスラーム信仰や文化の基本を教え込まれ、軍事技術の訓練を受けた。マムルークに対して“奴隷”という言葉を当てるのは（たとえば“奴隷兵士”だとか“奴隷王朝”とかいった具合にである）少し誤解を招きやすい。マムルークやグラーム（家僕）は個人資産として売ったり買われたりしてはいたが、彼らの社会的な地位は、自分自身の奴隷としての身分よりは、彼らの主人の地位を反映していた。究極的には奴隷身分から解放されると自由人になり、元の主人の子分となり、財産権を与えられたり、結婚したり、個人的な安全を保証され、最後には統治者の地位にまで登る者もあった。

マムルーク登用という慣行は、アッバース朝のカリフがトランスオキシアナやアルメニアや北アフリカから部族民を徴募してきて、ターヘル朝の勢力を殺ごうとしたのが始まりである。彼らはこれらの部族民のほかにトルコ系のグラームを登用することで平衡をとろうとした。これらのグラームは個々に購入された奴隷で、その後訓練をほどこされ、個々の司令官の指揮下にある連隊に送り込まれていった。彼らはそれぞれ離れた駐屯地に住み、近くに礼拝堂も市場もあり、彼らの忠誠心もカリフに対してというよりは、自分達の司令官に対するものであった。945 年以降帝国が分裂していく過程で、アッバース朝の政治的権力を受け継いだ事実上の支配者達は、このマムルーク登用の慣行を踏襲した。東方における脱アッバース朝政権――ブワイ朝、ガズニー朝、カラハン朝とセルジューク朝――はすべて民族的には少数派によって樹てられた政権である。その中にはカスピ海沿岸地方出身の者やトルコ系、あるいはその他内陸アジア出身の遊牧民あがりの傭兵も含まれる。新しい軍事的指導者達は、彼らが支配した人々と、民族的にも文化的にも言語的にも、あるいは歴史的にも、いかなるつながりも有していなかったので、社会は国家の活動範囲の外で発展していく傾向があった。その際ウラマー――宗教に詳しい学者ないし法学の専門家――は、商人や地主達と共に、その威信が宗教的知識に依存している選良的名士連を形成した。軍事政権とは別個に一種の市民社会が発達するのを許しつつも、マムルーク登用の慣行は、後世欧州に現われたような形の愛国心ない

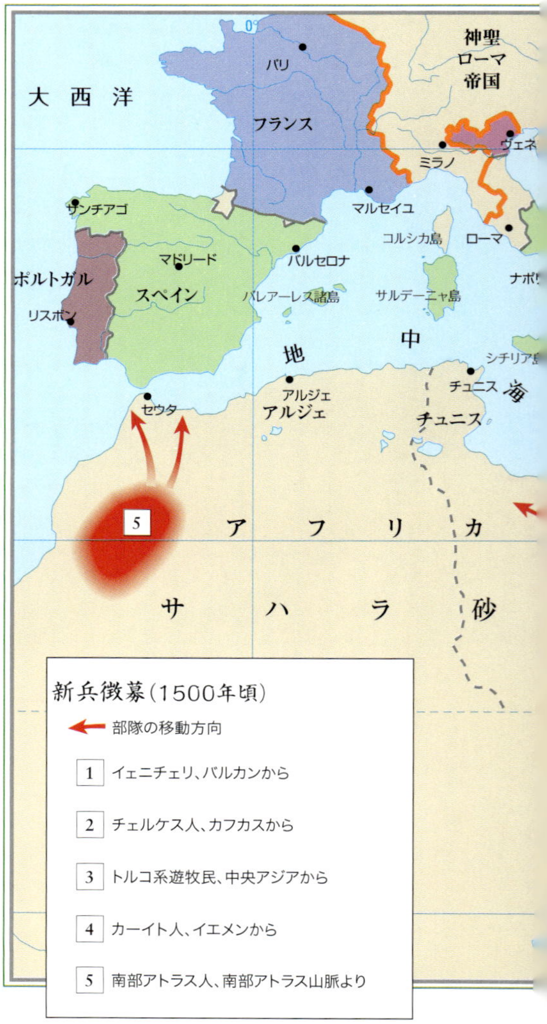

し共同体への忠誠心涵養には不利に作用した。他の遊牧部族から自らの社会を守るために元遊牧掠奪者を徴募するやり方——“狼を牧羊犬に変える”式の——は、マグリブからインダス河流域までのムスリムの中枢地ではどこでも見られた。

軍人奴隷登用制度はエジプトで最高度に発達した。エジプトは人口稠密な国で農耕民が多く、戦士階級に土着の人間がいない。このやり方は成功裡に制度化され、マムルーク朝の支配は２世紀半以上続いた（1250～1517年）。そしてオスマン・トルコ帝国（1299～1922年）治下で修正された形で再浮上した。絶えず兵卒を海外（最初は中央アジアのキプチャク・トルコ人、後になるとカフカスのチェルケス人）から補充しつつ、エジプトのマムルーク達は、土着の選良将卒に呑み込まれてしまわぬよう抵抗した。たいていは彼らは一世代限りの特権階級であり続けた。エジプト社会を構成する他の人達との血のつながりはなかった。

オスマン・トルコ帝国では軍人奴隷登用制度はいくらか違った方向に発展していった。

14世紀後半以降スルターン達はスィパーヒ（封建騎士）の勢力を殺《そ》ごうとし始めた。スィパーヒは遊牧貴族の領地から集めてきたり、アラブ人やクルド人やペルシャ語を話す遊牧民から傭兵として徴募してきた軍団である。これに代え、“新しい兵士”すなわちイェニチェリの軍団が組織された。イェニチェリは主にバルカン半島のキリスト教徒居住地から徴用されてきた。徴用（デウシルメとして知られている）は４年ごとに各村落で行なわれた。都会での徴用は、ふ

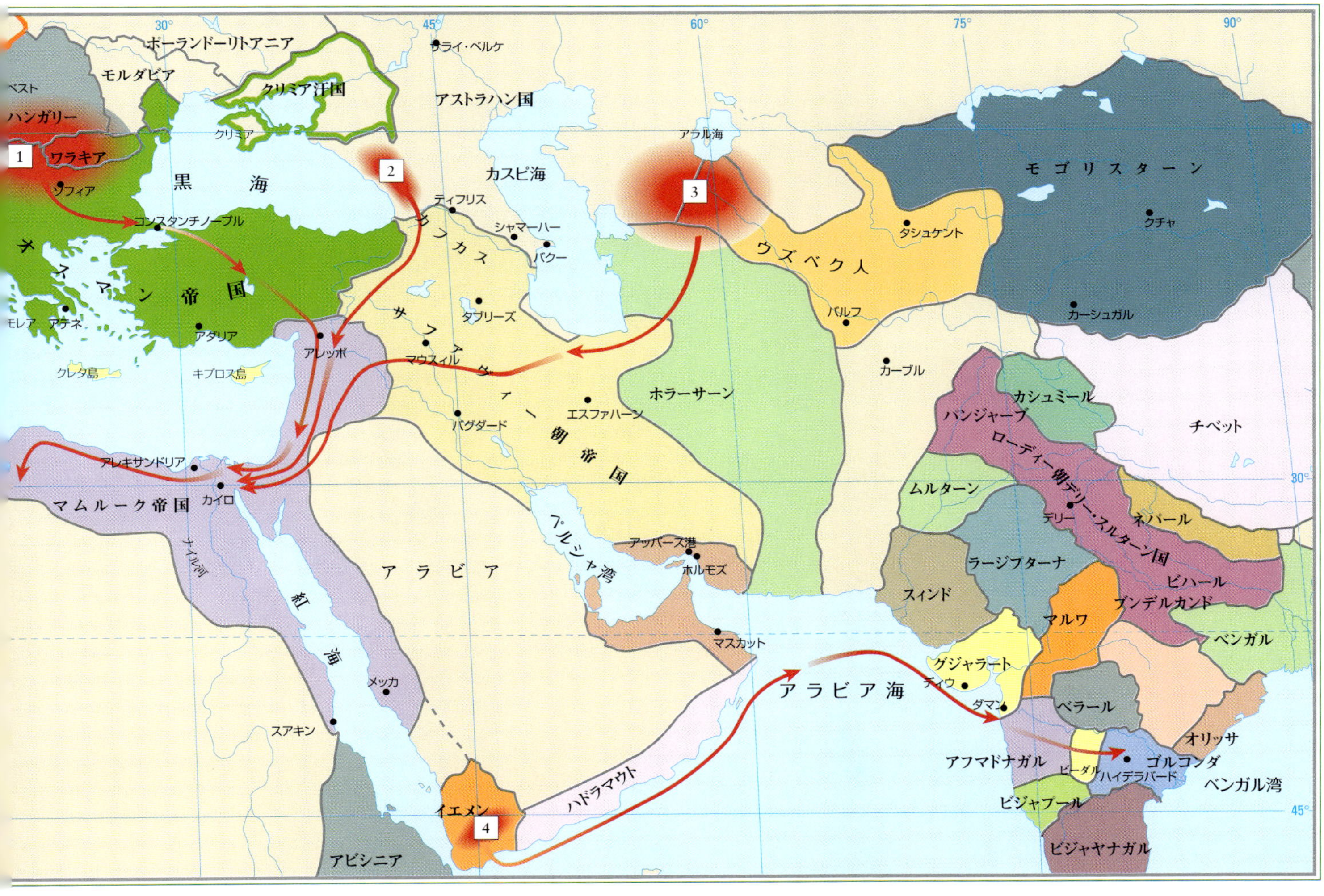

つう免除された。都会人の子息は教育程度が高過ぎるか、体が充分に逞しくないと考えられたからである。13歳から18歳までの少年が選抜された（８歳の子供が選ばれたという報告もある）。既婚者は対象からはずされたので、東方正教会教徒の農民達は、しばしば子供達を非常に早く結婚させて徴用を免れようとした。選抜された少年達（20％程度）はムスリムとしてのアイデンティティを与えられ、武芸を鍛えられた。最も頭脳明晰な者は宮廷に仕えることになり、そこでは頭角を現わして帝国の支配層に入る道も開けていた。奴隷徴用は1640年代に終熄したが、イェニチェリは相変らず存続して、ムスリムを親に持つ子息が補充兵の数を増やしていった。商業的権益を持ち、俸給や国家支給の年金を受け取っていたので、彼らは専横を事とする選良になっていき、変化に抵抗した。1826年スルターン・マフムト２世は、新しく作った軍隊を使って、イスタンブールに集合したイェニチェリの大半を虐殺した。

▶金の華美な服装をしたイェニチェリ軍団が閲兵場にて行進。もともとはバルカンのキリスト教徒から徴募したが、のちに国家内に巨大な勢力となった。スルターンのマフムト２世は、近代化計画の一環として、1826年、イェニチェリを廃止した。

ファーティマ朝帝国、909～1171年

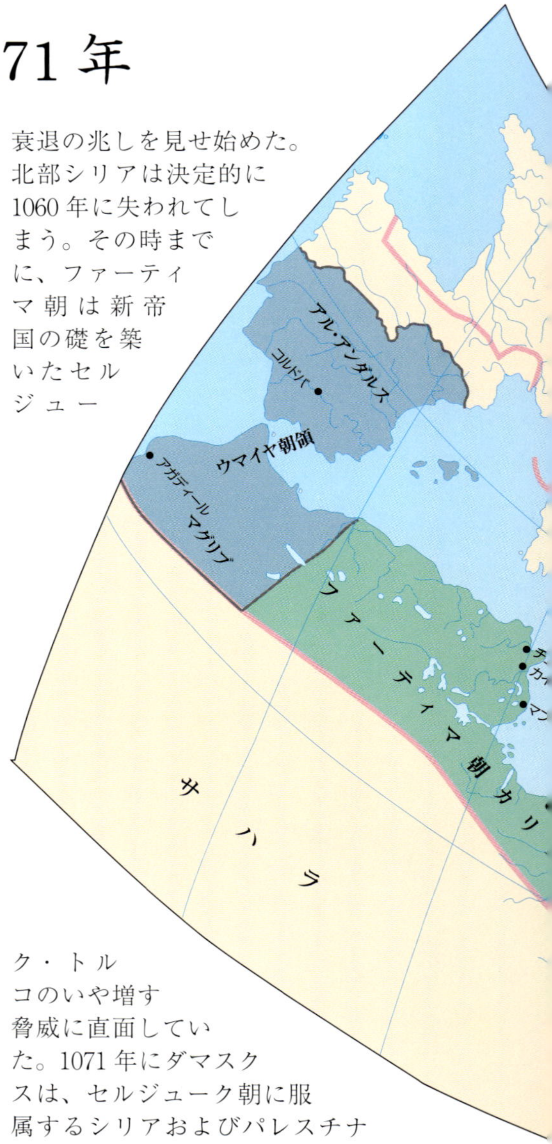

シーア派の一分派イスマアイール派を奉ずるファーティマ朝のカリフ制は、マグリブのイフリーキーヤで確立された。その時、ベルベル人の一集団クターマ族の人達はウバイドゥッラー・ル・マフディーをアリーとファーティマの正当な子孫と認めて、909年アグラブ朝に抗して立ち上った。ウバイドゥッラーはイフリーキーヤ沿岸に築いた新都マフディーヤに921年までに移り住んだ。アグラブ朝の後継国家としてファーティマ朝は、その艦隊やスィキッリーヤ（シチリア）島を受け継いだ。ウバイドゥッラー（在位909～934年）治世の終りまでに、ファーティマ朝国家は、今日のアルジェリアやチュニジアからリビアのトリポリタニア臨海地方にまで版図を広げていた。3代目ファーティマ朝カリフのアル・マンスール（在位946～953年）は新首都を建て、自分の名にちなんでマンスーリーヤと命名した。カイラワーンの南サブラの近くにあり、マンスーリーヤは948年から973年までファーティマ朝の首都として機能した。

ファーティマ朝の支配が北アフリカでしっかり確立したのは、王朝4代目のカリフ・アル・ムイッズ（在位953～975年）の時代になってからである。彼はファーティマ朝カリフ国家を一地方勢力から一大帝国へと変えた。彼はサブラを除いて全マグリブを従えることに成功した。エジプト征服に彼自身が関与するまでは駄目だったが、サブラ略取は969年に達成された。新しいファーティマ朝の首都がフスタートの外側に建設された。最初はマンスーリーヤと呼ばれたが、のちに“アル・ムイッズの勝利の都市”を意味するアル・カーヒラトゥル・ムイッズィーヤという名前に変えられた。時に973年、カリフが新首都を占領した年である。ファーティマ朝の勢力をシリアに伸長せしめることは、アル・ムイッズの息子で後継者のアル・アズィーズ（在位975～996年）にとって主たる対外政策目標となった。彼の統治時代の終りまでに、ファーティマ朝帝国は、少なくとも名目上はその最大版図を実現したことになる。ファーティマ朝の宗主権は、大西洋から地中海や紅海に至るまでの地域およびヒジャーズ、シリア、パレスチナなどによって承認されていた。1038年までにファーティマ朝はアレッポ侯国にまでその権威を及ぼした。

アル・ムスタンスィル（在位1036～94年）の長い治世の間に、ファーティマ朝カリフ帝国は衰退の兆しを見せ始めた。北部シリアは決定的に1060年に失われてしまう。その時までに、ファーティマ朝は新帝国の礎を築いたセルジューク・トルコのいや増す脅威に直面していた。1071年にダマスクスは、セルジューク朝に服属するシリアおよびパレスチナ公国の首府となった。アル・ムスタンスィルの治世の終りまでに、シリアとパレスチナに有していたファーティマ朝の旧領のうち、アスカロン〔アシュケロン〕と少しばかりの沿岸の町が、アクルとティール同様、ファーティマ朝の手に残されているという状態になっていた。1048年までにファーティマ朝に代ってイフリーキーヤを支配したズィール朝政権が自らをアッバース朝宗主権下に置いた。1070年までに彼らはシチリアをノルマン人に奪われたが、その時はバルカがファーティマ朝の西限となっており、その後有効に支配しているのはエジプトのみとなった。シリア＝パレスチナ地方におけるファーティマ朝最後の足場であるアスカロンは1153年フランク人の手に渡った。ファーティマ朝の支配は1171年に終った。時にサラーフッディーン（サラディンのこと）がファー

ティマ朝最後の宰相となり、エジプトを占領して、フトバ（説教）の中でアッバース朝カリフの名を読み込ませた時である。最後のファーティマ朝カリフ、アル・アーディド（在位 1160 ～ 71 年）は宮殿で瀕死の病の床にあった。

▶陶器の鉢。フスタート（カイロ）出土。10 ～ 12 世紀。ラスター彩。ファーティマ朝時代に特徴的な意匠。まん中に兎がいて、側面が様式化された植物文様である。

貿易経路、700 ～ 1500 年頃

ムハンマドはアラビア半島の外にまで商人として旅したことがあると言われている。彼を出した部族クライシュ族は、アラブ征服を指導した部族だが、半島最大の貿易業者のひとつであった。商人達は引き続き敬意をもって遇せられていた。彼らはしばしばウラマー階級と婚姻関係を結び、教育施設を寄付してこれを支持した。イスラームの諸儀式は、商業活動に対して好意的である。礼拝堂はしばしば市場と隣接していた。金曜日は集団礼拝の日であるにもかかわらず、最近に至るまで安息日として取り扱われなかった。市場は正午の礼拝の前後に開かれた。男性が皆、街に集まってくるのであるから、金曜日は商売にとって都合のよい日だったのである。同様に、メッカ巡礼（大巡礼と小巡礼《ウムラ》）は、遠隔の地からやってきたムスリム達がお互いに会う機会を提供したので、貿易を促進する役目をいつも果してきた。巡礼者達は、物品を売ったり職人として働いたりして、長く難儀な旅（前近代においては半生を費やす人もいた）の費用をまかなったであろう。商人達は、ヒジャーズで自分達の物品を売るために、巡礼者の隊商に加わったであろう。

広大な領域と沿岸地帯を単一政権のもとに置いたので、アラブ人の征服事業は、巨大な自由交易地帯を生み出し、帝国の国境を遙かに越えて交易の拡張を容易にした。その交易の規模が考古学的発見によって明らかになっている。まず大量のアッバース朝期の硬貨がスカンジナビアで発見された。また中国製の絹と陶芸品が西アジアの墓所から出土している。ムスリム商人は帝国領土内では関税を課せられなかった。外国商人はイスラーム圏に入ってくると、その本国でムスリム商人に課しているのと同じ率の関税を課せられた。カリフの宮廷に仕える新しい選良達は、奢侈品を求めて交易をあと押しした。帝国の分裂は、いくつかの地域で経済的衰退をもたらしたが、競争相手の諸王朝は、余分の税金や関税を課すことによって国庫収入を増やした。こうした手段は非合法的であり、圧制的であり、また不正でもあるという非難がなされた頻度を見ると、一般の雰囲気は不利な政治的状況下にあっても、商業活動に対してはまだ好意的な態度だったようだ。

最初アラブの征服事業は、二つの太洋貿易経路――ペルシャ湾を通ずるものと紅海を通すもの――を共通の法、共通の言語、共通の通貨にもとづく単一市場のもとに置く効果を持っていた。アッバース朝のもとで東南アジアから地中海に至る物資輸送経路中最も魅力的であったのは、チグリス河をさかのぼってバグダードに至る経路がひとつ。もうひとつはユーフラテス河をさかのぼって陸上輸送に切り換えアレッポに至り、そこからアンティオキアのようなシリアの港に物資を運ぶ経路であった。これらの経路に沿った町々はその生存のために商品の交換に依存していた。

メソポタミアの諸都市はインドや中国からの奢侈品を吸い込んでいった。これらの物は穀物や燃料、木材や料理油などの生活必需品と並んで市場で売られていた。メソポタミアは陸路で北へ行けばヴォルガ流域に達し、毛皮・琥珀・金属製品や獣皮の供給源であるよく灌漑された東欧各地に至ると同時に、中国とインドへの主要な陸上経路の終着地点でもあった。ごく初期の頃は、ムスリムの船はバスラやホルモズといった港からわざわざ中国まで出かけて行った。２、３年後に帰国する時は、絹や磁器、翡《ひ》翠《すい》とかその他珍品を荷物に積んで戻った。しかしながら交易がもっと洗練されてくると、商人達はもう広州（広東）や杭州と直接取引をしなくなった。その代り中国の輸出品をジャワやスマトラやマラバル海岸で入手した。

マグリブからやってきたムスリム商人は金の取引を活発に行なった。彼らは金に惹かれてサハラ砂漠を越え、トンブクトゥやガオといったサヘル地方の諸都市や、さらにはその先の西アフリカ金鉱地を目ざした。東アフリカ沿岸地方には、ムスリム商人が樹てた商業中心地が鎖状に連なっている。その中にはラームやマリンディ、ザンジバル島なども含まれ、南は現代のモザンビーク共和国にあるソファーラまで連

なっている。恐れを知らぬムスリムの旅行家達が、金や奴隷や象牙や貴木や貴石を求めて、内陸アフリカを縦貫したのである。欧州人が幾世紀かを経てその後を追った。

アッバース朝権力の衰退とトルコ系遊牧民の侵寇は、シリア経由の経路の安全性を損なったので、紅海やナイル河を通る経路が目立つようになった。スエズ湾からナイル河に至る陸上輸送路は、マムルーク朝スルタンがもともとファラオによって掘られた古代の運河を修復した一時期を除いて、シリアを横断する経路よりはるかに難路であった。紅海沿いの海港、たとえばアデンやジッダやアイザーブやクルズムのような都市は、カイロやアレキサンドリアと同様、この交易の恩恵に浴した。インド洋の貿易は、ポルトガル人の到来まではムスリム商人の独占するところとなった。ポルトガルのあと英国人やオランダ人がやってきた。16 世紀以降のことである。

西アジアや地中海と東南アジアを結んでいる陸上経路は、海上経路と同じほど重要であった。陸地に囲まれた多くの都市や河川や太洋から離れた所にある都市へは、どんな重い荷物も駄獣に積んで運んで行かなければならない。隊商が長い旅に出立する前に注意深い計画が練られていなければならなかった。駄獣や人々のための食糧が確保され、用心棒として遊牧民を雇っておかねばならなかった。遠隔の地では、隊商宿《ハーン》やハーネカーフ（スーフィー達の修業道場）が食事を供し、旅人をもてなした。中にはベドウィンの略奪に備えて砦のような建て方をした施設もあった。広大な範囲にわたる荒涼たる地形が、領土管轄権がこま切れにされていることとあいまって、道路の建設を実行不可能なものにしていた。ローマ帝国末期でさえ、車輪付き乗物の往来はほとんど消えてしまっていた。その結果を我々は西アジアや北アフリカの多くの都市で見ることができる。近代に至るまで、それらの都市には、車や馬車が走るのに充分な広さをもった大通りがなかった。

◀ 1500 年代までに、オスマン帝国は、その首都コンスタンチノープルと共に、イスラーム世界で最も重要な貿易の中心地となっていた。スルターンの宮廷は、顧問達と一緒に年々の貿易を適切に措置していった。

大西洋
アイスランド
（デンマーク領）
デンマーク・ノルウェー
スウェーデン
ラップ・トナカイ牧者
ロシア
スコットランド
英国
ポーランド-リトアニア
神聖ローマ帝国
カザン・タタール人
ノガイ人
アストラハン・タタール人
アストラハン
ハンガリー
フランス
ヴェネチア
ピサ
マルセイユ
ローマ
ヴェネチア
教皇領
アマルフィ
オスマン帝国
エディルネ
コンスタンチノープル
ブルサ
イズミール
コニヤ
スペイン
ポルトガル
アゾレス諸島
（ポルトガル領）
デニア
コルドバ
アルメリア
アルジェ
チュニス
パレルモ
カイラワーン
マフディーヤ
アルジェ
トレムセン
フェズ
メクネス
マッラークシュ
モロッコ
チュニス
トリポリ
トリポリ
クレタ島
キプロス島
タブリーズ
アルダビール
ニーシ
ラヤッツォ
（アヤス）
サーマッラー
ダームガ
ダマスクス
バグダード
サファヴィー
イェルサレム
バスラ
カイロ
シーワ
カナリア諸島
（スペイン領）
スィジルマーサ
Tropic of Cancer
ガート
クブラー
メディナ
アラブ遊牧民
マス
メッカ
駱駝遊牧民
スアキン
フンジュ王国
カーボ・ベルデ諸島
（ポルトガル領）
トンブクトゥ
ソンガイ帝国
セネガル
カシエーウ
（ポルトガル領）
マリ
モシェ国
カネムボルヌー帝国
ハウサ諸国
ワダイ王国
アベチェ
ダルフール王国
ソバ
サンアー
イエメン
ハドラマウト
マフラー
アデン
ザイラ
アダル
エチオピア
オヨ王国
アカン
ベニン
ベニン
エルミナ
（ポルトガル領）
フェルナンド・ポー島
（ポルトガル領）
ガッラ
ドロモ
モガディシオ
ラーム
モンバサ
（ポルトガル領）
ザンジバル
イスラーム都市国家
ルバ王国
ルンダ王国
コンゴ王国
マダガスカ
トゥルクメン

貿易路と諸帝国(1500年頃)
帝国
ポルトガル人
スペイン人
国家社会
その他
経路
貿易経路
金交易
絹の道
75°
90°
105°
120°
135°
150°
165°
シベリア・トナカイ牧者
シベリア・タタール人
ユーラシア草原・砂漠遊牧民
蒙古人
アイヌ人の狩場
キルギス人
カルムイク人
タシュケント
カーシュガル
サマルカンド
シャフリ・サブズ
バルフ
ラホール
デリー
ラージプターナ
カンバーヤ
ターナ
ゴア
(ポルトガル領)
ビジャヤナガラ
クルム・マリ
セイロン
コロンボ
(ポルトガル領)
セイロン
チベット
ベンガル
オリッサ
ビルマ
王国
ペグー
ラオス
安南
カンボジア
アユタヤ王朝
明
朝鮮半島
日本
台湾
太平洋
フィリピン諸島
アチェ
マラッカ(ポルトガル領)
マラッカ
ボルネオ島
スマトラ島
マレーシア・イスラーム国家
ジャワ島
ニューギニア島
ティモール島
(ポルトガル領)
豪州先住民の狩場
インド洋
N

十字軍のラテン王国

十字軍が起ったのは、イスラーム勢力が分裂し、後退している時代であった。スペインではキリスト教徒の前進があり、トレドは1085年に陥落した。またノルマン人は1091～92年シチリア島を征服した。経済的には、アッバース朝カリフ政権の衰退とセルジューク人の侵入は、東アジア貿易をバグダードやコンスタンチノープルから遠ざけた。エジプトを通過してイタリア商人が海路で運ぶというやり方はイタリアの諸都市を富ませた。ムスリムの海賊に悩まされたピサとジェノバは、北アフリカのムスリム商業・政治都市マフディーヤを1087年に破壊した。ビザンチン帝国とファーティマ朝の国境線が絶えず変動していたことは、シリアやパレスチナの諸都市にかなりの自治を許すこととなった。同時にそのことは彼らが外敵に対して団結することをも困難にしていたのである。1071年のマンズィケルトの戦いにおいてビザンチン軍が敗北を喫したことは、豊かなアナトリアの牧草地を、すべてがセルジューク族の統制下にあったわけではないが、オグズ系トルコ族の集団に開放する結果となった。イタリアでビザンチン帝国領がノルマン人に攻撃されたのに驚いたと同様、キリスト教世界に対するトルコ人の脅威に驚いた教皇ウルバヌス２世は、キリスト教世界を守るため聖戦を行なえと叫んだ。この運動は、ペトルス・アミアネシスのようなカリスマ性があり大衆動員力のある説教師によって刺激を与えられたが、精神的な功徳を得たり、殺人のような重い罪の罪障消滅を祈願する行為としてのイェルサレム巡礼に人気が集まりつつあったことにも刺激されている。

運動の中で、西欧（英国、スカンジナビア、ドイツ、イタリア、フランスを含む）からやってきた騎士達は、免罪の約束に魅かれてやってきた町民や農民達の烏合の衆に支援されていたが、東方正教会の同胞を助けることによってキリスト教世界を救うことだけに関心を持っていたのではない（事実彼らは1202年にコンスタンチノープルを劫掠した。これは東方キリスト教世界の首府に莫大な損害を与えることになった)。彼らは地中海沿岸地域のよく灌漑された土地を切り取って自らの封建領土にしたかったのである。第1次十字軍は素晴らしい成功を収め、1099年にファーティマ朝からイェルサレムを奪取することができた。しかしこの出来事の中に最終的にはビザンチン帝国が崩壊してしまう萌芽が含まれていた。その存在がムスリムの不統一に依存している侵入者十字軍を支援する必要が、ビザンチン帝国の東方国境を維持する必要を上回った。たいていの場合、フランク人は侵略者とみなされ、ムスリムや当該地域のキリスト教徒によっても圧制者として憎まれていた。ユダヤ人もフランク人を憎んだ。彼らはムスリム支配下で享受していた保護を失い、欧州にいた時と同様パレスチナでも虐殺された。トルコ人がキリスト教徒の版図に前進してくるのを阻止するどころか、十字軍のビザンチン帝国への攻撃は、トルコの前進を阻み得る唯一の統治組織を破壊するのに役立つありさまであった。十字軍の建てたラテン王国は最終的には排除されたが、彼らの存在は、東方教会やそのムスリム保護者達や地方のイスラーム共同体の間に以前は存在していた良好な関係を損ってしまい、現在に至るまで続く西欧に対する不信という遺産を残した。

▼1249年6月エジプトのドゥミヤート(ダミエッタ)への十字軍入城。イェルサレムを失ったあと、十字軍は聖地回復の望みをかけてエジプトを数回攻撃した。1277年後しばらくしてアクルで描かれた彩飾画。この彩飾画派はたぶん、ルイ9世が1250～54年にパレスチナに滞在中、創始された派であろう。

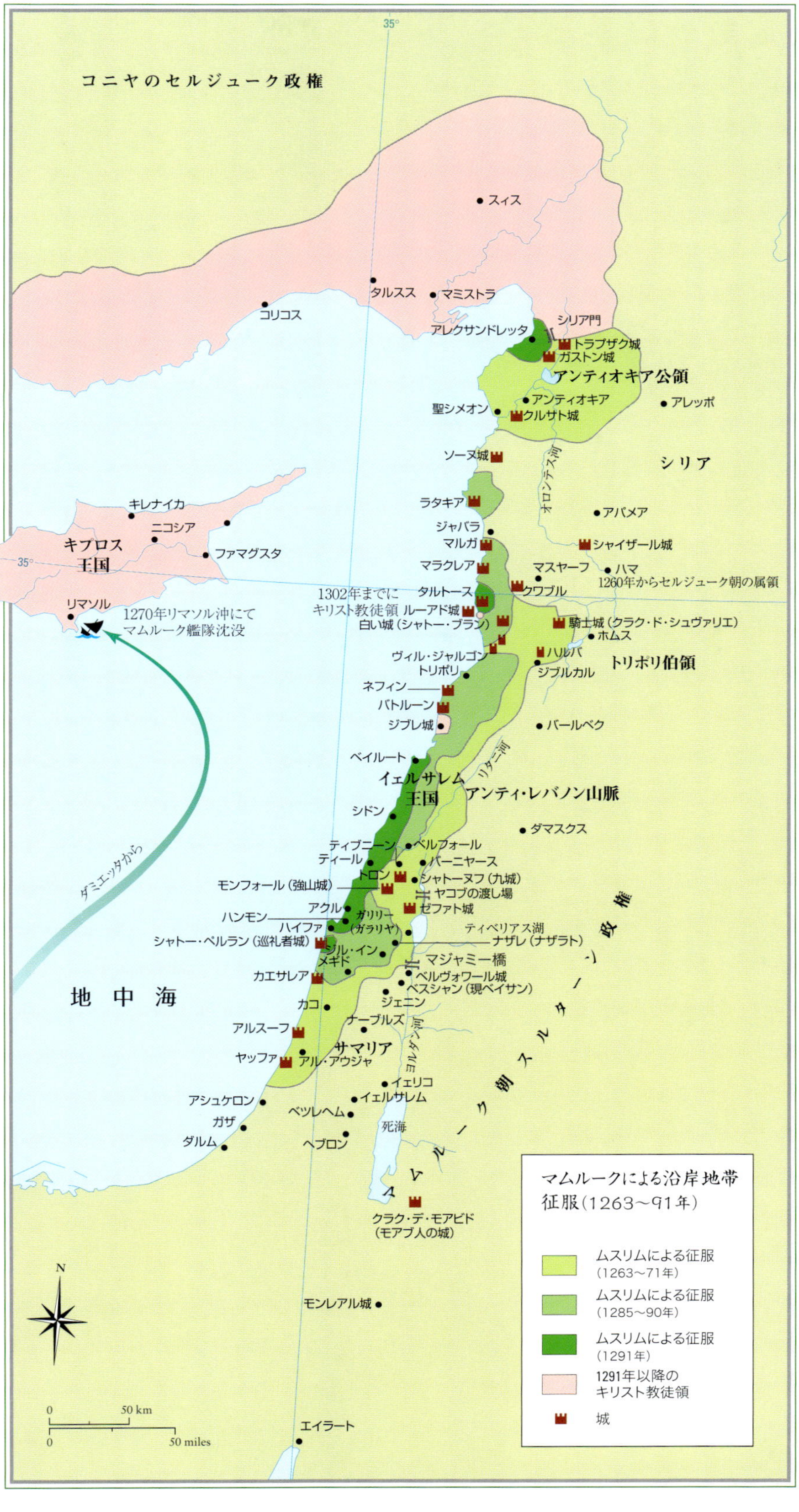

イスラーム神秘主義教団、1100～1900年

スーフィー教団はイスラームの霊性を現わしている最も重要な組織であったし、またあり続けている。スーフィズム（羊毛をまとった者という意味のアラビア語スーフィーから派生）という言葉は、内面の霊性を究めんとして修業していた初期ムスリム禁欲者がまとっていた粗毛のぼろから派生したと考えられている。この言葉は時には神人合一の境地を求め、イスラームの法と儀式を公式に遵奉するだけに満足している信者と自分を差別化する言葉でもある。"陶酔せる" スーフィー達と呼ばれることもある初期の達人達は、神の顕現の前で自己滅却を実現できるような境地への精進を進めた。恍惚の神人一体を実現せんとする願望や、神が去って行ったあとの苦悩は、多くの神秘詩が扱った主題であった。陶酔せるスーフィズムは、肉体に対する侮蔑を誇示する目的で、極端な見せびらかしをやって見せたことがある。たとえば鉄の輪で体を刺し通してみせたり、危険な獣を操ってみせたりなどした。穏健なスーフィズム――アブー・ハミード・ル・ガザーリー（1111年歿）の教説に例示されているような――は、霊的完成への道は、断固として如法な儀式的勤行を守ることのうちにあると主張した。

イスラーム初期から今日まで、すべてのスーフィー運動が自らの起源をムハンマドおよび直近の教友アブー・バクルやアリーの宗教的体験の中に求めたであろう。しかしながら組織化されたスーフィズムは、12世紀と13世紀に統合整理され、ムスリム生活の制度化された構造が情容赦なくくつがえされた蒙古襲来の後、急速にアジアで足場を得た。内部的にはスーフィー教団は、支配者に宗教的正当性の民衆的起源を付与することによって社会的・政治的秩序を固めた。こうしてウラマーによって与えられた公式の権威が補足された。多くの支配者がスーフィー教団の庇護者となった。彼らはスーフィー導師の霊的指導のもとに身を置き、バラカ（恩寵ないしカリスマ的な霊的能力）によって祝福を受けた。マレー群島や中央アジアやサハラ以南のような遙か遠隔の周辺地域においては、スーフィー教団はイスラームが広まっていくのに役立った。コーラン、ハディース、フィクフ（法学）やタフスィール（聖典解釈学）にもとづいた、ウラマーの標準的な、啓典にもとづくイスラームと取り組もうとするとアラビア語の知識が必要であったし、そういう接近法は訴求力に限りがあった。しかしスーフィーのシャイフ（長老）やピール（導師）達は霊的な即興詩の達人であったし、地方の言語をあやつって口頭でイスラームの説教を行なうことができた。ジクル（唱名）として知られているスーフィーの秘儀的儀式は、儀式的舞踊やインドで行なわれたヨガ式の呼吸統禦法などの非イスラーム的伝統から派生した勤行をからみ合わせた霊性開発技術を発展せしめた。アフリカでは、スーフィーやマラブー（アラビア語のムラービトから派生；訳注「聖者」の意）達は、ジン（訳註：霊魔）やコーランにも言及のある天使達のような超自然的な力を持った神霊とか地方固有の神格を同化吸収することによって、イスラームを広めることができた。祖先崇拝は、地方の血族関係をアラブ人の系譜やスーフィーのスィルスィラの上にかぶせて適合させることができた。スィルスィラとは、シャイフ（訳註：「長老」の意、ここでは教団の教主）やマラブー達を預言者やその教友達に結び付ける霊的権威の系譜のことである。上アトラスのような周辺地域では、こうしたスィルスィラが、それを通じて個々の部族集団が最低限の協調を確保し得た準憲法的な枠組を、部族間の抗争において調停者として行動する聖家族の指導者達に提供した。ムスリム世界のどこでも、スーフィー聖者（時には女性であることもある）は民衆の崇拝の対象であった。やがてこうした聖者崇拝は改革者達の攻撃目標となった。改革者達は、聖者然として瞑想する人に捧げられた度を越した献身を、イスラームの偶像崇拝禁止に対する違反とみなしたのである。

学者間の合意を反映しがちなウラマーと比べると、スーフィーの教団は複雑な階層秩序を発達させた。それはシャイフとかムルシド（訳註：霊的指導者）とかピール（訳註：ペルシャ語で「翁」の

◀一団のメウレヴィー修道士の旋舞。神を念じつつ、ジクル（唱名）を行ないながら舞う。かくて神との一体化がはかられる。メウレヴィー教団は、有名な神秘主義者であり詩人であるジャラーロッディーン・ルーミー（1207 〜 73 年）が創設した。

意）とかさまざまに呼ばれる指導者の手に霊的能力が集約されている組織である。霊的発展段階を昇っていくことに基礎を置いた教団の中で最高位に位置するムルシドないし指導者に対して、ムリード（弟子または信徒）達はバイア（忠誠の誓い）によって服従を誓った。より排他的であったり、厳格な統制を布いている教団《タリーカ》ではかなりやり方が違ってくるが、指導者に対する献身と組織内部の格付けとの結合は、教団を恐るべき戦闘集団に変え得る可能性を生んだ。カフカスではイマーム・シャミールが1834～39年からロシアに抗して戦闘行動を起した。この戦いは、ナクシュバンディー教団のハーリディー支部のシャイフであり、シャミールのムルシドにして義父たるサイイド・ジャマールッディーヌル・ガーズィー・グムギーの霊的権威のもとに行なわれた。北アフリカでは、カーディリー教団のシャイフであるアブドゥル・カーディルがフランスに対する戦いの指揮をとった。キュレナイカではサヌースィー教団がイタリア人占領者に対する抵抗戦線の矢面に立った。しかし他の地域では、各教団は植民地主義者勢力の意向に沿った動きを示した。モロッコでは、19世紀末から20世紀初頭にかけて、影響力の大きいティジャーニー教団がフランスから豊富な助成金を支給されていた。フランスは植民地の利権を増やす目的でこの教団を利用していた。セネガルでは、アマドゥ・バンバ（1850～1927年頃）が建てたムリーディー教団が、抵抗戦線に背を向け、落花生栽培に基礎を置いた労働倫理の確立に向った。この教団はフランス支配下の同国に経済的安定をもたらした。

スーフィー教団は、多くの場合、19世紀と20世紀にイスラーム世界を席捲した改革運動や復興運動の指導者を提供した。“ネオ・スーフィズム”という言葉は、思想の伝達と実行のための手段を提供するスーフィー教団の構造を活用して、“内面的”な霊的体験よりは“外面的”な政治活動に重点を置く運動について言われる。その良き例が、トルコでセイディ・ヌルスィ（1876～1960年）が起したヌルジュ運動である。ヌルスィはナクシュバンディー教団で訓練された説教師にして著述家であった。彼は科学、伝統、神学や神秘主義を、“手を労働に向け、心を神に向けよう”というナクシュバンディー教団の標語の改版の中に統合して、イスラーム思想の再活性化を計りたかったのである。やはりスーフィー思想の影響を受けたエジプトのムスリム同胞団と比べると、ヌルジュ運動はトルコの世俗国家という種があって初めて効果を与える。

ここ数十年間ほどスーフィー思想とその勤行方法は二つの方面から非難にさらされてきた。ひとつはスーフィズムを時代に逆行するものととらえる近代主義者からの非難である。もうひとつはワッハーブ派に傾倒するイスラーム主義者からの非難である。彼らはサウディ・アラビアやその他の産油国から財政的支援を得て、多くのイスラーム団体の中で勢いを得た。二方面の人達が問題にしている内容はいくらか異なっているが、結果は同じことである。近代主義者達は、欧州の啓蒙思想を採用して、“合理的”な宗教を求め始めた。彼らは全く宗教そのものに対して反対するという方向に転じてしまった。イスラーム主義者達の方は、近代主義者に反発しながら、やはり同じような“すべてか零か”式の態度にとらわれてしまった。

スーフィズムは近代主義と原理主義との間で中間の立場をとる。そうすることによって、宗教が刻々変化する社会的状況に自らを合わせることができるようにする。スーフィズムが持っているような瞑想や適応能力なしに、政治的イスラーム（または“イスラーム主義”）の唱導者達が、イスラームの多様な諸要素を、彼らが求めている“復興された”イスラーム秩序の内部で適合せしめるといったことはありそうにもないことである。

教団名	創立者	本拠地
スフラワルディー	シハーブ･ウッディーン･アブーハフス･ウマル（1145～1234）	バグダード
リファーイー	アフマド･ブン･アリー･アッリファーイー（1106～82）	ウンム･アビーダ
カーディリー	アブドゥル･カーディル･ル･ジーラーニー（1077～1106）	バグダード
シャージリー	アブー･マドヤーン･シュアイブ（1126～97）	トレムセン
	アブー･ハサン･アリー･アッシャージリー（1196～1258）	
	その名にちなんだアブー･マドヤーンの弟子の弟子	
バダウィー	アフマド･ル･バダウィー（1199～1276）	タンタ
クブラーウィー	ナジュムッディーン･クブラー（1145～1121）	ヒワ
ヤサウィー	アフマド･ブン･イブラーヒーム･ブン･アリー･ヤサウィー（1166没）（ヤスは現トルキスタン市）	トルキスタン
メウレヴィー	ジャラーロッディーン･ルーミー（1207～73）	コニヤ
ナクシュバンディー	ムハマンド･バハーオッディーヌル･ナクシュバンディー（1318～89） アブドゥル･ハーリク･ル･グジダワーニ（1220没）が最初の教団組織者とみなされている。	ブハーラー
チシュティー	ムイーヌッディーン･ハサン･チシュティー（1142～1236）	アジュメール

スーフィー教団（1145～1389年）

● 最重要教団を創立した聖者の廟

イラクの流派から派生したエジプトおよび北アフリカの流派

ジュナイドとバスターミーから派生したイランや中央アジアの流派

ジュナイドに由来するイラク流派

リファーイー教団 神秘主義教団発展史における主要教団。すべての後続教団が、これらの教団の一つまたはそれ以上の系譜にさかのぼる。最初に発展した場所に本拠を置いた。もっとも、1500年まではメウレヴィー教団、カーディリー教団、チシュティー教団を除いて、これらの地域を越えて広範囲に発展していった。

アルワーイー教団 1500年において重要だった他の諸教団。彼らが優勢であった所を本拠にした。

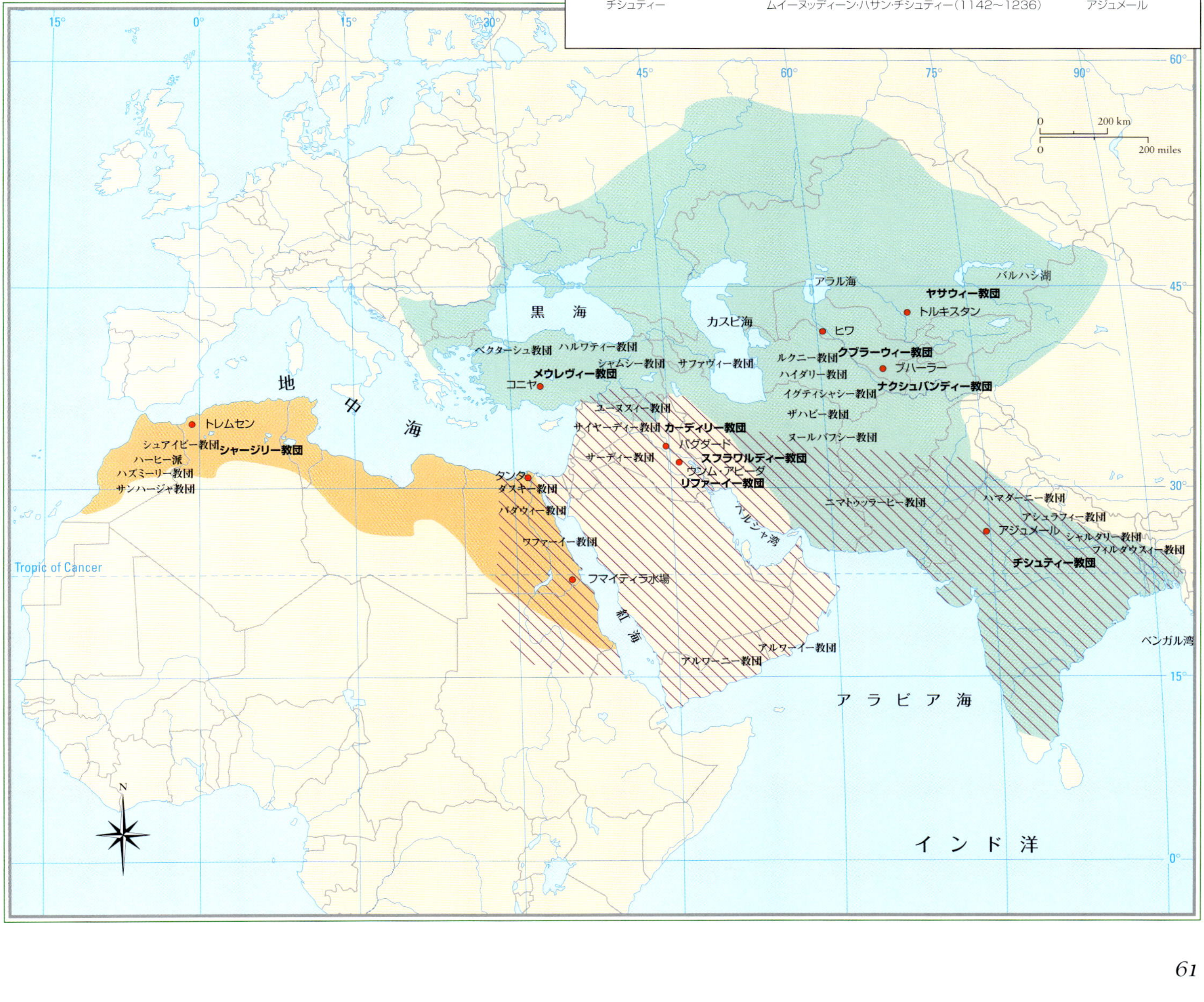

アイユーブ朝とマムルーク朝

◆ギュスターヴ・ドレ描くところのサラーフッディーン（サラディン）（1884年）。英雄的なサラセン人として描かれているが、名誉を重んじ人間性を大事にしたのでムスリムにも敵の十字軍からも等しく賞讃を受けた。彼の西欧における評判は、サー・ウォルター・スコットの小説『タリスマン』（1825年）によってよりいっそう高くなった。

ムスリム世界の一部にぽつりぽつりと拠点を築き得たために、十字軍王国はひとつにまとまった反応を喚び起してしまった。捲き返しはマウスィルに拠ったセルジューク朝の代官ザンギーが1128年にアレッポを奪回したのに始まる。彼の息子ヌールッディーンは1154年から1174年までダマスクスを支配していたが、シリアとメソポタミアにいる自らの軍勢を統合し、クルド出身の部将サラフッディーン（サラディン）を1169年にエジプトに送り込んだ。２年後サラーフッディーンはファーティマ朝最後のカリフを廃位せしめることによって、象徴的に権力を引き継いだ。彼および彼の子孫が作ったアイユーブ朝は、異なる法学派の学者がお互いに手を携えて仕事ができるようにすることにより、エジプト国内に大いにスンニー主義を広めた。一方では、アリー一門に対する民衆の尊崇も許容し、殉教者の首が埋葬されているフサイン廟での祈祷が許されていた。エジプトを拠点としてサラーフッディーンはシリアと上メソポタミアを征服し、初期アッバース朝以来初めて東方で統一国家を再興した。1187年、彼はフランク軍からイェルサレムを奪回し、輝かしい成果を挙げた。

しかしサラーフッディーンの樹てたアイユーブ朝は永続しなかった。1250年最後のアイユーブ朝スルターンがトルコ系マムルーク兵士によって殺されている。彼らは自身の将軍をスルターンに奉戴したので、以後２世紀半以上にわたるマムルーク朝支配時代が始まる。10年後マムルーク出身の異能の将軍バイバルスがシリアのアイン・ジャールートでの会戦で蒙古の侵入軍を打ち破った。1291年までに彼の後継者達は、シリアを再統一し、最後の十字軍を撃退し、自らの帝国版図を拡大し、上ユーフラテスやアルメニアにまで至った。マムルーク達はトルコ系の名前を保持し、騎士たる特権を専有し、奴隷として他のマムルークを保有した。たいていの場合、彼らは自分達と一緒に輸入されてきた女奴隷と結婚した。もし彼らが土地の女と結婚したり、ムスリム風のアラブ名を名乗ったりすると、彼ら自身の内部でカーストを失った。キプチャク系トルコ人奴隷の供給が尽き始めるとキプチャク系マムルーク（バフリー・マムルークと言われている）は、チェルケス人（ブルジー・マムルークと呼ばれた）にとって代られた。ほとんどのスルターンが王朝を確固たるものにすべく努力したが、まれにしか成功しなかった。なぜなら、少数派や弱者は必ずより強大な好敵手によって追い出されたからである。それにもかかわらず，彼らは学術を保護し，スーフィー教団を庇護し、壮麗な建築物を建てることによって、イスラームに対する自らの貢献を誇示した。建築物には礼拝堂や神学校や旅館などが含まれていて、彼らの名を冠したそうした建物は、目立つ装飾的な様式でカイロの至る所に残っている。

近東ムスリム諸国
(1127～74年)
ザンギー朝領(1145年頃)
ヌッルッディーン領(1174年頃)
その他のムスリムの領域(1174年頃)
キリスト教徒領域(1174年頃)
カリフ政権の首府(アッバース朝)
カリフ政権の首府(ファーティマ朝)
黒海
地中海
カスピ海
紅海
ペルシャ湾
ビザンチン帝国
ルーム・セルジューク朝
トゥルクメン人
クルド人
アルメニア人
グルジア
アゼルバイジャン
イスマアイール派
アルメニア
シリア
イラク
イラン
アラビア
ヒジャーズ
イエメン
エジプト
ヌビア
ベドウィン人
キプロス島
クレタ島
ダハラック諸島
アドリアノープル
コンスタンチノープル
ニケーア
スミルナ
エフェソス
ミリオケファロン
イコニウム(コンヤ)
アダリア
アマシア
トレビゾンド
セバスティア(シヴァス)
カエサレア(カイセリ)
メリテネ(マラティヤ)
ティフリス
シャマフ
タブリーズ
マラーガ
アラムート
マラシュ
タルスス
アンティオキア
アレッポ
エデッサ
1144年、ザンギー、エデッサ獲得
1128年、ザンギー、アレッポ獲得
ラッカ
マイヤーファーリキーン
ディヤールバクル
マウスィル
スィンジャール
1127年、ザンギー、アウスィルのアター・ベグに任ぜられる
1127年、マウスィルはヌールッディーンの宗主権を認めた
ハマー
ホムス
マスヤーフ
イスマアイール派
リマソル
トリポリ
ハッティーン
アクル
ダマスクス
1154年、ヌールッディーン、ダスマスクス獲得
ヤッファ
ラムラ
アシュケロン
イェルサレム
ダミエッタ
アレキサンドリア
カイロ
1169～1171
サラーフッディーンがファーティマ朝カリフ政権を倒す
ユーフラテス河
チグリス河
ハリュス河
ナイル河
バグダード
ヒッラ
クーファ
バスラ
ハマダーン
ケルマーンシャー
クース
アスワン
ヤンボー
メディナ
アイザーブ
ジッダ
メッカ
カスル・イブリム
スアキン
アルワ
マッサワ
サダ
サンアー
0 100 km
0 100 miles
N

蒙古襲来

▼側近に囲まれたジンギス汗。この贅沢に飾られたユルト（移動式天幕）に見られるように、彼の宮廷がいかに華美であっても、大可汗は生涯遊牧民の人であり続けた。

アラビアの砂漠と違って、内陸アジアの草原地帯は比較的灌漑水に恵まれ、馬を飼うための広大な牧草地があった。そこに住む騎馬遊牧民は、アラブ族に似て、父系の部族構成に従って組織されていた。アラブやトルコ系の遊牧民と同じように、彼らは大連合を構築して、都市や農耕地帯を成功裡に襲撃することができた。そうやって恐るべき指導者のもとで強固な帝国を作ることができた。フン人を率いて5世紀に中欧を劫掠したアッティラは、そのよく知られている例である。中国の諸皇帝は、騎乗せる侵略者の大軍団形成が持っている危険性をよく理解していた。そして余力があればいつでもそれを打ち破ろうと力を行使した。万里の長城はそれらの騎乗軍団に対する防壁として建てられた。

13世紀の初頭、シベリアの森林に接する遠隔の地に、ジンギス汗（1162～1227年頃）のもと、蒙古人の中で新たな軍団が発達した。この聡明だが非情な指導者が1206年頃から広範囲な部族集団の指揮をとった。死に至るまでに中国北部のほとんどを支配し、彼の軍団はカスピ海沿岸にまで達した。帝国は息子達の間で分割され、なお拡大し続けた。北部中国の残りを圧倒し、東欧を席捲してドイツにまで達した。しかしながら彼らには他の遊牧集団と同じく、相続に関して明確なきまりがなかった。ジンギス汗の子孫達は自らの相続分を求めて競い合った。その結果、いくつかの独立した、それも敵対関係に立つこともある諸国家ができた。現在のモンゴリア、北部中国、（ヴォルガ流域に拠点を置く）金帳汗国の領域、オクソス（アム・ダリヤ）流域のチャガタイ汗国、イランに侵入してアナトリアのセルジューク族を滅ぼしたイル汗国などがそれらの諸国家に含まれる。

蒙古人は残酷で暴力的だっただけではない。彼らの通信網と最新の戦争技術に

関する知識は、前例のない規模の破壊を行なうのに充分な洗練性を有していた。初期の征服では、老若男女を問わず都市の住民がすべて虐殺されることもあった。建物はこわされ、腐りつつある首が積み上げられ、ぞっとする山をなした。蒙古軍の残虐さは一種の情報戦であって、抵抗は無益であることを示そうとするものであった。戦術として恐怖を相手に覚えさせるやり方は非常に効果的であった。イラン高原を支配する豪族達は恭順の意を表すために馳せ参じた。地方官吏や名士一門は積極的に協力して、征服者に取り入ろうとしてムスリムに対する攻撃を勧めたりさえした。学者達は有名になったり、権力を得たりした。たとえば歴史家のジョヴェイニーは、フラグ将軍に率いられた蒙古軍に随行してアラムート山砦まで行っている。アラムートはファーティマ朝滅亡後も生き残っていたイスマアイール派が立てこもっていた城で、1256 年に陥落した。バグダード陥落後２年たって、スンニー派の歴史家ジョヴェイニーはバグダード総督になった。一世代の間に蒙古帝国西部はイスラームに改宗し、発展物語の輝かしい新世紀が始まった。

マグリブとスペイン、650～1485年

ル帝国
ブルガリア
ドナウ河
バルカン諸国
バルナ
黒　海
カフカス山脈
ラジア
バクー
661年まで
ラシュト
ケゼル・オウザン河
コンスタンチノープル
716年
670～77年
サロニカ
ア ナ ト リ ア
帝　国
エーゲ海
スミルナ
タウロス山脈
アダナ
アテネ
チ
ン
ビ　ザ
キプロス島
クレタ島
カンディア
海
ハマダーン
マウスィル
644年まで
チグリス河
アレッポ
ハマー
ホムス
トリポリ
ユーフラテス河
バスラ
ベイルート
ダマスクス
ハイファ
イェルサレム
ガザ
642年
アレキサンドリア
646年
タンタ
アジダビーア
フスタート（カイロ）
ギザ
ファイユーム
ア ラ ビ ア
（ムハンマド治下）
アウジラ
644年
640年
ミニヤー
エ ジ プ ト
ナイル川
ルクソール
ハールガ
紅　海
メディナ
涸谷スバーイ
涸谷ラニヤ
アスワン
アイザーブ
ジッダ
メッカ
クーフラ
N
ドンゴラへ
652年
ヌビア人

アル・アンダルスというのはアラビア語の呼称で、約800年間というものムスリムの支配下に入ったりその影響下にあったイベリア半島内の版図を指していう。この地域が初めてムスリムと接触を持ったのは711年にさかのぼる。ムスリム軍は北アフリカからジブラルタル海峡を越えて侵入し、いくつかの都市と王国が敗北を喫した。この地域におけるムスリム支配の性格と範囲は、750年にダマスクスを首府とするウマイヤ朝が崩壊したことによって劇的な変化をこうむった。王朝の一員がスペインに逃れて行き、そこで太守となって支配王朝を樹立した。そしてイベリアと北アフリカを全く別個のウマイヤ朝カリフ国家と宣言するまでになった。

より正統的なムスリム支配のあり方を夢想して二つの運動が北アフリカに到来し、11世紀と12世紀に当該地域に支配を確立した。ムラービト朝（1056～1147年）とムワッヒド朝（1130～1269年）である。ムワッヒド朝の支配が終るまでに、いくつかのキリスト教国が連合してレコンキスタ（再征服）の時代を始めた。1492年までグラナダに残っていたナスル朝を例外として、イベリア半島の大半がムスリムの支配から脱した。

1492年のグラナダ陥落以降、多くのムスリムやユダヤ人が異端審問を逃れるため北アフリカに亡命した。ある者はおとなしく服従してキリスト教に改宗した。一方従来の信仰を許された者もいたが、より制約の多い環境のもとでのことである。しかしながら16世紀までに、改宗とムスリム追放の過程はほぼ終了しており、この地域におけるイスラームの存在は文化的痕跡のみとなった。

ムスリムが支配するアンダルシアで醸成された文明は、中東や北アフリカにおけるより広範囲な発達と結びついていた。しかしいくつかの点で独特な部分があった。コルドバ、グラナダ、セビーリャやトレドなどの諸都市と結びついた芸術や建築物は画期的なものとして残った。後期に花開いた文学遺産もロマンス文学への貢献が著しい。しかしたぶん最も永続的な遺産は、ムスリムやユダヤ人による哲学や、神学、また法学などの分野の著作物である。それらの著作物はそのあとに続く欧州のラテン・スコラ哲学に大いなる影響を与えた。こうした学統継承の最もきわ立った代表例がイブン・ルシュド（アヴェロエスとも言う）の場合である。彼は1198年に亡くなった。イブン・アラビー（1240年歿）は多くの神秘主義に関する著作をものし、後世の世代に甚大な影響を与えた。偉大なユダヤ系思想家マイモニデス（1204年歿）もこの最も活発な知的環境と華やかな文化環境の中で仕事をした。

◀グラナダのアルハンブラ宮殿獅子の間。西欧におけるイスラーム最後の前哨地グラナダの王国は、キリスト教徒のレコンキスタに直面しても250年間持ちこたえた。外部からの圧力があったにもかかわらず、ナスル朝治下、グラナダはイスラームと西洋の文化が素晴らしく創造的に融合した洗練さと寛容性の中心地であり続けた。

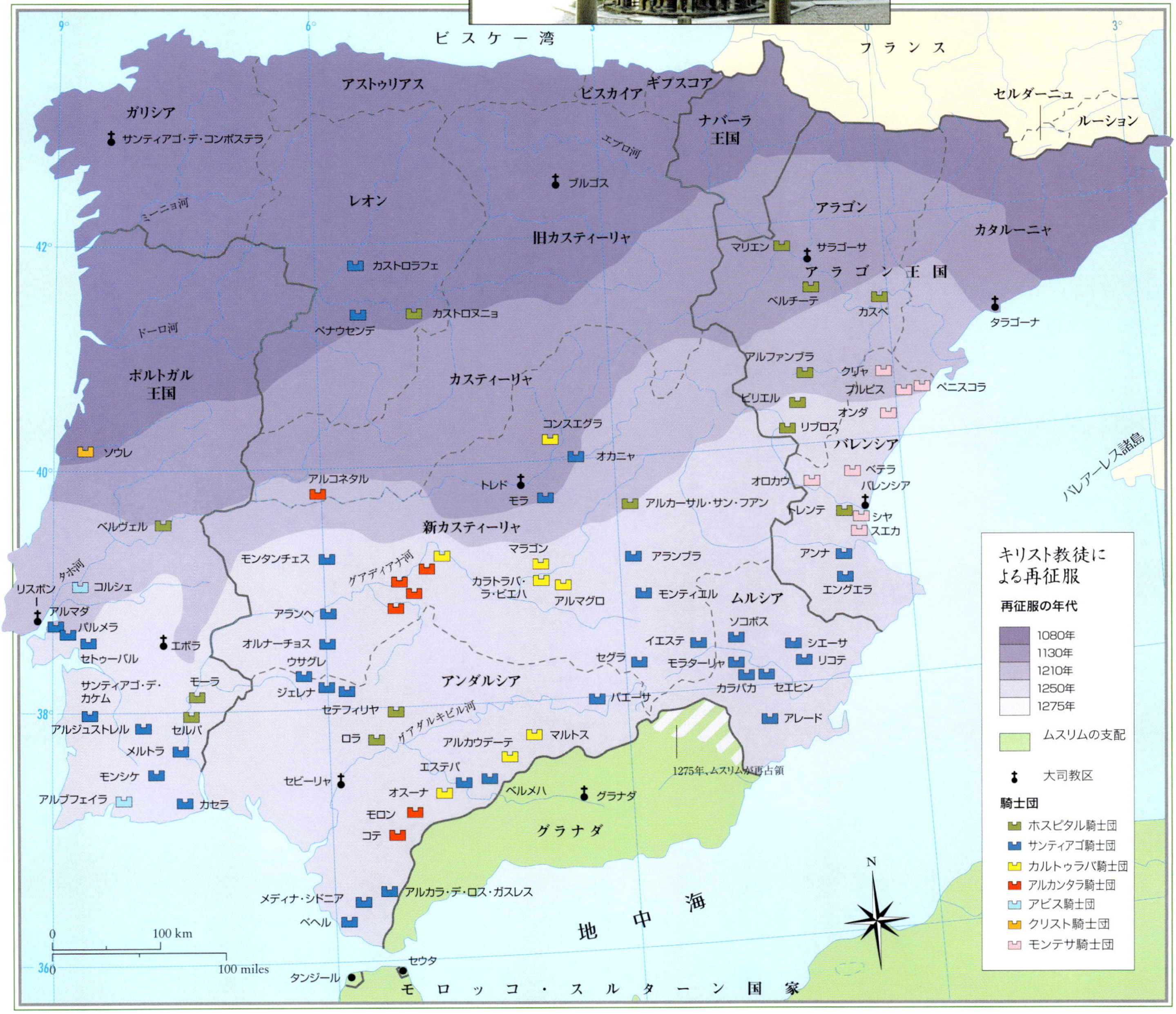

サハラ以南のアフリカ：東部

キルワの大礼拝堂設計図
近代に至るまでダール・ル・イスラーム（イスラームの館）最南端の前哨地だったキルワは、1505年に1万人ほどの人口があった。この時ポルトガル人が島を急襲した。最初のムスリム占領者は船乗りと商人で、彼らはペルシャ湾岸からやってきて、800年頃住みつくようになった。

古代ファラオの時代から、東アフリカの上ナイル地方は、エジプトとして同一文化世界に所属してきた。エチオピアは4世紀からコプト教徒の宣教師によってキリスト教化されていた。初期イスラーム資料によれば、キリスト教徒のエチオピア皇帝は、聖遷以前でさえ、メッカから逃れてきた迫害されたムスリムの一団に避難所を提供したという。エジプトを征服したアラブ人は641年にアスワンに到達した。そして何世紀もかけて南下しつつ上ナイル地方をアラブ的性格の優勢な地域にしていった。1700年頃まで黄金貿易を独占し続けたフンジュ・スルターン国は、青ナイル河に沿って下流へ移動していく牧夫達がつくった国である。同国はエジプトやマグリブやアラビア半島から法学者や聖者（ファキール）達を引き寄せつつ、アラブの影響を整理統合していった。

東アフリカのイスラームのアラブ的性格は、沿岸地方がヒジャーズやイエメンに近いこともあって強化されていった。初期の頃からソマリアの牧畜業者が、クライシュ族の血を引いているということで、すべてのイスラーム教徒の家系の中で最も威信が高かった。他の宗教指導者や部族指導者達の間に生まれた傾向であろう。一方アラビア語や――ある場合には――ペルシャ語が船乗り達によって伝えられ、“真のイスラーム”の言語として威信を保った。土着の言葉は豊かな口誦文学を発達させ、やがて文字化されていった。最初のスワヒリ語文書は1652年にさかのぼる。モガディシオからキルワに至る1600kmの長きに及ぶ沿岸地帯を支配したスワヒリ文化は、アラブ人やペルシャ人の商人や貿易業者や開拓者達がもたらした思想と、彼らが通婚した東方海岸線の土着の人達の思想とが交流した何世紀もの間の結実なのである。

1498年に喜望峰を廻ったヴァスコ・ダ・ガマの後、ポルトガルは、海岸線に沿って興った繁栄せるスワヒリ諸都市を組織的に破壊していった。1505年、キルワは占領され、モンバサは掠奪を受けた。1530年までにポルトガルは、ペンバ、ザンジバルや他の島にある城塞から、すべての海岸を支配し管理するようになった。しかしながら1650年代に、イバード派のムスリムであるオマーン人がポルトガル人をマスカットから追い出し、インド洋の東方部分をムスリム支配下に戻した。オマーン人達は布や象牙や奴隷を東アフリカとインドの間で交易した。19世紀、スルターンのサイイド・ブン・スルターン（1807～56年）のもとで、マスカットとザンジバルは短い間だが単一政権で統治され、南アラビアからのムスリム移民の新しい波に道を開いた。ザンジバルの多くは丁子《ちょうじ》やその他の香辛料の商業生産に転じて、米国で採用されたのと同じような奴隷に栽培させる農場を使用した。イマーム・サイイドの息子達の間で帝国が分割された後、ザンジバルは英国によって奴隷貿易をやめるよういや増す圧力をかけられた。英国は、反奴隷貿易法を押しつけるために海軍力を使用した。そして自らの商業利益を追求した。

キルワの大礼拝堂設計図

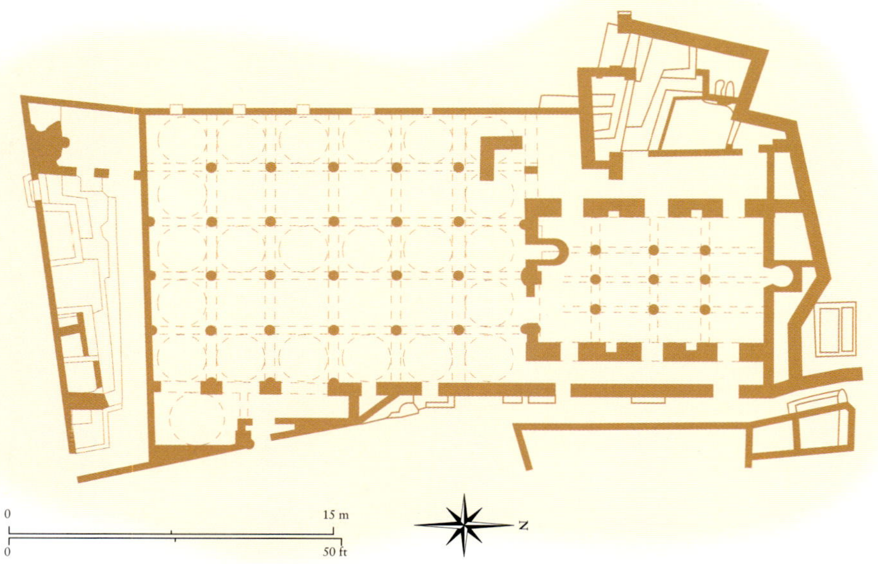

英国の保護領となった後、ザンジバルは英領インドから新しくやってくる移民達の受入国の役割を果した。

▲ザンジバルの石の町の私邸に通ずる入口。入口の装飾は土地の硬材か本土から輸入した木材を彫ったものである。飾りがあるのは家の持主の社会的地位を象徴している。壁は珊瑚片で作られているので、季節の雨で壊れぬよう、絶えざる管理維持が必要。

サハラ以南のアフリカ：西部

14 世紀カタロニア地方の地図の一部。王冠をかぶった国王が王権の標章を手にして玉座にある。描かれているのはマリのマンサ・ムーサーであろう。1324 ～ 25 年にメッカ巡礼を果したが、同時代人に彼の富は強い印象を与えた。

西アフリカにおけるイスラームの拡大は、おおむね平和裡に行なわれた。紀元前 600 年以前のいつ頃かサハラに駱駝を使った運搬法が導入されたことにより、マグリブとサーヒル（海岸）との間で発達していく隊商路網を確立した。そこはサハラとギニアの熱帯森林地帯との間に横たわる広大な草原地帯である。南からの主要輸出品は、セネガル河流域のバムブコから輸出される金であった。これは何世紀間にもわたってマグリブや西アジアや欧州にとって主要な金の供給源であった。金は――奴隷や皮や象牙と共に――銅、銀、手工芸品、乾果や布等と交換された。しかし貿易以上に重要なのは思想の伝播であった。イスラームは、商人や教師やフランス人がマラブーと名づけたスーフィー神秘主義者達によって南方にもたらされた。後者は、地方の部族社会の中で世襲の調停者としてふるまっていた聖家族の一員であることがしばしばあった。

11 世紀、ベルベル人のラムトゥーナ族出身のムラービト朝が、イスラーム普及のためモーリタニアに拠点を築いた。そこから彼らは、西アフリカ諸国の中で最大にして最も富裕な支配者ガーナ国王に対する聖戦《ジハード》を唱えた。ムラービト朝（スペイン語ではアルモラビデという）の改革熱は彼らを北方に向かわせ、イベリア半島に進出した。そこでキリスト教徒の再征服の脅威を寄せつけぬようにするため、アル・アンダルスの小公国を再統合した。サハラ南部のアフリカ人の強制改宗という事例もいくつかあったが、おおむねそういうことは稀であった。最初期の改宗者は、ふつう王室の一族であった。彼らは、臣下の氏族や共同体から税を徴収したり兵役を課したりする際の宗教が持つ権威に信を置いたのである。ムスリム商人が沿岸《サーヒル》都市（その多くは 10 世紀末までにムスリム居住区を置いた）に住みつくようになると、王族の人達は宮廷の公認宗教としてイスラームを採用することによって、文化的権威を享受せんとするようになった。

地方の諸王国は、たいてい、異なった部族王朝のもとで形成されたり再形成されたりし続けていた。その際イスラーム風の儀式や慣習は部族的慣習と混淆していった。新しい国家ごとにその首都は富とイスラーム研究の中心地となっていった。なぜならば、支配者達が宗教にまつわる学問を保護することによって自らの威信を高めようと欲したからである。最もめざましい文化的中心地は、ニジェール河流域のトゥアレグ人の都市トンブクトゥである。トゥアレグ人は駱駝に騎乗する選良部族で、サハラ横断貿易によって富裕になった。塩山を開発するために奴隷を使ったり、アフリカ人部族出身の農奴を定住させて貿易経路沿いのオアシスを耕作させたりした。

サハラ以南のアフリカ出身で最も著名なムスリムの支配者は、マリの国王マンサ・ムーサー(1307 ～ 32 年)であった。1324 ～ 25 年に彼は可能な限りの贅美を尽した行列をしてメッカ巡礼を果した。それは何世紀もの間語り伝えられたほど強烈な印象を与えた行列であった。アラビア語が根づいたナイル河流域のスーダンとは違って、イスラームは比較的早い時期から地方土着の言語によって広まっていった。1700 年頃（これよりも早い可能性もあるが）から学者や教師達は、西部沿岸地帯で支配的な言語であるハウサ語やフラ語（フルベ人の言語）でイスラーム教育を行なう際、アラビア文字を改良した文字を開発した。

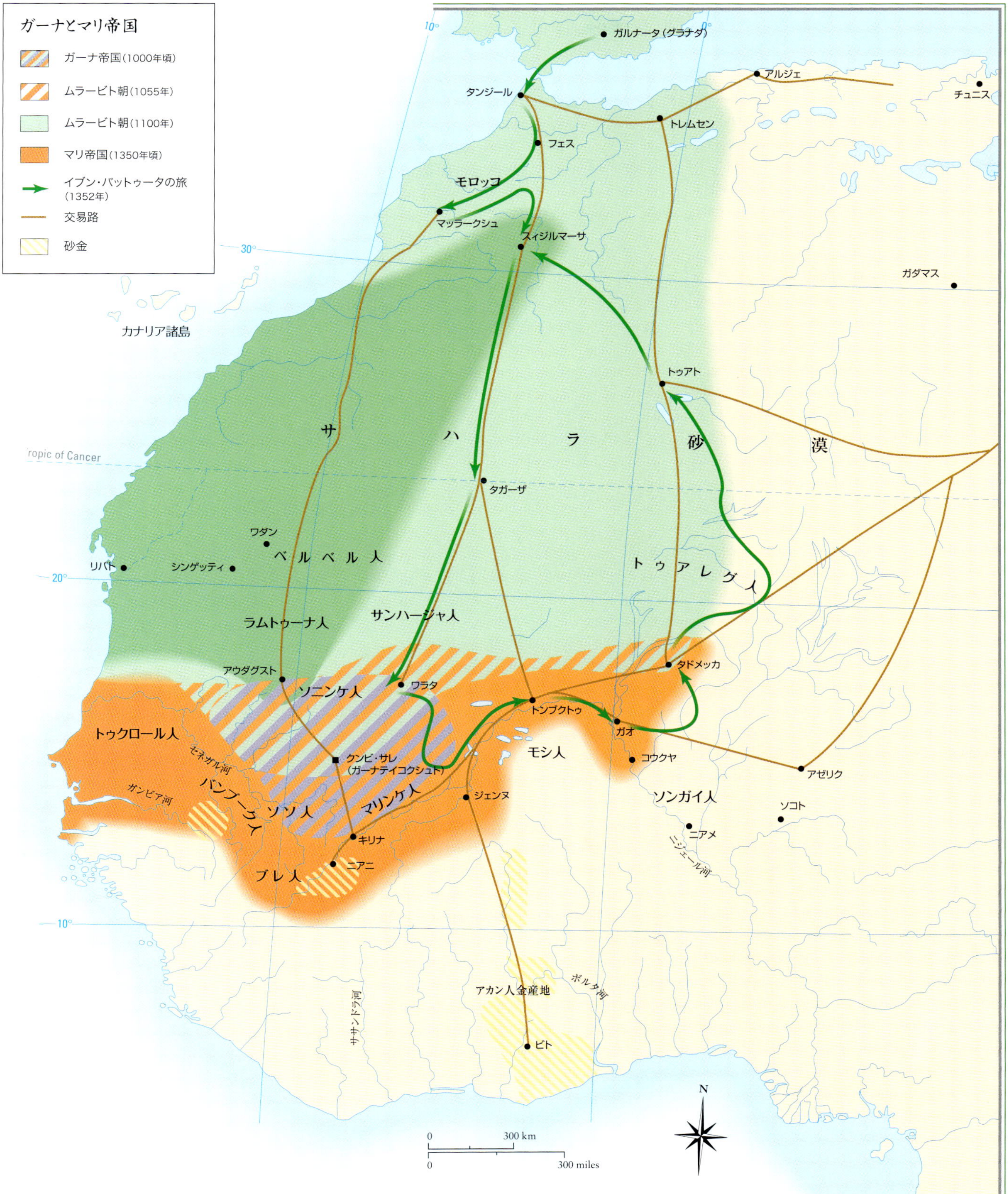
ガーナとマリ帝国
ガーナ帝国（1000年頃）
ムラービト朝（1055年）
ムラービト朝（1100年）
マリ帝国（1350年頃）
イブン・バットゥータの旅（1352年）
交易路
砂金
ガルナータ（グラナダ）
タンジール
アルジェ
チュニス
トレムセン
フェス
モロッコ
マッラークシュ
スィジルマーサ
ガダマス
カナリア諸島
トゥアト
サ ハ ラ 砂 漠
Tropic of Cancer
タガーザ
ワダン
リバト
シンゲッティ
ベ ル ベ ル 人
ト ゥ ア レ グ 人
ラムトゥーナ人
サンハージャ人
アウダグスト
タドメッカ
ソニンケ人
ワラタ
トンブクトゥ
ガオ
トゥクロール人
セネガル河
クンビ・サレ（ガーナテイコクシュト）
モシ人
コウクヤ
アゼリク
ガンビア河
バンブーク人
ソソ人
マリンケ人
ジェンヌ
ソンガイ人
ソコト
ニアメ
キリナ
ニジェール河
ニアニ
ブレ人
アカン人金産地
ボルタ河
ササンドラ河
ビト
N
0 300 km
0 300 miles
10°
20°
30°

ジハード国家

17世紀から19世紀にかけて、西アフリカに起った聖戦運動は、多くのイスラーム国家を生み出し、この地域におけるイスラームの存在感を増した。これらの聖戦《ジハード》の中には、遊牧部族民による叛乱も含まれていて、うわべだけイスラームの支配者を名乗っている者も多かった。彼らは伝統的なアフリカの王権神授説に固執していて、イスラームに由来する諸象徴と自らの異教にもとづく儀式とを混淆させていた。

▶ニジェールのジェンヌにある焼成泥土の礼拝堂。意匠は土地特有のものであるが、材料が泥なので絶えず改修が必要。

これらの運動を指導したのは普通ウラマー階級――学者や教師や学生達などの――であった。彼らは地方でスーフィーの師匠について学んだり、メッカやメディナで改革思想に触れてきた者であった。その信奉者はフラ語話者の牧畜業者で、牧草を求めて南方へ移動していた。彼らはハウサ諸国の王による課税を嫌っていたのであり、これに農夫の中の不満分子や逃亡奴隷や浮浪者などが加わっていた。フラ語話者の学者《トロドベ》であるイブラーヒーム・ムーサー（カラモコ・アルファ、1751年歿）は地方君主に対する闘争を起した。その結果、セネガンビアの高地にフータ・ジャロンという国家が樹立された。聖戦《ジハード》運動（これをイブラーヒーム・ムーサーの子孫達は、奴隷を捕えて輸出したり、大農場で働かせたりするために利用した）は、セネガル河流域のフータ・トロにまで広がっていった。ここに学者《トロドベ》達は独立したイスラーム国家を樹立した。フランスによる征服以前、地方の選良と学者《トロドベ》達とが混淆してしまう前の話である。西アフリカで最も著名な聖戦《ジハード》運動指導者はウスマーン・ダン・フォディオ（1754～1817年）であった。彼はハウサ語を話す独立したゴビル王国で声望の確立した学者一族出身の宗教学者であった。国王がイスラームと異教の風習を混淆させていることを非難した後、ダン・フォディオは、純化されたイスラームの名のもとに国王やハウサの支配者達に聖戦を仕掛ける前に、王国の領域を

越えて、ムハンマドが古き時代に行なった聖遷《ヒジュラ》の故事に倣った。ムハンマドのひそみに倣った彼の説教は、社会正義を求める強力な訴求力を持った。彼は神学上偶像崇拝を攻撃する一方で、不法な課税、財産の没収、強制的兵役、ムスリムの奴隷化などを非難した。1808年までに運動はハウサ諸王国のほとんどを顚覆させた。続く20年間に、現在の北部ナイジェリアや北部カメルーンを含む地方も運動の勢力圏内に入った。1817年にダン・フォディオは引退して帝国を彼の息子のムハンマド・ベロに渡し、自身は読書・著述・瞑想三昧の生活に入った。彼はソコトのスルターンになった――これがのちに英領ナイジェリアとなる所では最も強力なムスリム首長国であった。

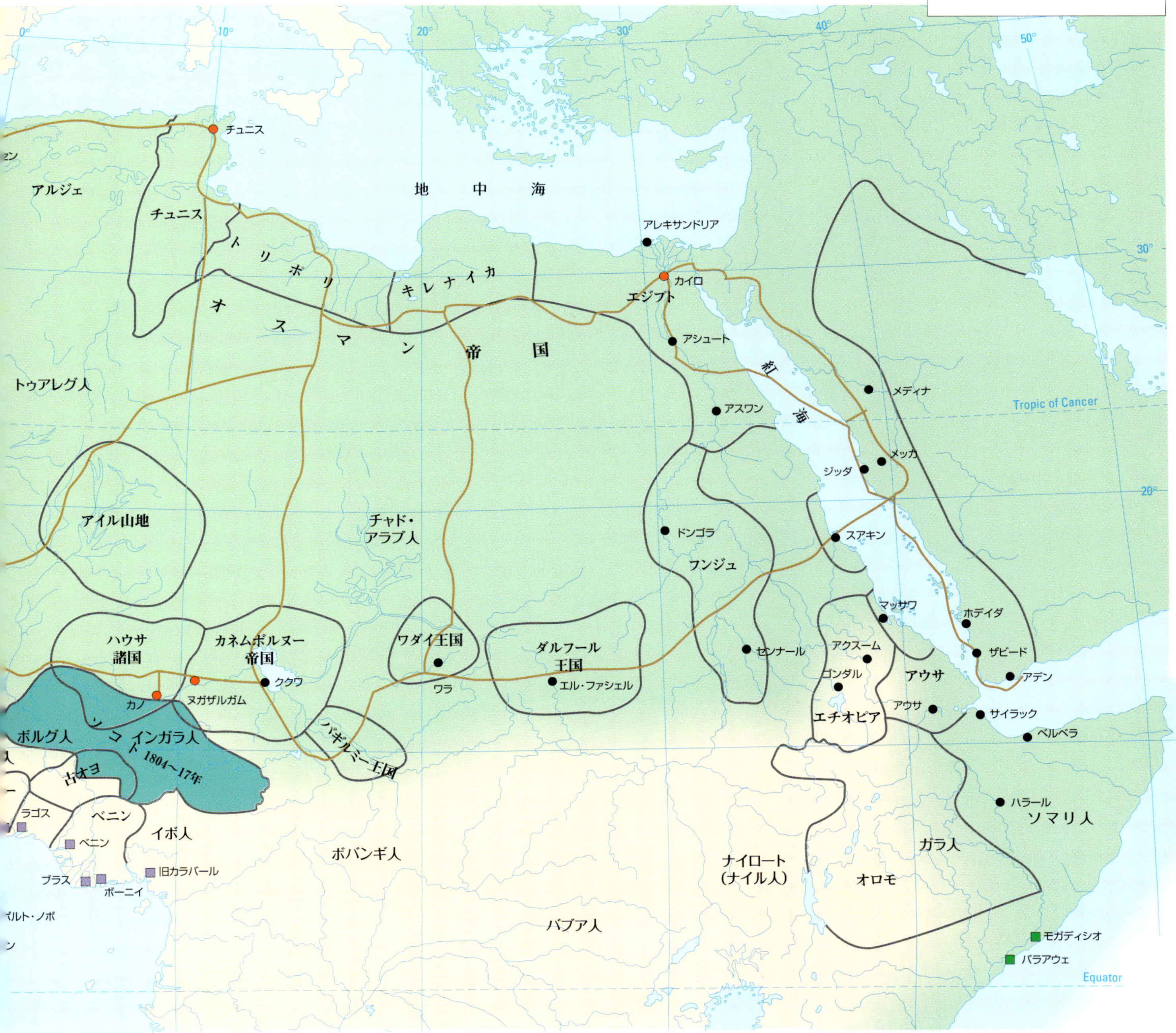

インド洋、1499年まで

イスラーム出現以前、インド洋は、中国、東南アジア、東アフリカや地中海の間に広がる重複して入り組んだ地方的、地域的かつ太洋を股にかけた交易の通商経路の一部であった。

紀元１世紀にギリシャ語を解する商業航海者のために書かれた『エリュトゥラー海案内記』〔村川堅太郎訳、中公文庫〕には、紅海沿いの海港（たとえばミュオス・ホルモスやレウケ・コーメーやベレニーケーなど）に発する二海上交易路のことが述べられている。これらの諸港は、織物や銅、香料や奴隷などの貿易にたずさわる古典ギリシャ＝ローマ世界の商人達を、西インド洋沿岸地の商人達に結びつけた。一路は紅海を下って南アラビアのムーザ（モカ）やディオスクーリデース（ソコトーラ）に至り、さらに北東アフリカ（エチオピアのアクスームにあるアドゥーリ港やオポーネー港）に行き、さらに東アフリカ沿岸に沿ってペンバ近くのメヌーティアスを経由してラプタ（現代のどこに当るかまだ同定できていないが、現代のタンザニアのバガモーヨあたりであろう）に至る経路である。もうひとつの経路は向きを変えて、インド洋に至り、バリュガザ（バルーチ）を経由して南下し、ムージリス（クランガノール）やコマ

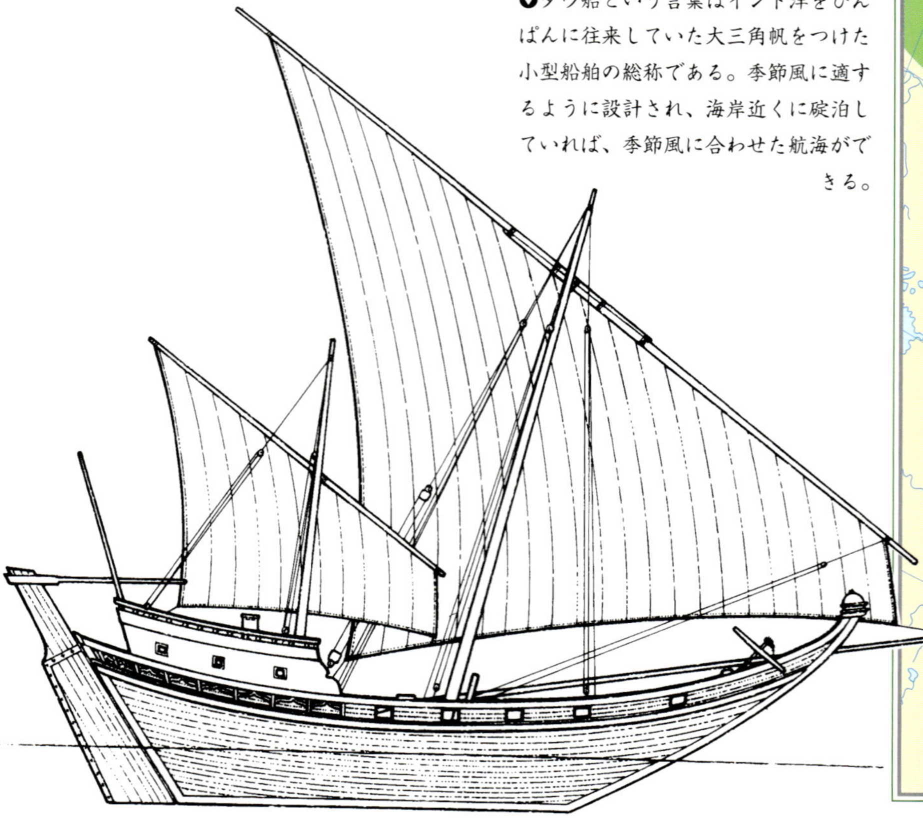

▼ダウ船という言葉はインド洋をひんぱんに往来していた大三角帆をつけた小型船舶の総称である。季節風に適するように設計され、海岸近くに碇泊していれば、季節風に合わせた航海ができる。

レイ（コモリン岬）に至るものである。

人々や物資の移動はインド洋に吹く予報可能な季節風の周期によって規定された。好都合な北東風ないし冬の季節風はおよそ半年間（11月から３月まで）吹き続ける。動力付きの船による航海が可能になった時代がくるまでは、北東の季節風が、大きな三角帆を帆装したアラビアやペルシャやインドのダウ船を、アデンからコーチンまでといったような経路を運んでいたのである。帆走する時は、インドのマラバル海岸で交易をするため、大横帆の風下側下隅で、船をできるだけ風に乗せるように適帆する。帰還時は帆を全部揚げて、風に向って自由に桁端を使い回頭する。西部インドに雨をもたらし、より荒れ狂った天候を醸成する南西の季節風は避けるのが最善であった。

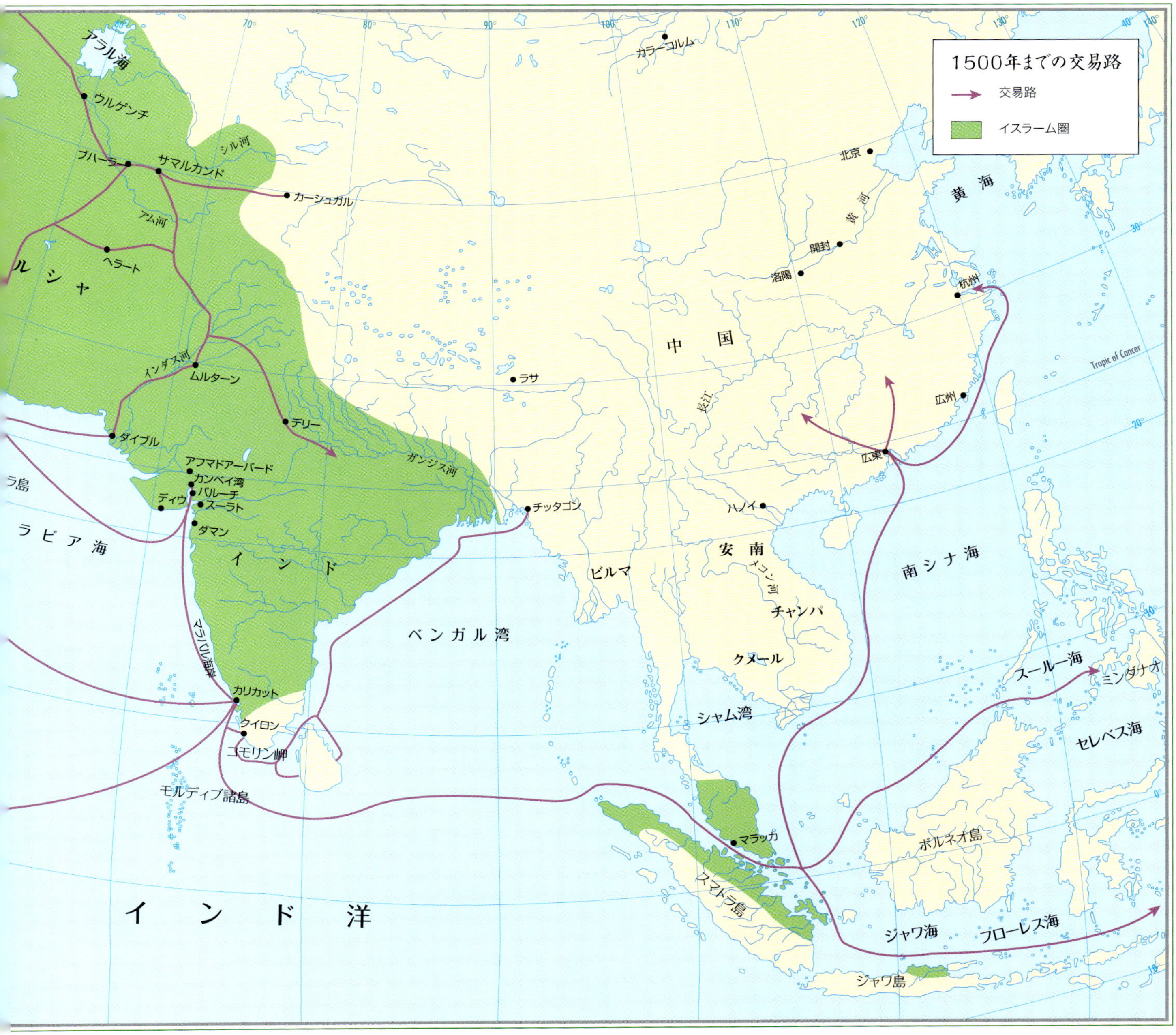

７世紀には、『エリュトラー海案内記』に描かれたような交易世界は消えてしまって久しかった。西インド洋の海港や通商経路はビザンチン帝国とサーサーン朝ペルシャ帝国との間に横たわるいや増す対立に巻き込まれていた。ビザンチン帝国は紅海沿いの諸港からする南アラビアへのエチオピアの侵入を支援した。一方、ペルシャ帝国はペルシャ湾（バフライン）やアデン、スハール、ディーバーなどの南アラビアを押さえていた。この両帝国の狭間にいたのがクライシュ族であった。彼らがメッカの聖地で陸上貿易にたずさわった最初のムスリムになった。

▶玉座に座ったセルジューク朝のスルターン。シルクロードの西端に位置しているため、セルジューク朝スルターンは贅沢をすることができた。たとえば中央アジアからもたらされた極上の中国絹だとか宝石を所有していた。写本は13世紀のもの。

ムスリムによる征服と拡張の軌道は当初インド洋に向かわず、地中海方面に向かった。しかし代々のムスリム王朝は、インド洋に対する政治的・経済的支配権を握ろうと努力した。712年にスィンドのダイブールをウマイヤ朝が征服し占領したことは、そういう方向への第一歩であった。次いでアッバース朝が762年にその首都をチグリス河畔のバグダードに置いたことが、バスラを経由してペルシャ湾に出ることを可能にし、ムスリムが海上交易や植民事業を興して、東アフリカ海岸や南部中国へ進出するのを刺激した。『シナ・インド物語』(850年頃のもの：邦訳は関西大学出版・広報部)に集められた船乗り達の報告を見ると、アッバース朝時代にスィーラーフ（シーラーズの南方）から広東まで商業交易のため往復するのはどのような旅であったかがうかがえる。アラビアから東アフリカ（ザンジの国々）に至る南西インド洋での当時の海上活動の模様を見るには、マスウーディー(956年歿)の『黄金の牧場』を参照すればよい。

969年にファーティマ朝はエジプトを征服し、カイロを建設した。そしてアッバース朝に対して、政治的にも経済的にも挑戦する姿勢を示した。ファーティマ朝は、バグダードやペルシャ湾を起点とするインド洋貿易を、フスタートおよび紅海を起点とする貿易に転換せしめることに成功した。西部インド洋にとってのエジプト－紅海経路の経済的重要性は、ファーティマ朝の後継国家アイユーブ朝やマムルーク朝の時代まで維持されていた。カイロのゲニザ文書からわかることは、フスタートを起点とする複雑な交易網が北アフリカから西部インド洋を経由してインドまで広がっていたのであり、11世紀から13世紀にかけて機能していた。

中東に本拠を置いたムスリム王朝によるインド洋貿易の政治的・経済的管理は、ムスリム共同体や商業的中心地や沿岸の独立諸国などの成長によって補完された。そうした成長には多くの場合、複雑で多様に絡み合った歴史があり、まだまだ研究されなければならない余地がある。東アフリカ沿岸地方とそのスワヒリ語話者の住民達は、アラビア半島やペルシャ湾やインドと多様な結び付きを持っていた。シャンガにムスリムが住みつきモスクを建て墓地を持つようになったのは8世紀後半からのことである。そして約1000年から1150年にかけて、ペンバやザンジバルやマフィアやキルワ等の島の居住地を支配するムスリムの地方王朝が存在していたことを示す証拠がある。これらの共同体の多くは、イブン＝バットゥータが1331年にモガディシオ経由で当地を訪れた頃は繁栄していた。

イブン＝バットゥータの旅行記はまた、泉州（ザイトゥーン）に至る中国の南岸地方にムスリムがいたことを示す情報源ともなっている。彼が当地に到着したのは1347年であった。泉州にはイスラーム教徒の墓地や礼拝堂（およそ1009年頃のもの）があり、貿易港にムスリム社会が存在していたことを示している。東南アジアにおけるムスリム共同体の歴史は、太洋をまたぐ貿易によっても知られていた。15世紀までは、ジャワやスマトラをしのいで、ムスリムの大インド洋貿易網において主要な海事中心地として台頭してきたのはマレー沿岸のマラッカ貨物集散地であった。マラッカはかなり大きなムスリム人口を擁していて、西インドのカンベイ湾（グジャラート）のような所に住む商人達やその海港と強力な関係を結んでいた。皮肉なことに、1498年にインド洋を渡る時ヴァスコ・ダ・ガマの水先案内人をつとめたと考えられるイブン・マジードは、マラッカについて好意的ではない記述を残している。マラッカ港は1511年にポルトガル人の手中に落ちた。これがヨーロッパの海軍勢力が初めてインド洋に堅固な拠点を確保した出来事である。

インド洋、1500～1900年

▶マスカット港の入口を守っている砦は、元の砦の遺跡の上に16世紀になってポルトガル人が築いたものである。オスマン・トルコの攻撃にも耐えて生き残ったが、1650年オマーンのイマーム、スルターン・ブン・サイフにポルトガル駐屯軍は敗れた。

1498年にヴァスコ・ダ・ガマが喜望峰を廻航したことは画期的な出来事であり、これによってインド洋貿易のムスリム独占が終りをつげ、英国やオランダが東南アジアや東インドに進出する端緒が開かれた。欧州帝国主義の時代は商人の冒険によって始まったのである。彼らは、南方海域の貿易拠点を確立し、それが更なる発展の前進基地となったのである。ポルトガル人はその先駆者となった。ザンジバルやペンバに拠点を築く以前から1505年にキルワを取ったり、モンバサを劫掠した。1509年に彼らはエジプトとインドの連合勢力を敗ってマラバル海岸のゴアを占領した。1515年には、彼らはマラッカを征服し、同年ペルシャ湾岸のホルモズも併合した。ポルトガルの覇権は間もなくオランダの覇権に取って代られた。それまでポルトガルは、儲かる胡椒や香辛料の貿易からオランダを排除しようとしていたのである。

オランダ人は1605年にアンボイナでポル

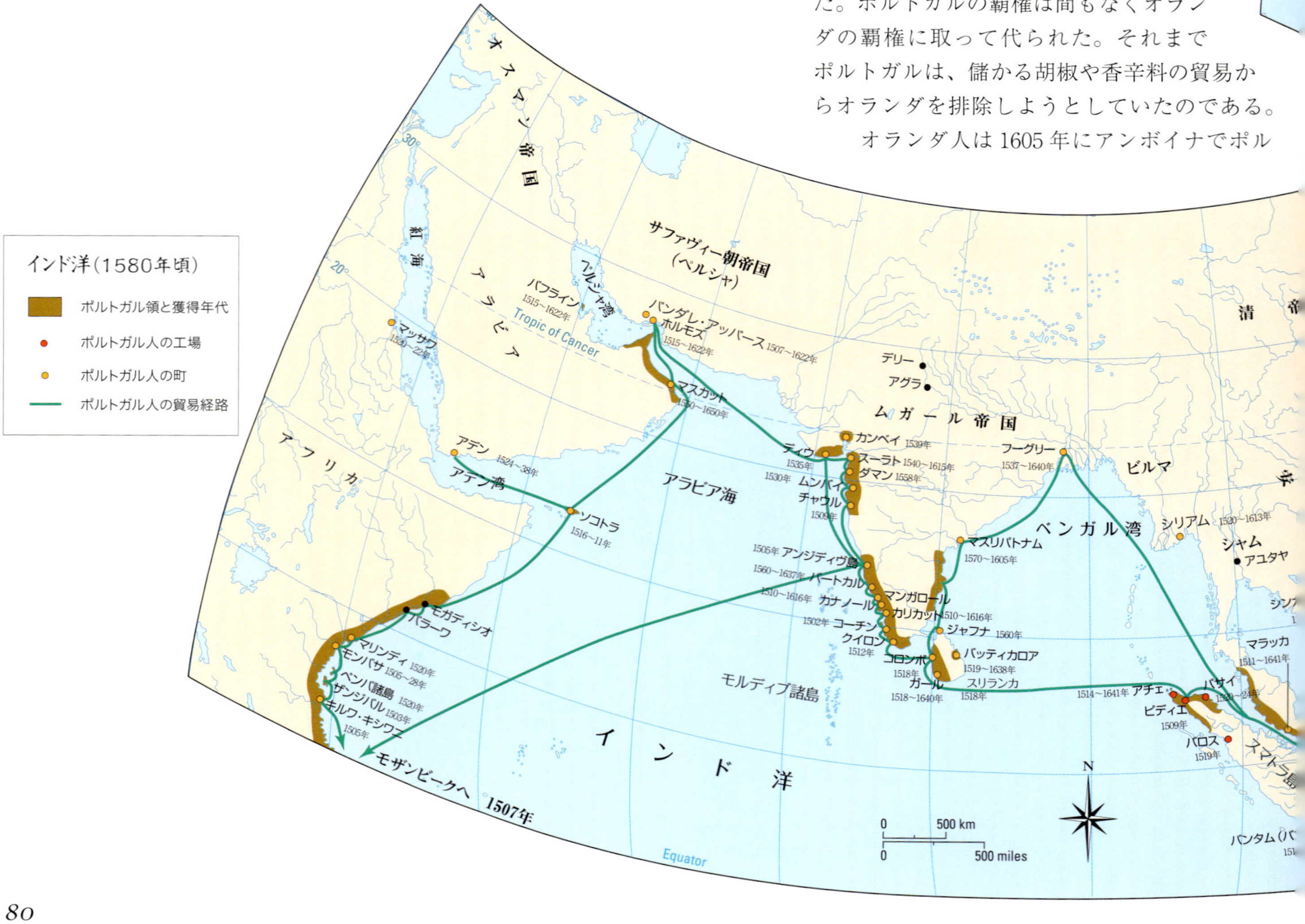

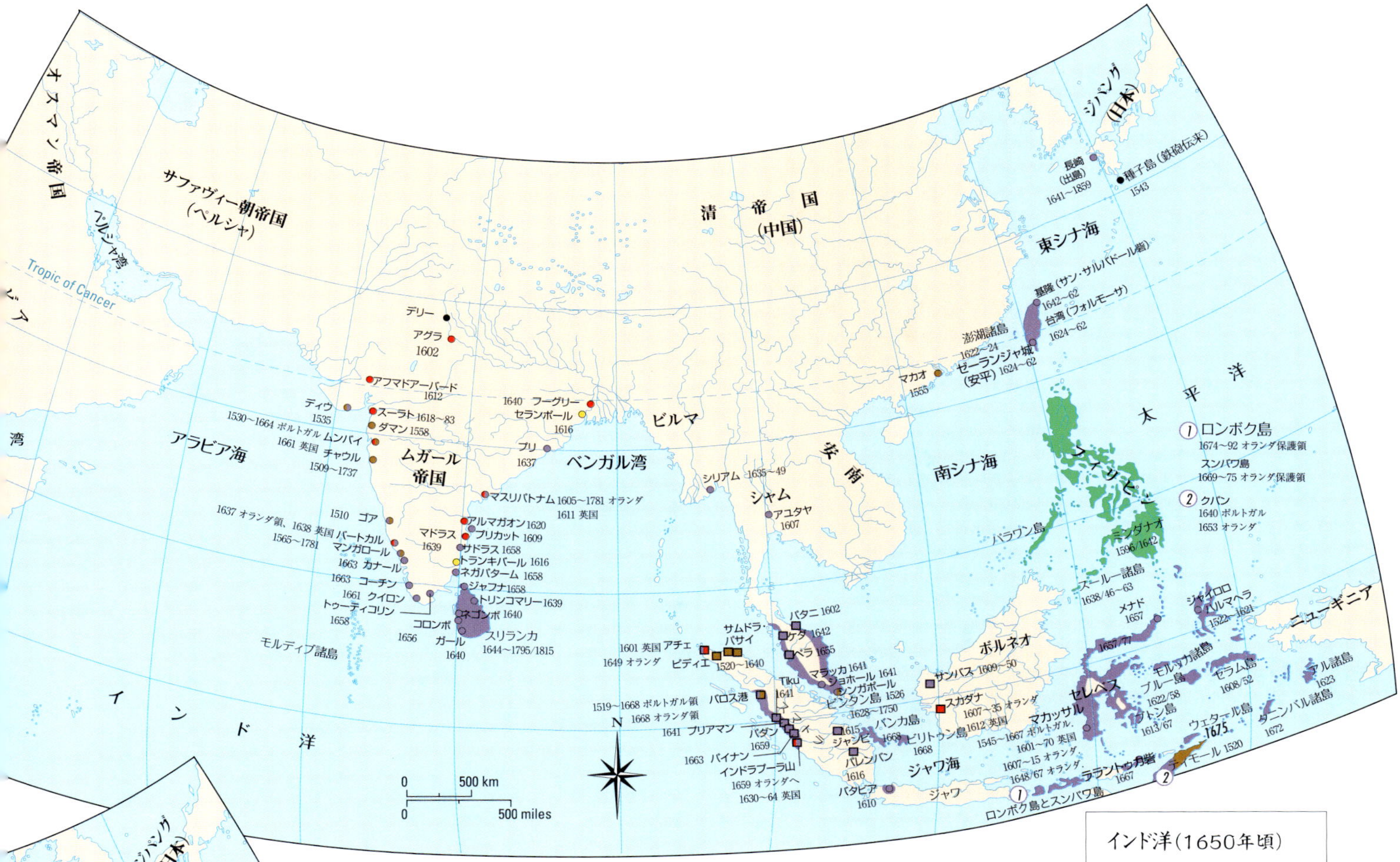

インド洋（1650年頃）

- オランダ領
- ポルトガル領
- スペイン領
- 英国領
- デンマーク領
- 工場

トガル人を敗り、1621 年にはバンダを、1640 年にはセイロン（サランディーブ、現在のスリランカ）を、1641 年にはマラッカを占領した。オランダ領東インドの首都になったバタビア（現在のジャカルタ）は 1619 年に建設された。

進行過程は漸次的なものであったが、ポルトガル人の干渉によって、当該地域におけるムスリム諸国の政治経済に貿易形態上の変化がもたらされた。17 世紀末までには、ユーラシア大陸の西端にある二つの小さな国、すなわち英国とオランダが、（フランスと共に）世界貿易上の主要勢力となった。材木、穀物、魚、塩といった生鮮商品が、それまでの贅沢品貿易に取って代った。貿易商品が変ったことはより広範囲に及ぶ変化の先触れとなった。これによって世界は原料を生産する植民地と付加価値の高い商品や役務を提供する商工業中心地とに分割された。21 世紀を展望に入れてみると、ヴァスコ・ダ・ガマの航海は“グローバリゼーション”に極まる過程の始まりをなすものであろ

●英国はインドでの地位を確立し始めると、彼ら自身の建築様式を導入した。1796年チャプラに建てられた屋敷の水彩画にもそれが見て取れる。

う。

二つの技術的要素がこれらの変化を余儀なくさせた。航海技術と火薬の発達である。大西洋の東海岸に位置していることが、ポルトガル人をしてアラブの大三角帆を付けたダウ船よりも風に対して強い駆動力を発揮できる強力な船舶を開発せしめた。ポルトガル人の船舶は、アラブ人やペルシャ人のそれよりもより大きく頑丈にできていた。それゆえより多くの貨物を積むことができたし、長期の走破に堪えた。インドに至る南アフリカ回りの新航路は、西アジアの貿易経路を迂回し、南アジアやインドからもたらされる物資——香辛料や布地やその他の珍品——は直接リスボンに運ばれた。これによってリスボンの商人は大いに富み、ヨーロッパとアジアの間の中間利益が搾取されずにすんだ（中間搾取者の中にはヴェネチア人やジェノバ人も含まれた。彼らは、ムスリムの貿易業者が陸路で物資を運んだように、東地中海の海域を行き来していたのである）。火薬革命は——航海技術における革命と同様——漸次的なものであったが、それゆえ大きな発達を見た。大砲が発達してくると、石造りの要塞も難攻不落ではなくなった。大砲や火器に巨大な投資を行なうことができたよく組織化された中央集権国家が軍事的に優位に立つようになった。軍事技術が発達してくると、伝統的な戦士階級と新興経済勢力との間に力関係の逆転が起った。伝統的な戦士階級の軍事能力は、部族の団結とか名誉とか威信とか勇気（遊牧民の征服者達にとって古来美徳とされてきたもの）とかいったものによって測られていたが、新興経済勢力は最新の軍事技術に追いついていけるだけの能力を持った洗練された行政の中枢を持っていた。欧州

人の圧力を受けつつも、アラブ・カリフ帝国と蒙古襲来のあとにばらばらにされたムスリム諸国は、やがて三つの“火薬を使う帝国群”すなわちオスマン帝国とサファヴィー朝イランとムガール帝国というより大きな国家単位に収斂していった。

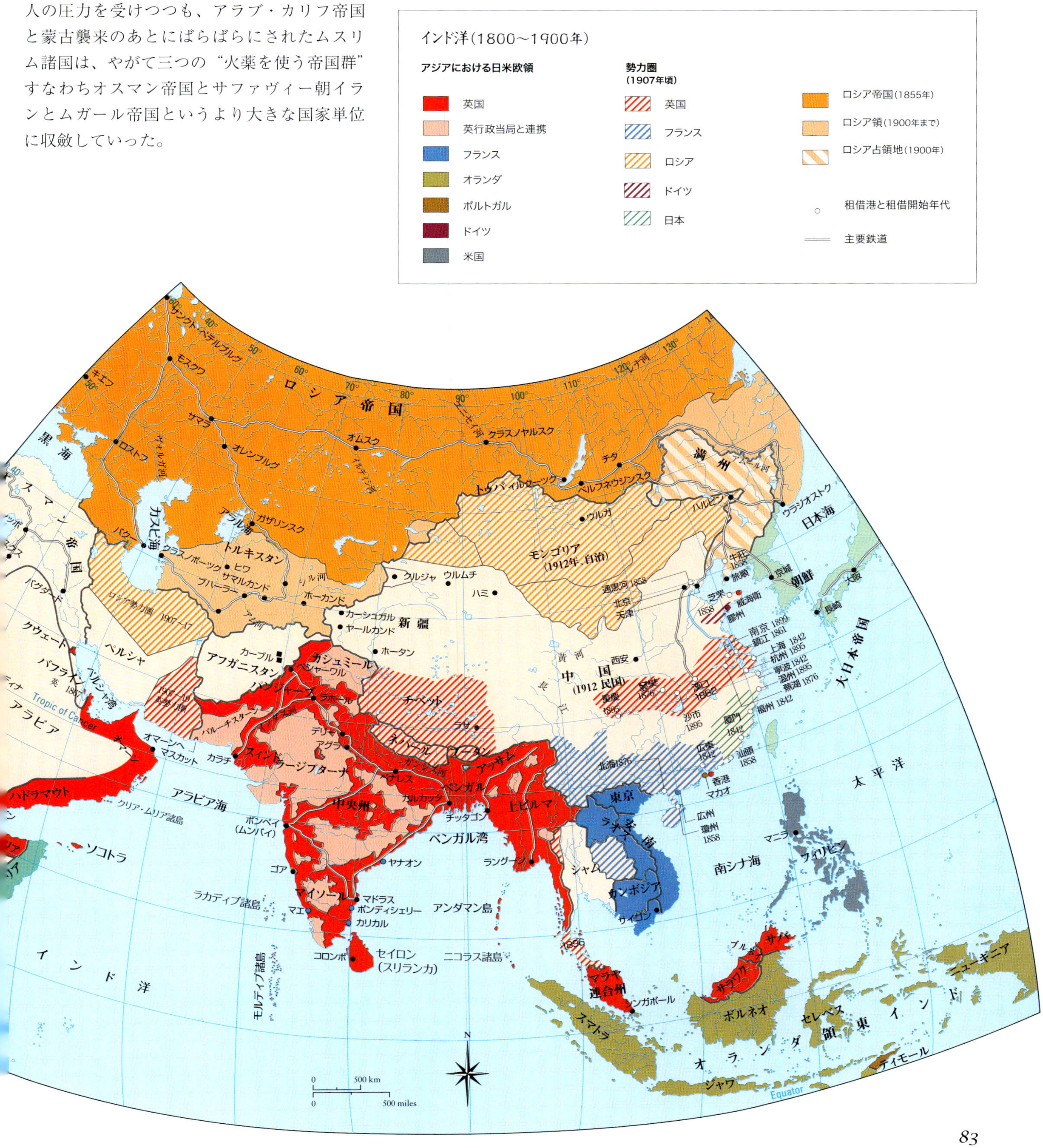

オスマン・トルコの台頭から1650年まで

オスマン帝国は、イスラーム諸国の中でも最も広範囲な領域を擁した帝国であった。13世紀初頭、マルマラ海近くのビシニアからビザンチン帝国の領土を襲撃して著しく版図を広げ始めたのがオスマン・トルコである。1242年から43年にかけて蒙古人はセルジューク人を敗って自分達の陪臣国とした。その際、牧草と戦利品を求めるトルコ系遊牧民を大勢小アジアの方へ追い立てることになった。セルジューク人の勢力が崩壊したことは蒙古のゆるやかな宗主権下、いくつかの小国家を生むことになった。ブルサを占領したあと、オスマン・トルコは1326年、ここを自分達の首都とした。オスマン・トルコは、末期のビザンチン帝国を悩ませた派閥争いにおいて一派をなすに至った。彼らが最初に海峡を渡り、ビザンチンの欧州側領土を占領したのは、相争う勢力の一方を手助けするためであった。彼らはギリシャやマケドニアやブルガリアを占領し、ついに1389年コソヴォの戦いでセルビアを敗ることによって西バルカンに支配権を確立した。ラテン諸国やビザ

◆オスマン朝伸張の偉大な時期は、大帝スレイマン1世の時代であった。下の絵は、1545年にオスマン艦隊がフランスのトゥーロンを攻めているところを描いたものである。

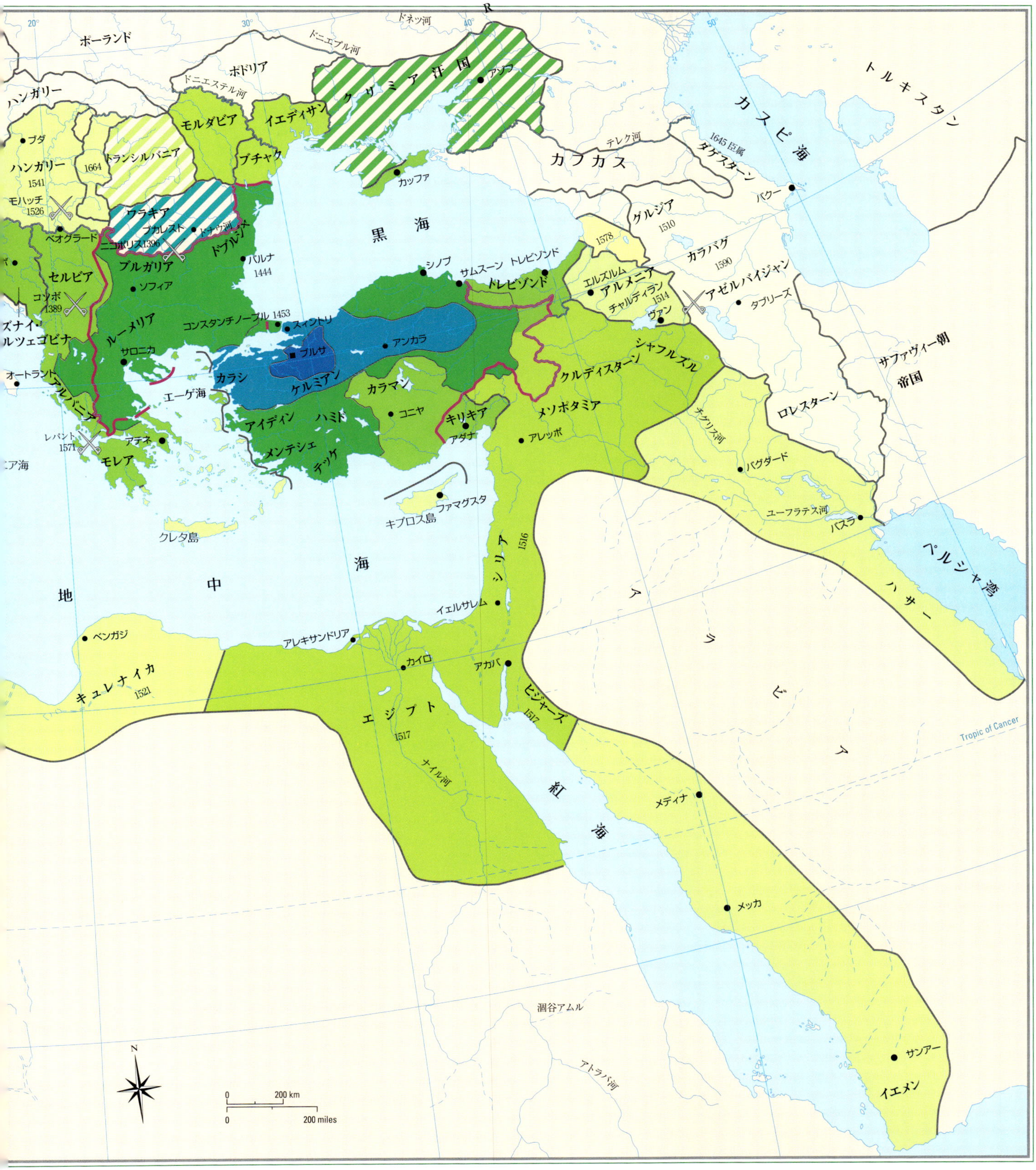
20°
30°
40°
50°
ポーランド
ドネツ河
ドニエプル河
ポドリア
クリミア汗国
アゾフ
ハンガリー
ドニエステル河
モルダビア
イエディサン
トルキスタン
カスピ海
ブダ
トランシルバニア
1664
ハンガリー
1541
テレク河
カフカス
1645 臣属
ダゲスターン
ブチャク
カッファ
モハッチ
1526
バクー
ワラキア
ブカレスト
ドナウ河
ドブルジャ
黒海
グルジア
1510
ベオグラード
ニコポリス1396
1578
ヴァルナ
1444
シノプ
サムスーン
トレビゾンド
カラバグ
1590
セルビア
ブルガリア
ソフィア
エルズルム
アルメニア
チャルディラン
1514
アゼルバイジャン
タブリーズ
コソボ
1389
ヴァン
ズナイ・
ルツェゴビナ
ルーメリア
コンスタンチノープル
1453
スィントリ
アンカラ
ブルサ
サファヴィー朝帝国
シャフルズル
クルディスターン
オートラント
サロニカ
カラシ
ケルミアン
アルバニア
カラマン
エーゲ海
コニヤ
ロレスターン
キリキア
メソポタミア
アイディン
ハミド
チグリス河
レパント
1571
アテネ
アダナ
アレッポ
メンテシェ
テッケ
ニア海
モレア
バグダード
ファマグスタ
キプロス島
ユーフラテス河
バスラ
クレタ島
1516
ペルシャ湾
地中海
シリア
アラビア
ハサー
イエルサレム
ベンガジ
アレキサンドリア
カイロ
アカバ
キュレナイカ
1521
エジプト
1517
ヒジャーズ
1517
Tropic of Cancer
ナイル河
紅海
メディナ
メッカ
涸谷アムル
アトラバ河
サンアー
イエメン
N
0 200 km
0 200 miles

ンチン勢力の連合軍（ナポリ、ヴェネチア、ハンガリー、トランシルヴァニア、セルビアやジェノバを含む）によって相次ぐ戦役が行なわれたが、オスマン・トルコの欧州進出を食い止めることはできなかった。1453年、コンスタンチノープルは征服者メフメット２世によって陥落せしめられた。これによってオスマン・トルコの帝国主義的野心は燃え上り、更なる拡張への土台が構築された。1521年、オスマン・トルコはハンガリーの手からベオグラードをもぎ取った。1529年、オスマン軍団はハプスブルク家の首都ウィーンにまで迫った。1566年にスレイマン大帝が崩御するまでに、オスマン朝はクリミヤから南ギリシャに至るまでの欧州側領土を支配圏内におさめた。

オスマン・トルコの勝利は、イスラーム圏ではよりいっそう目ざましかった。1514年のチャルディランの戦いにおいてサファヴィー朝イランを敗った後、オスマン朝は東部アナトリアと北メソポタミアを併合した。これにより彼らは、タブリーズとブルサを結んで中央アジア貿易経路を管掌することができるようになった。1516年から1517年にかけて、オスマン・トルコはシリアとエジプトを攻めてマムルーク朝を滅ぼした。かくてヒジャーズの聖地もオスマン朝の保護下に置かれることとなった。ビザンチンの先輩から獲得したギリシャ式船舶操縦術を当てにしつつ、オスマン朝は東地中海におけるヴェネチア勢力と競い合った。また彼らは西地中海においてもハプスブルク家のスペイン支配に挑戦した。1529年にアルジェを占領し、1534年から35年にかけてチュニスを取り、1560年にはジェルバを押えた。さらに1565年には十字軍の最後の要塞であった戦略的要地マルタ島を陥落させた。キプロス島も同様に1570年に陥落した。これら一連の海軍による勝利は、最終的には成功裡に終った敵の反撃を喚び起こすこととなった。1571年にレパントの戦いでオスマン海軍がヴェネチア＝ハプスブルク連合軍に敗れた時、全欧州がキリスト教世界の勝利としてこれを祝した。オスマン帝国は艦隊を再建し、1574年にはチュニスを奪還したが、地中海にはひとつの勢力均衡が達成されていた。同時にムスリムの領土は南に、キリスト教徒の領域は北にと国境線が確認されていた。

逆説的になるが、初期オスマン朝国家は軍事的にはイスラーム的であると同時にギリシャ文化の強い影響を受けていた。また、ルーム・セルジューク朝の継承国家であり、同時に自分達が取って代ったローマ＝ビザンチン帝国から引き継いだ慣習や構造の継承者でもあった。キリスト教圏のバルカンとイスラームの館の西端とをまたぎながら、オスマン・トルコは二つの対立する文明間のかけ橋であった。長らくムスリムによる征服事業の最終目標とされてきたコンスタンチノープルに近かったので、オスマン家（英語のOttomanという綴りはトルコ語のOsmanlıに由来する）が支配した国家は、キリスト教団に対するジハードにおいて栄光を求める多くのガージー（信仰戦士）達を惹きつけた。アナトリアでは、こうしたトルコ系の侵入者や遊牧民達はキリスト教徒の村人達に対して偏見を抱きがちであったので、村人達の中には迫害を避けるために改宗したかも知れない。しかしながら侵入者達の中には、ダルヴィーシュや内陸アジアからやってきたスーフィー教団員もいた。ハーッジー・ベクターシュ（1297年歿）もそういった一人である。彼は特別な型のイスラームを説き、スンニー派もシーア派も含めてのイスラーム信仰にキリスト教信仰やその宗教的慣行を取り込み、ギリシャ語やアルメニア語話者達が改宗しやすくなるようにした。オスマン朝の支配者達は主教管区から主教や府主教を排除することによって、この過程を手助けした。そしてキリスト教徒には指導者が残らないようにし、正教会の病院や学校や孤児院や修道院などの下部組織を、ペルシャ人やアラブ人学者を配したイスラーム組織に改変せしめた。15世紀までにアナトリア住民の90％以上がムスリムになっていた。少数派たるキリスト教徒とユダヤ人はかなりの数が都市に居残った。農民はおおむね改宗した。一方、旧帝国組織において貴族だったり官吏だったりした者はオスマン軍や行政機構の中に編入されたので、国家が著しくビザンチン的性格を帯びることになった。一定の宗教的自治は許された。それはオスマン・トルコが高度に中央集権化した少数民族自治のミッレト制に依るものだった。他のムスリム圏（より緩やかな形でオスマン・トルコの支配下にあったいくつかのアラブ諸州を含め）では、法や社会におけるイスラームの実践は、事実上自己統制的なものであった。君主がカーディー（裁判官）を任命した。しかしその他の多くの点では、ウラマーが養成されたモスクやマドラサ、スーフィーの教団網、しばしばそれらと結びついた職人組合といったような宗教的施設が独自に栄えていくことを許した。その他のイスラーム政権と対照させてみると、オスマン・トルコは、支配し、統禦し、彼らが治めた社会を形成した。理論的にはシャリーアに属していても、スルターン達は全臣民の地位と責務（衣服のきまりも含む）を規定する勅令によって聖なる法を補った。彼らは任免権を行使したり、階級を授与したり、免許状を与えることによって、ウラマーやスーフィー教団や職人組合を国家の統制下に置いた。社会は二つの階級に分たれた。すなわち支配者と被支配者である。主要な違いは、年貢や租税を通じて臣民の富を吸い上げられるアスケリ（武士）たる権利を持っているか否かである。支配階層はパシャやベイやアーヤン（ムスリム貴族で地方において帝国を統治）だけではない。ギリシャ系貴族や教会当局、著名なユダヤ人やアルメニア人銀行家、それにバルカン出身の王家一門も含まれていたのである。

▶この絵は欧州王室の対等な地位にある者に示さんとして描かれたスレイマン像。オスマン朝スルターンは19世末に至るまで、自らの臣下に肖像を見せなかった。

オスマン帝国、1650～1920年

16世紀の絶頂期においてオスマン帝国の組織は高度に効率的であった。しかしそれは致命的な弱点も抱えていた。特に相続制度に問題があった。遊牧民社会では、相続の順位が固定されていないことは自然淘汰説から言っても健全なことで正当性を持つ。同輩との競争に勝って、その部族を率いるにふさわしい人物が首長となる。帝国組織の中心に話を移すと、結果は内乱となる。一連の兄弟殺しによる争闘を体験してのち、オスマン・トルコはスルターンの男系王族を宮殿の内廷もしくは後宮に閉じ込めることによって相続の問題を処理した。これによって将来スルターンとなるべき人は、軍事や世俗に関する必須知識を獲得する機会をさまたげられた。17世紀以降、“ビザンチン風”の策謀や後宮の陰謀の結果として権力の座についたオスマン朝スルターン達は、戦場体験を欠いていたり、政治の現実に精通していなかった。オスマン・トルコの国権は、メフメット＝キョプリュリュのような冷厳非情な大宰相の手腕によってしばし保たれた。彼はアルバニア系キリスト教徒の息子であった。彼の息子アフメッ

➊アブドゥルハミト２世は、帝国内で実権をふるった最後のオスマン朝スルターンであった。専制君主であり、政治的解放に反対したが、教育や司法や経済の改革を奨励した。

シア帝国
ロシア帝国
ポドリア
1699
ドニエステル河
ベッサラビア
1812
イエディサン
1792
クリミア汗国
1774
アゾフ
ハンガリー
トランシルバニア
1699
モルダビア
1829
バナート
1718
ワラキア
ブカレスト
1829
ドナウ河
ベオグラード
ドブルジャ
1878
セバストポル
カッファ
カフカス
カスピ海
ダゲスターン
1723
バクー
グルジア
1730
カラバグ
1730
アゼルバイジャン
1730
タブリーズ
黒海
シノペ
サムスン
トレビゾンド
トレビゾンド
エルズルム
アルメニア
ヴァン
ブルガリア
1878
1908
ヴァルナ
1878
セルビア
1878
ソフィア
ルーメリア
1913
コンスタンチノープル
スィンドリ
アンカラ
ブルサ
アルバニア
サロニカ
マケドニア
1913
アナトリア
エーゲ海
1881
コニヤ
アダナ
アレッポ
メソポタミア
チグリス川
ロレスターン
1730
ペルシャ
バグダード
アテネ
ニア海
ギリシア
1830
1912年にイタリアへ
1878年に英国へ
ファマグスタ
キプロス島
ユーフラテス河
バスラ
クウェート
1899年に英国保護領
ペルシャ湾
クレタ島
1898
シリア
アラビア
ハサー
バフライン
1687年から英領
地中海
イエルサレム
ベンガジ
アレキサンドリア
カイロ
アカバ
キュレナイカ
エジプト
1811
1822年に英国保護領
ヒジャーズ
1853年から英領
紅海
メディナ
ナイル河
メッカ
Tropic of Cancer
アフリカ
涸谷アムル
アトバラ河
サンアー
イエメン
30°
40°
50°

ト＝キョプリュリュ（在位 1661 ～ 76 年）も大宰相となった。彼らの時代にオスマン・トルコは更にクリミア北方に勢力を伸長させ、アフメット歿後には第２次ウィーン包囲も行なっている（1683 年）。しかし衰退の過程は不可逆的であった。アメリカ大陸からもたらされたスペインの銀流入は大きな通貨膨脹問題をひきおこした。これは商人層に痛撃を与え、軍人に給与を支払う能力を台無しにしてしまうものであった。近代兵器（マスケット銃や火薬など）は戦争で得られるものよりずっと金がかかったのである。州総督や地方の有力者達は、私兵を養ったり、自分で徴税を行なうことにより、中央の犠牲において権力を固めた。国家内部において特権階級と化していたイェニチェリは、大規模な縁故主義と失政に取り囲まれていた。農業を育てるはずだった土地譲与は、小作農に堕していた。そのため土地を離れる農民が続出し、地方では追い剥ぎになったり、飽和状態の都会に出て行って飢えや病疫や無秩序に苦しむことになった者もいた。キリスト教徒やユダヤ教徒の共同体（またイラクではシーア派の人達）に対して高度の自治を許していたミットレト制は、西欧人商人に特権を付与したことによって国家の正当性を損っていた。またこのことはギリシャ人やバルカンのキリスト教徒を勇気づけ、ロシアにおける帝国の敵や西欧に鼓舞と支持を求めしめた。

国内的には行政権力が分散されてしまい、オスマン帝国はもはや新興ヨーロッパの敵ではなくなっていた。欧州の軍事組織や経済組織は科学思想の革命から恩恵を得はじめていた。17 世紀最後の 20 年間に欧州の勢力はオスマン帝国を犠牲にして大いなる伸長をとげた。1684 年から 1687 年にかけてハプスブルク家はドナウ河北のハンガリーのほとんどを占領し、1689 年にはセルビアを取った。ヴェネチア人はダルマチアと南ギリシャ（モレア）を獲得した。ポーランドはポドリアに侵攻した。ロシア人は、ピョートル大帝が新設した近代的軍隊を用いてクリミアのアゾフを略取した。オスマン・トルコはこれらの領土的損失を 18 世紀前半にいくぶんか取り戻しはしたが、長期的観点から見て、彼らはロシアの進出を食い止めることができなくなっていた。1768 年にロシアは新たな戦役を開始し、モルダビアやワラキア（現ルーマニア）やクリミアを占領した。1774 年のキュチュク・カイナルジャ条約の屈辱的な条項によって、オスマン・トルコはロシアに黒海への足場を築かれてしまった。同時に航海の自由と商業の自由を認めねばならず、ロシアは地中海に出て行ったり、オスマン帝国のアジア領および欧州側の諸州における陸上交易網に接近することが可能となった。モルダビアとワラキアは、厳密な法解釈に従うならば、依然としてオスマン・トルコの宗主権下にあったが、彼らに与えられた自治権が増大していくに従ってロシア側からあやつられることも多くなっていった。ロシア人の圧力のもとで、イスタンブールにあるロシア教会の選挙を許可している条項が、スルターンの正教会キリスト教徒臣民のためなら何でもロシアが干渉できる条項に変えられてしまった。

ヨーロッパの勝利に続いてその諸思想が流入したことは、軍事的敗北以上に破壊的であった。1798 年におけるナポレオン・ボナパルトの短いエジプト占領期間中に、オスマン帝国中最も富裕な（しかし最も放っておかれた）州に近代科学思想と革命的変化の種が蒔かれた。オスマン帝国の宗主権下でエジプトを支配した新マムルーク領主達を破ることによって、ナポレオンは西欧思想浸透のきっかけを作った。1805 年に権力を獲得したムハンマド・アリー（在位 1805 ～ 48 年）はアルバニア系の将校だったが、ほとんど独立した支配者と言ってもよく、王朝を近代化していった。王政復古を果したフランスの植民地主義的野心は、1830 年にアルジェリアを取り、1881 年にチュニジアを保護領とすることになった。フランス革命に続いてヨーロッパで吹き荒れたナショナリズムの嵐は、バルカンのキリスト教徒共同体を立ち上らせ、1804 ～ 13 年にセルビアの反乱があり、1821 年から 29 年にかけてギリシャ独立戦争が起った。こうした潮流は 1878 年のサン・ステファノ条約においてその極みに達した。この条約によってオスマン・トルコは、ブルガリア、セルビア、ルーマニアやモンテネグロなどの独立を認めざるを得なくなった。オスマン帝国の最終的な解体は先に延ばされた。欧州勢力間に対立があったからである。フランスと英国は“ヨーロッパの病人”たるトルコを駆り立ててクリミアでロシアと対峙させた（1854 ～ 56 年）。一方オーストリアも、バルカンにおける覇権を求めてロシアと争っていた。1911 年、イタリアはトリポリとキュレナイカに侵攻して、彼らの宗主権をオスマン・トルコに認めさせようと強いた。1912 年、連合したバルカン諸国（セルビア、ブルガリア、ギリシャとモンテネグロ）は、彼らの間で議論する前に、イスタンブール周辺一帯を除くヨーロッパ側の残っているオスマン領を全部占領してしまった。1914 年８月、ヨーロッパ列強間の対立がバルカンで火がつき、第１次世界大戦に突入した。その際オスマン・トルコは、英仏伊露の連合軍と対峙するオーストリアとドイツの側について参戦した。1918 年における同盟国軍の敗北、1922 年におけるスルターン退位、1924 年におけるカリフ制廃止は、トルコとギリシャの間で住民が交換されたこととあいまって、オスマントルコ帝国の終焉をつげる出来事であった。

▼イスタンブールのドルマバフチェ宮殿。19 世紀にオスマン・スルターンのために建てられた他の建物と同じく、古典ヴェネチア風のこの宮殿正面は、文化的志向の変化を見せてくれている。彼らは元の引きこもりを捨て、欧州君主の如く権力を誇示した。

イラン、1500～2000年

近代イランの歴史は、イランを支配したサファヴィー王朝（1501～1722年）の時に始まった。サファヴィー朝は十二イマーム派シーア主義を国教とした。サファヴィー家の始祖サフィー・オッディーン・エスハーク（1252～1334年）は神秘主義教団の師であった。彼はスンニー派に属するモジャッデド（革新者）で、東部アナトリアや西北イランの部族民の間で改革運動を始めた。彼の子孫であるシャー・エスマアイール（1487～1524年）は、自身を隠れイマームであり、アリーの生まれ代りであり、神の化身であると宣言して、ティームール朝崩壊後に続いた混乱時代における大衆の終末論的待望を活性化せしめた。独特の赤いターバンを巻いているがゆえにクズルバーシ（紅帽軍）として知られていた恐るべき戦士団に率いられて、改革運動は、1501年にタブリーズで国王に即位宣言したシャー・エスマアイールが、次の十年間のうちにイランのほとんどを征服することを可能にした。

⬆スレイマーン皇帝と廷臣達。欧州からの訪問客も一緒。叙情的な欧州様式の風景が背景に描かれている。サファヴィー朝支配者達は、西欧市場に向けて中国人工人が意匠をほどこした陶器と同様に絨緞や絹を輸出していた。彼らはシーア派で崇められていたイマーム・アリーは書道家であると同時に画家でもあったと主張して、形像絵画に対する伝統的な宗教的禁忌を破った。

シャー・アッバース（1588～1629年）によって建てられた輝ける新都エスファハーンを首都に定めたサファヴィー朝国家の勢力は限定されたものだった。その権威は部族連合とイクター制という伝統的な税制の上に成り立っていた。しかし宗教によって統合をはかるというサファヴィー朝の戦略は、イランに独特な性格を付与し、今日もその特徴は維持されている。クズルバーシがその役割を終えると、エスマアイールは救世主であるという主張は重要性を減じた。シーア派の学者がシリアやイラクやバフラインやアル・ハサーから招聘された。十二イマーム派シーア主義の“公式”版を奨励するためである。公式版によれば、イマーム／救世主の再臨は無期限に延長されるのであり、その間ウラマーがその代りに統治行為を行なうのである。スンニー主義の大衆版は抑圧された。神秘主義聖者の廟墓も神聖性を剥奪された。ハーネカーフ（神秘主義の庵、修行所）はシーア派の青年達に引き渡された。ユダヤ教徒やゾロアスター教徒は強制的改宗を余儀なくされた。メッカ巡礼はそれほど奨励されなくなり、代って多く建てられたシーア派イマーム廟の参詣の方が奨励された。

カージャール朝（1779～1925年）時代にウラマーは、ムジタヒド（法判断者）の組織体として自律性を増した。彼らの権力はザカート（喜捨）とフムス（5分の1税）によって高められた。それらは直接彼らに払われるものだったからである。また彼らは礼拝堂やワクフ（寄進財産）の管理権を持っていたので、土地や住宅から上がる家賃や地代をあてにすることができた。最も重要な二つの礼拝堂が、オスマン・トルコの属州たるイラクのカルバラーとナジャフにあったことは、国家の領土外に勢力の本拠地を置くことにより、いっそうウラマーの自律性は高まった。イマーム・フサインがカルバラーで殉教したのを悼む服喪式やそれと関連して行なわれるタアズィーエ（殉難劇）は、民衆の熱狂的信心を示す特徴的な見物《みもの》になっているが、これがシーア主義をイラン人の国民的同一性の構成要素としている。

19世紀、ロシアと英国が圧力をかけてイランを侵し始めた。ウラマーが民族的抵抗の最前線に立った。1873年、彼らは国王に強いて英国の民間人ロイター男爵に対してなされた包括的な経済的・財政的利権の譲渡を無効ならしめた。また1890年代には、彼らは別の英国人メイジャー・タルボットに与えられた煙草専売利権に対して国民的なボイコット運動を指導した。煙草ボイコット運動の盛り上りに勢いを得て、1906年には立憲革命が成就した。この時は、開明的なウラマーとか商人達や西洋化された知識人達が連携を組んで、国王に国民議会を召集せしめ、立憲政体に従わさせた。その後保守的なウラマー層と開明的な人達の間に緊張が表面化した。短かった立憲革命期は、シャーの専制政治を回復せしめんとしたロシアが 1911 年、露骨な革命干渉を行なったために終焉した。

ロシア革命に続いてしばらく不安定な期間があったが、コサック兵団の将校であったレザー汗パフラヴィーが 1925 年に権力を掌握した。レザー・シャーは急激な近代化をはかるための政権を作り上げた。彼は部族の首長の権力を削ぐことに努め、教育界に世俗性を持ち込んだ。宗教学校を国家が監督するようにしてウラマーの自治を削ごうとした。世俗法にもとづく法廷も設置され、ウラマーによる司法独占は崩れた。後者には土地取引を登録するという儲かる仕事も含まれていた。第２次世界大戦中、英露両国は、東方戦線に戦略物資を輸送することを容易ならしめるため従順なイラン政府を必要とした。そこでレザー・シャーを退任させ、それに代えて若き息子のモハンマド・レザーを即位させた。1908 年に初めて発見された石油は、その大幅な利権を英国が獲得していた。第２次世界大戦後、民族主義的なモハンマド・モサッデグ首相が英イ石油会社を国有化しようとした時、石油は一大紛争の種となった。西欧の石油会社によってイラン製石油がボイコットされ危機的状況におちいった時、米中央情報局（ＣＩＡ）は専制的なパフラヴィー朝政権を回復すべく、その軍隊を助けた。

1979 年に政権が崩壊し、イスラーム革命が成就したのは、経済的・文化的・政治的要因が絡み合って出て来た結果である。1960 年代における国王の野心的な土地改革は、零細な小作人や土地を持たない農民を利するにはほど遠く、大規模な企業や農業経営体（支配階層が利害関係を持っている）を利するものであった。一方ウラマーは疎外されていたが、彼らの多くは自身富裕な土地所有者であるか、広大なワクフ地を管理していた。1973 年以降石油価格が急上昇したことにより、経済の近代化された零細部門に富が流れ込んでいった。反対に、ウラマー層と緊密な関係にあったバーザール商人達の零細企業は被害を受けた。パフラヴィー王家一門の腐敗と秘密警察のＳＡＶＡＫ（国家安全情報機構）による無慈悲な弾圧ゆえに、教育を受けた中産階級は離れていった。学生達のうちでより若い層は、共産主義やイスラーム・イデオロギーの左翼版の影響を受けた。アリー・シャリーアティー博士や、非常な影響力をふるった『西欧かぶれ』の著者ジャラール・アーレ・アフマドなどは、特に政府に対して不満を抱いていた。田舎から出てきた貧しい都市移住者達は、革命の火にほくちを提供するような存在であった。

イラン国王とサッダーム・フセインの間に成立した取引によって、イラクは異端僧アーヤトッラー・ルーホッラー・ホメイニーをシーア派の中心地ナジャフから追放した。ナジャフでは、ウラマーの監督下にイスラーム政府を回復すべきであるという彼の呼びかけは、ウラマーや学生達の中にはそれを肯う聴講者もいた。パリ郊外の亡命先からホメイニーは国際的な大衆媒体と接触することができた。一方彼のファトワー（法学意見書）や国王を非難する説教の声を録音したテープのコピーがイランに密輸入されていった。1979 年初頭、アーシューラー（イマーム・フサインの殉難追悼祭）に時日を合わせて行なわれた一連の大衆的示威行動によって、国王は亡命を余儀なくされた。入れ代りにホメイニー師が騒然たる雰囲気の中で帰国した。ホメイニーは 1989 年に亡くなるまで、10 年間、最高指導者としてイスラーム共和国を統治した。最高指導者として彼の後を継いだのがアーヤトッラー・ハーメネイーだが、ホメイニーほどのカリスマ性もなく、宗教的権威も欠いていた。権力は現在、比較的自由主義的な国民議会と選ばれた大統領と保守的な憲法擁護評議会（ハーメネイーが主宰）の三者に分割されている。憲法擁護評議会はとみに変化に対して抵抗するようになってきている。

中央アジア、1700年まで

イスラームが勃興した肥沃な三ヶ月地帯同様、内陸アジアの歴史は、遊牧民と定住民との関係に左右された。黒海やカスピ海の北方や東方に広がる広大な半乾燥ステップ地帯には、主に牛、馬、山羊、羊、駱駝やヤク等に依存して生きている人達が住んでいた。彼らは、家族、氏族や部族連合（オルド）等にもとづいた族長制的な血縁集団に組織されていた。それらの中で最大のものがジンギス汗およびその一族の指導の下で成立した集団であった。ジンギス汗の息子バトゥ（在位1227～55年）の指導の下で蒙古のトルコ人（ロシアではタタールとして知られるようになる）の金帳汗国がヴォルガ河畔に二つのサライ（司令部たる宮殿）を建設した。彼らはここを基点にしてウクライナや南ポーランド、ハンガリー、ブルガリアやロシアを征服した。広大な帝国の中でモスクワの支配者は主たる貢納者であるにすぎなかった。主だったタタール人一門は、イランやハーラズムやトランスオキシアナの定住民と接触を持ってから、13世紀中葉になってイスラームに改宗した。シルクロードに沿って旅していた商人やスーフィー修行者達によって内陸アジアに持ち込まれたイスラームは、神秘主義的かつ多元論的性格を帯びたものとなった。ゾロアスター教や仏教、ネストリウス派キリスト教やより古いシャーマニズムの伝統などと邂逅《かいこう》した結果そうなったのである。ジンギス汗から第二子チャガタイに与えられたトランスオキシアナの諸領地の支配者タルマルシーリーン（在位1326～34年）がイスラームに改宗したことは氏族間の分裂を惹き起した。こうした状況をたくみに利用したのが、トルコマンの貧窮氏族達の尊崇を受けていたティームール・ラングであった。ティームール（在位1370～1405年）は西洋ではタメルランと呼ばれることもあるが、生まれつき〔27歳頃からだという説もある〕足が不自由であった。しかし素晴らしい政略家であり、軍事指導者であった。トランスオキシアナとイラン（その前はフラグ一門のイル汗国によって支配されていた）を統合することによって、彼は中央アジアに再び蒙古＝トルコ人勢力を作り出した。作り上げられた帝国の最大版図は、西インド（デリーを含む）から黒海沿岸地方に至る広大なものであった。彼は1402年のアンカラの戦いで、オスマン・トルコのスルターン、バヤズィト1世（在位1389～1402年）を捕虜にしたが、それによって欧州でも有名になった。アナトリアにおいてオスマン帝国の力が破砕されたことは、コンスタンチノープルへの圧力をやわらげ、あと半世紀も生き延びさせることになった。また中国に至る貿易経路が再開された。一方、彼が金帳汗国を敗ったことはキリスト教国ロシアの勃興を助けることとなった。

▲エスファハーンの王のモスク（現イマーム・モスク）。光塔に大胆な幾何学的文字で神とムハンマドの名が記されている。1612年から30年にかけて建てられた。その素晴らしい青タイル装飾はシャー・アッバースの様式と栄光を物語っている。

ティームールの後継者ウルグ・ベグ（在位1404～49年）やウズベク人のシャイバーン朝（1500～1700年頃）はティームールの権力を引き継いだが、内陸アジアにおいてヘラートやサマルカンドやブハーラーの諸都市は世界的水準の都市へと変容していった。これらの都市は、ティームールとその後継者達がペルシャやインドやイラク、シリアから連れてきた工人や職人、および奪ってきた戦利品によって飾られた。きわめて無慈悲であり残虐であった（デリー占領前、彼は何千という男子囚人を処刑させたので、仰向けにすることもできないほどだった）が、ティームールは決して無知な野蛮人というわけではなかった。彼はペルシャ語を修得していたし、当代随一の学者、芸術家や史家や詩人達に取り巻かれていた。彼らを駆使して構築した“帝王きもいりの”高度なイスラーム文化は、彼の後継者達によってより洗練された形で模倣されていった。宗教的な事柄については彼は寛容であった。敵はイスラームに対する背教者であり裏切者であるとしてシャリーア（イスラーム聖法）の名の下に征服事業を始めたスンニー派のムスリムがいたが、ティームールはシーア派の人達を保護した。シャイフ（スーフィー導師）達はティームールの主たる精神的助言者であった。スーフィーのバハーオッディーン・ナクシュバンド（1389年歿）にちなんで名づけられたナクシュバンディー教団は、この時代に内陸アジアに深く根をおろした。ナクシュバンドの墓はブハーラー近くにある。

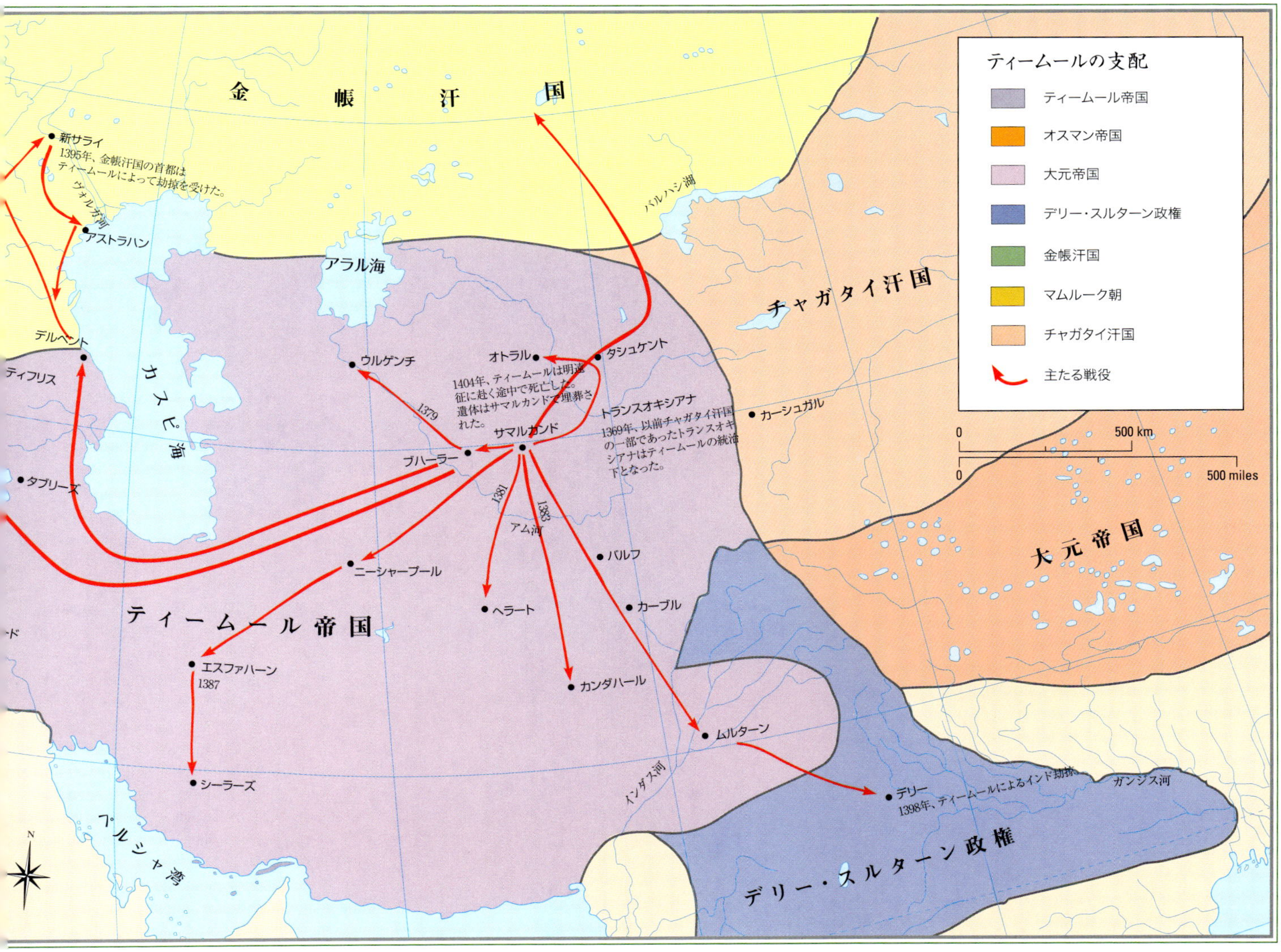

インド、711～1971年

イスラームが南アジアの亜大陸に最初に姿を現わしたのはアラブのスィンド侵攻（711～713年）の時であった。10世紀にはカイロから派遣されたファーティマ朝のダーイー（宣教員）がムルターンの地方君主達をイスラームに改宗させている。しかしこれらの君主達は、ガズニー朝のマフムードがパンジャーブ地方を征服した余波でグール朝が任命したスンニー派の総督達にとって代られている。マフムードはラーホールを劫掠し、1030年に北インドを征服した。亜大陸の系統立った征服事業はグール朝によって始められた。彼らはムルターンやラーホールやデリーを占領した（1175～92年）。その後彼らの将軍達のうちの一人クトゥブッディーン・アイバグが、デリーに樹立されたスルターン政権のはしりを建設した。これらの政権は1206年から1526年まで続いたが、それぞれ別の政権が一連《つら》なりに引続いたのである。デリー・スルターン政権は、インド風イスラームの独特の性格を確立するのに役立った。その遺産はティームールの孫バーブルが建てたムガール帝国によっても維持された。それは3世紀以上の長きにわたって維持され、1858年のインド土着民軍暴動（セポイの反乱）後に英国によって瓦解せしめられた。ムガール帝国は、ベンガル（1356～1576年）、カシュミール（1346～1589年）、グジャラート（1407～1572年）やデカン（1347～1601年）で確立していたいくつものムスリム王朝を吸収統合した。アウラングゼーブ（在位1658～1707年）が統治していた帝国の最絶頂期においては、カーブルやマイソールに至るまでの礼拝堂で説教壇の上から皇帝の名が読み上げられていたのである。

初期のムスリム支配者達の中には、“偶像崇拝者”に対抗して聖像破壊の衝動にかられ、ヒンドゥー寺院を破壊して、それに代えて大礼拝堂を建立してイスラームの優越性を誇示せんとした者もいた。しかしトゥグルク朝（1320～1413年）が出現して寛容性の模範を初めて示した。これがインドでイスラームの多元的なあり方を確立する上で役に立った。初期の厳格なあり方とは対照的であった。しっかり定着したムスリム勢力の政治的影響力に拮抗せしめるため、王朝の創始者ムハンマド・トゥグルク（在位1325～51年）は、非ムスリムの人間を官吏や軍人に取り立て、地方の祭りにも参加して、諸寺院の建立を許可した。さまざまな征服事業の後、アフガニスタンや中央アジアからムスリムが移住してくる時期が初期にあったが、改宗とイスラーム化の過程は遅々としたものであり、比較的限定されていた。インド人の人口のうちで20％から25％以上ムスリムになっているかどうか疑わしい。そしてムスリムの人口は、インダス渓谷や西北辺境州やベンガルに集中している。支配階級の人間はアフガニスタンやイランや内陸アジアからやってきた戦士の末裔であった。一方、改宗者の大半はより低い階層のカースト出身者であったり、部族民や農民出身の者であった。彼らは支配者の宗教共同体に加わることによって生活水準の向上がはかられたのである。インド人ムスリムの間では、イスラームの信仰、慣行、伝承といっても、スンニー派がいればシーア派もおり、スーフィーもいるなど、実に多種多様なあり方が見られたのである。インド風イスラームの多元的性格はその壮麗な建築遺産に反映されている。イスラームやヒンドゥー特有の題材が融合されて、ひとつの新たな独創的折衷形態が実現されている。ムスリムの敬虔な文学は、詩をも含めて、インドの多くの諸言語の中に現存している。その上にアラビア語やペルシャ語が、法学、神学や神秘主義と共に高等教育機関では教えられていた。

王朝の支配層はムスリムの都市生活を反映した生活様式を採っていた。それはイランや中央アジアなどのムスリム地域ではごく一般的に見られた国際的な文化であった。一方、田舎のムスリム住民は、その土地固有の強い伝統を固守し続けた。それにヒンドゥー教の地方的な儀式や習慣がイスラームの信仰や慣習と混じり合うこともしばしば見られた。南アジアでイスラームが広まっていくに当っては、スーフィーの師匠達やスーフィー教団（タリーカ）の果した役割が特に重要である。最も重要な教団は、スフラワルディー教団とチシュティー教団であった。インド社会の性格に適合すべく階層秩序をもって組織されてはいたが、タリーカの社会的役割はそれとは大いに異なるものである。スフラ

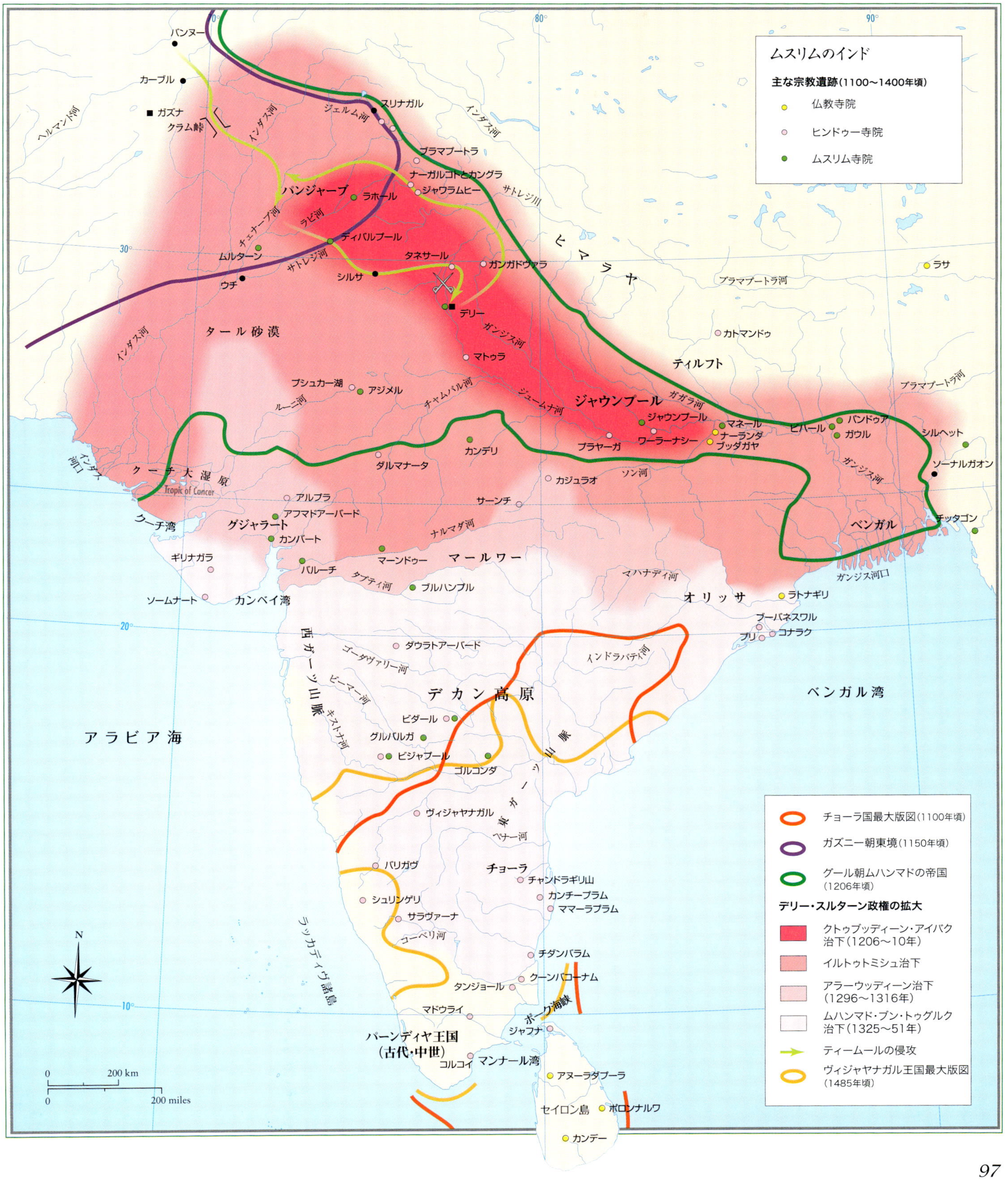

ムスリムのインド
主な宗教遺跡（1100～1400年頃）
仏教寺院
ヒンドゥー寺院
ムスリム寺院
チョーラ国最大版図（1100年頃）
ガズニー朝東境（1150年頃）
グール朝ムハンマドの帝国（1206年頃）
デリー・スルターン政権の拡大
クトゥブッディーン・アイバク治下（1206～10年）
イルトゥトミシュ治下
アラーウッディーン治下（1296～1316年）
ムハンマド・ブン・トゥグルク治下（1325～51年）
ティームールの侵攻
ヴィジャヤナガル王国最大版図（1485年頃）
バンヌー
カーブル
ガズナ
クラム峠
ヘルマンド河
インダス河
ジェルム河
スリナガル
ブラマプートラ
ナーガルコトとカングラ
ジャワラムヒー
パンジャーブ
ラホール
ラビ河
チェナーブ河
ディパルプール
ムルターン
サトレジ河
ウチ
シルサ
タネサール
ガンガドヴァラ
デリー
サトレジ川
ヒマラヤ
ラサ
ブラマプートラ河
カトマンドゥ
タール砂漠
ガンジス河
マトゥラ
ティルフト
ブラマプートラ河
プシュカー湖
アジメル
ルーニ河
チャムバル河
ジュームナ河
ジャウンプール
ガガラ河
ジャウンプール
マネール
ナーランダ
ブッダガヤ
ビハール
パンドゥア
ガウル
シルヘット
プラヤーガ
ワーラーナシー
カンデリ
ダルマナータ
インダス河口
クーチ大湿原
Tropic of Cancer
カジュラオ
ソン河
ガンジス河
ソーナルガオン
アルブラ
サーンチ
アフマドアーバード
グジャラート
クーチ湾
カンバート
ナルマダ河
ベンガル
チッタゴン
ギルナガラ
マーンドゥー
マールワー
バルーチ
タプティ河
ブルハンプル
マハナディ河
ガンジス河口
ソームナート
カンベイ湾
オリッサ
ラトナギリ
ブーバネスワル
プリ
コナラク
西ガーツ山脈
ダウラトアーバード
ゴーダヴァリー河
インドラバティ河
ビーマー河
デカン高原
ベンガル湾
キストナ河
ビダール
グルバルガ
ビジャプール
ゴルコンダ
東ガーツ山脈
アラビア海
ヴィジャヤナガル
ペナー河
バリガヴ
チョーラ
チャンドラギリ山
カンチープラム
ママーラプラム
シュリンゲリ
サラヴァーナ
ラッカディヴ諸島
コーベリ河
チダンバラム
クーンバコーナム
タンジョール
マドゥライ
ポーク海峡
ジャフナ
パーンディヤ王国（古代・中世）
コルコイ
マンナール湾
アヌーラダプーラ
セイロン島
ポロンナルワ
カンデー
N
0
200 km
200 miles

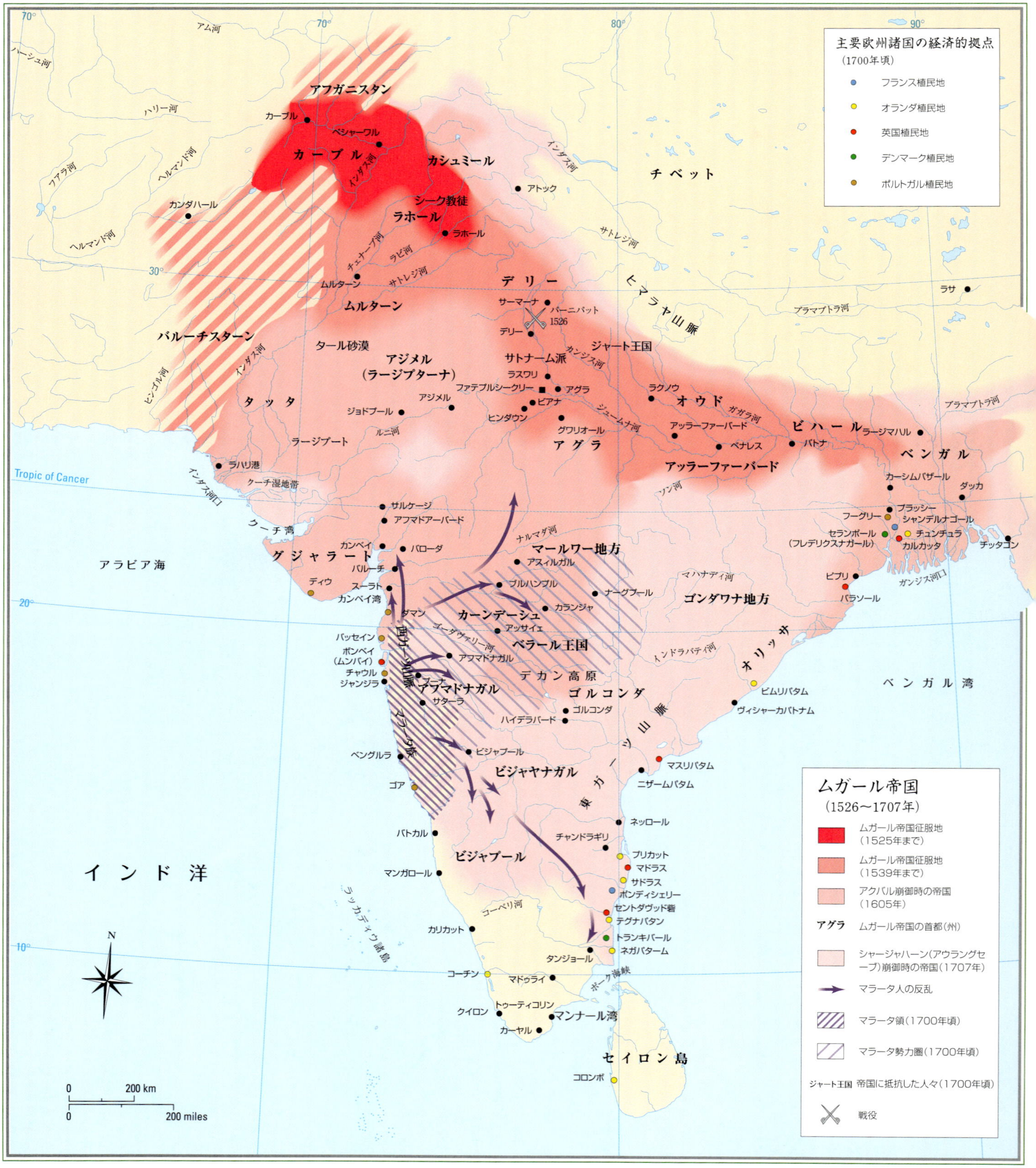
主要欧州諸国の経済的拠点
(1700年頃)
フランス植民地
オランダ植民地
英国植民地
デンマーク植民地
ポルトガル植民地
ムガール帝国
(1526～1707年)
ムガール帝国征服地（1525年まで）
ムガール帝国征服地（1539年まで）
アクバル崩御時の帝国（1605年）
アグラ ムガール帝国の首都（州）
シャージャハーン（アウラングゼーブ）崩御時の帝国（1707年）
マラータ人の反乱
マラータ領（1700年頃）
マラータ勢力圏（1700年頃）
ジャート王国 帝国に抵抗した人々（1700年頃）
戦役
アム河
ハーシュ河
ハリー河
ヘルマンド河
ファラ河
アフガニスタン
カーブル
ペシャーワル
インダス河
カシュミール
シーク教徒
ラホール
カンダハール
チェナーブ河
ラビ河
サトレジ河
ムルターン
アトック
チベット
デリー
サーマーナ
パーニパット
1526
ヒマラヤ山脈
ラサ
ブラマプトラ河
バルーチスターン
タール砂漠
アジメル
(ラージプターナ)
サトナーム派
ジャート王国
ガンジス河
ラスワリ
ファテプルシークリー
アグラ
ビアナ
ヒンダウン
ジョドプール
ラクノウ
オウド
ガガラ河
ジュームナ河
グワリオール
アッラーファーバード
ベナレス
パトナ
ビハール
ラージマハル
ベンガル
タッタ
ヒンゴル河
ルニ河
ラージプート
ラハリ港
インダス河口
Tropic of Cancer
クーチ湿地帯
カーシムバザール
ダッカ
サルケージ
アフマドアーバード
クーチ湾
ソン河
プラッシー
フーグリー
シャンデルナゴール
セランポール
(フレデリクスナガール)
チュンチュラ
カルカッタ
チッタゴン
ナルマダ河
マールワー地方
アラビア海
カンベイ
バローダ
グジャラート
アスィルガル
バルーチ
マハナディ河
ピプリ
ディウ
スーラト
ブルハンプル
ナーグプール
ゴンダワナ地方
ガンジス河口
バラソール
カンベイ湾
ダマン
カーンデーシュ
カランジャ
アッサイェ
ゴーダヴァリー河
ベラール王国
バッセイン
ボンベイ
(ムンバイ)
チャウル
ジャンジラ
アフマドナガル
インドラバティ河
オリッサ
デカン高原
ゴルコンダ
ビムリパタム
ベンガル湾
ヴィシャーカパトナム
サターラ
ハイデラバード
マラータ族
ベングルラ
ビジャプール
ビジャヤナガル
マスリパタム
ニザームパタム
ゴア
東ガーツ山脈
ネッロール
バトカル
チャンドラギリ
ビジャプール
プリカット
マドラス
サドラス
インド洋
マンガロール
ポンディシェリー
セントダヴッド砦
テグナパタン
ラッカディヴ諸島
コーベリ河
カリカット
トランキバール
ネガパタム
タンジョール
コーチン
マドゥライ
ポーク海峡
トゥーティコリン
クイロン
マンナール湾
カーヤル
セイロン島
コロンボ
0 200 km
0 200 miles
N
70°
80°
90°
30°
20°
10°

ワルディー教団は、デリーのスルターン政権と緊密な関係を有していた。彼らは寄進財産や土地贈与から利益を得ていたし、そのことが教団指導者達を地方の名士にしていた。一方チシュティー教団は、寄進財産を拒否すべきだと主張し、政府の援助を断った。彼らは不毛の地を耕して生活を営み、信者からの布施によって暮らしを立てていた。

部族民や辺境の民や低位の種姓《カースト》に属するヒンドゥー教徒などから改宗者を獲得していたピール（スーフィー導師）達は、イスラームが発祥した地域とは大変異なる社会的・宗教的環境のもとで、イスラームの教えを説くために、儀式用語を含め土着の言語を使っていた。民衆にとっては、聖なる人がムスリムであるかシヴァ神の帰依者であるかは余り重要ではなかった。人々の信心を促したものは、聖性がもたらす個人的な香気であった。知的問題としては、イスラームと、のちにヒンドゥー主義（19 世紀になって欧州人が考え出した用語）として知られるようになったものとの間の宗教的協調をどのように哲学的に正当化するかという問題は、アンダルシアの偉大な神秘思想家イブヌル・アラビーの著作の中にも見出される。彼の「存在の独一性」説は、ヴェーダやウパニシャッドの霊的な教えと調和し得るものである。ヒンドゥー教徒とムスリムの宗教的和合の頂点はアクバル 1 世（1556 ～ 1605 年）の御代に達成された。アクバル 1 世は神聖宗教（ディーニ・イラーヒー）を興したチシュティー教団の庇護者であった。これはアクバルをスーフィー導師と哲学者王とを兼ねた存在とする帝室崇拝宗教であった。

しかしながら、やがてウラマーから見て折衷主義的ないし偶像崇拝者的とみなされた慣行は改革運動の標的になっていった。この運動は西方のイスラームの中心地から発せられる、より正統的な教えによってけしかけられたものである。こうした傾向の指導者にはシャイフ・アフマド・スィルヒンディー（1564 ～ 1624 年）やその信奉者たるシャー・ワリーウッラー（1702 ～ 63 年）などがいる。公式の反応はアクバルの孫アウラングゼーブの時代に始まった。彼はヒンドゥー教徒との和解政策を放棄した。彼は非ムスリムにジズヤ（人頭税）を課し、ヒンドゥー寺院の破壊を命じた。またシャリーア（イスラーム聖法）を勉強するためのムスリム学院を建設し、宮廷で音楽を禁止した。英国がインドにおける支配勢力となってムガール帝国が衰えていく 1 世紀間、改革主義的潮流はムスリム独特のアイデンティティを維持させていくのに役立った。シャー・ワリーウッラーの伝統を守る改革派は、列強と協調したり非ムスリムと社会的に混淆したりすることを避けるように、ムスリム達を励ました。スーフィーの敬虔な勤行（聖者廟における礼拝や多彩な民間祭事を含め）が相変らず貧者達を惹きつける一方、改革主義的潮流は、字が読める職業人からなる新興勢力の中に基盤を得た。1867 年に建設された改革派のデーオバンド学院は、ウルドゥー語による新しい印刷技術を駆使して、急膨張する鉄道網も活用することにより、亜大陸中のムスリム大衆に情報を伝えた。かくてムスリム共同体の特性が

補強された。指導的なデーオバンド学派の学者マウラーナー・アシュラフ・アリー・サナウィーは次のように言っている。「異教徒達の習慣を好んだり高く評価したりすることは大いなる罪である」と。

ムスリムの分離主義は英国人によって強められた。英国人は、インドの多様な社会における家族、家系、言語、種姓《カースト》や地縁的または階級的紐帯よりも宗教的な結びつきの重要性に目を向ける傾きがあった。1909年のインド参事会法は、地方でヒンドゥー教徒とムスリムの選挙母体を別々にするよう制度化した。それによって法的にも政治的にも別々のムスリムのアイデンティティを統合しようとしたのである。ここから「二民族」論が生まれた。この理論はムスリムとヒンドゥー教徒はそれぞれ別個の国民をなすものであるという立場に立つ。小さくとも不可避の過程であった。同様の論理から、インドのムスリム達は彼ら自身の領土的故国の名称を与えられるべきであるということになった。イ

ンドが独立し、パキスタン国が 1947 年に樹立された。スィンド、バローチスターン、西北辺境州、パンジャーブの西半分や 1000 マイルも東方にあってインド領から分離された主たるムスリム居住地ベンガルの一部など、それぞれお互いに似ていない多様なムスリム共同体が版図に含まれた。西パキスタンでは、半分以上の人間がパンジャーブ人で、20％はスィンド人、13％はパシュトゥーン人、3～4％がバローチー人であった。残りは少数派のヒンドゥー教徒やキリスト教徒を除くと、ムハージル達（インドからの避難民）がいた。領土分割に引続いて住民の入れ替えが行なわれ、その際大量虐殺が起った。大衆暴動のさなかで何十万人もの人間が殺された。カシュミールはヒンドゥー教徒の藩王がインド連邦への帰属をムスリム住民の意志に反して選択したため、未解決の係争地域になった。そしてこの係争は、一連の相次ぐ暴動・鎮圧と同様、1949 年、1965 年と 1971 年にインド・パキスタン間の戦争を喚び起こすこととなった。パキスタンの政治的脆弱性は、軍事政権と交代して腐敗ゆえに非難されイスラーム的正当性を欠いていた不安定な民主的諸政権が立ったことに反映されている。最終的な分析としては、英国によって訓練されたパンジャーブ人将校層によって統御された軍がこの国をまとめ上げることのできる唯一の組織であることが分かった。1971 年、インドの軍事的援助を得て、東パキスタンが西パキスタンから分離し、バングラデシュという独立したムスリム国家を樹立した。インドとパキスタン（両国とも 1947 年以来 3 度の主要な戦争を戦い、今や核保有国である）のぎくしゃくした関係はまだときほぐされていない。ヒンドゥー教徒の政治的復活といくつかの国で時に大目に見られた公式のイスラーム嫌いの結果もたらされたインドの世俗文化による浸食は、インドに残っているムスリム少数派——1 億 2 千万人ほどで人口の約 10％——の立場を分離以来のいかなる時よりも弱いものにした。ムスリムによる征服の遺産はインドの大衆意識の中に完全に吸収されていくであろう。寺院跡にバーブルによって建てられ、ラーマ神に捧げられたというアヨジャヤ礼拝堂は 1991 年にヒンドゥー教徒の闘士によって破壊されたが、いまもってインドのヒンドゥー教徒とムスリム社会との間の争いの種となっている。その後起った共同社会間の暴動のさなかで何千人ものムスリムが殺された——2003 年に繰り返された悲劇であり、アヨジャヤから帰ってくるヒンドゥー教徒の巡礼者がグジャラートでムスリム達によって攻撃された時に起った。これはこの地域に広範囲な共同社会間争闘を惹き起した。

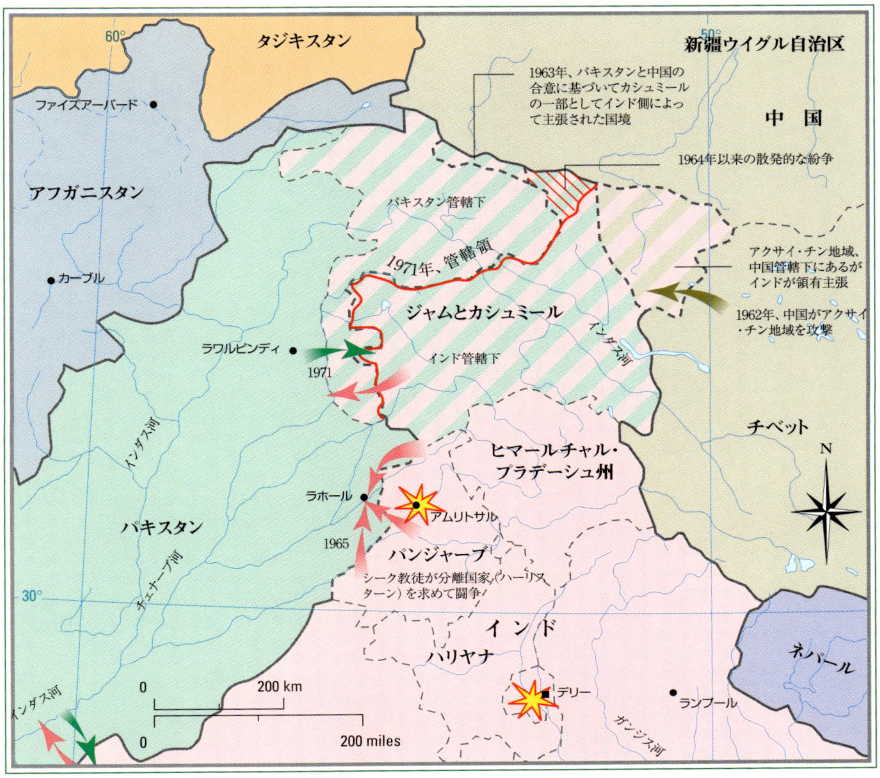

カシュミール紛争
（1949～71 年）

- パキスタンからの攻撃
- インドからの攻撃
- 宗教紛争・対立

◀インドのアグラにあるタージ・マハル。1653 年完成。世界で最も良く知られた記念碑的建築のひとつ。インドにおけるムガール支配の最も永続的な象徴。皇帝シャー・ジャハーンが妃のムムターズ・マハルを記念して建てた。息子のアウラングゼーブに廃位されたシャー・ジャハーンもここに埋葬された。

カフカスと中央アジアへのロシアの拡張

トランスオキシアナやカフカス地方へのロシアの拡張は、モスクワの支配者達がタタール人の軛から脱した15世紀に始まり、5000万人以上のムスリム住民をソ連邦に編入した時に頂点に達した。1550年代までにモスクワは、カザンやアストラハンなどの自治的なムスリム国家を併合していた。かくてヴォルガ河やカスピ海北岸地方の支配が可能となり、カザフ草原征服への道が開かれた。カザフ人は、ティームール朝を創始したトルコ＝蒙古系部族連合を飛び出し、カザフ（「冒険者」の意）と呼ばれて自由に草原地帯を遊牧していた。ロシア人はウラルとイルティシュ河の間に一群の城塞網を構築した。これによって全地域をロシアの管轄下に置くことが可能となった。かくて1820年代にはカザフ汗国の汗が廃位させられた。しかしイスラームによって鼓舞されたカザフ人の抵抗は、1860年代まで続くこととなる。

初期の頃はムスリム住民に対するロシアの支配はひどく荒っぽいものであった。タタール人貴族達は改宗を余儀なくされ、重要な都市から追放された。彼らの土地はロシア人貴族や修道院に譲り渡され、そこに東方正教会の農奴や修道士が入植させられた。エカテリーナ女帝の時代になると、そうした政策はやわらげられた。彼女はイスラームをキリスト教より文明的なものとみなした。ムスリムには宗教的自由が保証され、国家の庇護のもとで礼拝堂が建立され、ムスリム住民に対して広範囲な権限を有する機関が形成された。しかしそうした状況も長続きはしなかった。1783年にロシアがオスマン・トルコから獲得したクリミアでは、ロシア人達はタタール人の土地を占領し、欧州人植民者のためにワクフ（寄進財産）を没収してしまった。さらに東方には主に遊牧を事とする内陸アジアの人達がいたが、ロシア人将軍の植民地主義的野心や好敵手英国の機先を制してイラン、インドや中国との交易において有利な立場を確保しようとするツァール（ロシア皇帝）の欲望の餌食になった。タシュケントは1865年に占領された。サマルカンドは1868年に陥落した。ブハーラーもロシア人貿易業者に対して国境を開かざるをえなかった。北カフカスでは、ロシアはナクシュバンディーやカーディリー教団によって煽られた抵抗を圧倒し、1859年にイマーム・シャミールによって樹立されたイス

▲騎乗姿がダゲスターンのイマーム・シャミール（1797頃～1871年）。1850年頃のロシアの版画から。シャミールは、ナクシュバンディー教団のシャイフであった義父の霊的権威のもとに、ロシアに対して英雄的な戦役（1834～59年）を敢行した。結局敗北して追放されたが、彼の思い出はダゲスターンやチェチェンでは未だ生きている。反露的・反ソ的叛乱を今日に至るまで鼓舞してきた。

ラーム国家を転覆させた。1900年までにロシア帝国によるトランス・カフカスと中央アジアの征服事業はほぼ完成した。

1917～18年のロシア革命は、アジアにおいてロシア帝国を解体させる方向に向かうのではなく、反対に統合の方向に向った。保守的な宗教指導者層に対する闘争の中で、改革派として知られていたイスラーム改革主義の唱道者たる知識人は共産党に入党した。彼らはムスリム住民の求めに応じるよう、ロシアの政策を修正させたかったのであり、ソヴィエト・ロシアと組むことにより、ムスリムの抱懐するいろいろなタイプのナショナリズムを推進させたいと思っていたのである。ムスリムのナショナリスト達は、スターリンと党の中央集権主義者達によって裏をかかれた。彼らのうちで指導的な人物がミール・サイード・スルタン・ガリエフ（1880年生まれ）であった。彼は1928年に逮捕され、間もなく姿を消した。しかしながら、イスラームと共産主義は価値観を共有し合っているという感覚（たとえば社会正義、私益よりも公益を重んずること、個人よりも共同体が優先すること）は彼らを勇気づけ、タキーヤ（偽装）という戦術をとることにより、党の内側で彼らの利益のために働こうという気にさせた。しかし公式のイスラームは、1930年代中にスターリンが上からの“第二革命”を敢行した時、深刻な攻撃を受けた。礼拝堂は無神論者協会の管轄下に置かれ、博物館や娯楽施設として転用されるに至った。一方、イスラーム信仰の五柱のうちの二柱、すなわちメッカへの巡礼とザカート（礼拝堂維持費や貧者救済資金として使うための宗教税）は明確に禁止された。アラビア文字の表記が禁止され、それに代ってラテン文字が、後にはキリル文字が代用されるようになると、ソヴィエトの若い世代は、イスラームの聖典に近づく機会がより少なくなった。ソヴィエトのムスリムが政治的に団結する可能性は考えぬかれた分割統治策によって塞がれていた。今日の中央アジア諸国の政治的領土は、スターリンによって定められたものである。彼は、汎トルコ主義や汎イスラーム的ナショナリズムの脅威に対して、ロシアのトルキスタンを五つの共和国に分割することによって対処した。すなわち、ウズベキスタン、トゥルクメニスタン、カザフスタン、キルギスとタジキスタンの五共和国である。この地域の中核的位置にあり、常に単一の経済的単位であり続けた繁栄せるフェルガーナ渓谷は、ウズベク人、タジク人とキルギス人の間で分割させた。スターリンのやり方というのは、これら主にトルコ系の民族の間に言語や歴史や文化の面ですこしでも差異があればそれを強調して、国家に関するレーニン的基準を満たしていればよいとするものである。共通の言語、統一された領土、共有された経済生活、共通の文化がその基準である。新しい領土的配置の上に着せられたのが、集産主義化と単一栽培という拘束服であった。フルシチョフの処女地構想のもとで、カザフスタンの広大な大地は穀物生産用に割り当てられた。そして遊牧を営むカザフ人が抵抗しているのに、スラヴ人やその他の民族が作業遂行のため導入された。ウズベキスタンでは、家内生産全体の60％が綿花ということにされた。このことは党の支配階層の利益に奉仕した。彼らの中には、生産量の数字を組織ぐるみでごまかすことによる巨大な詐欺事件に巻き込まれる者もいた。しかしながらこれはまた、灌漑を必要とする綿以外の作物を弱らせ、アラル海を含む河川や湖沼を干上らせることによって国土を荒廃させる環境破壊という遺産を残すこととなった。

スターリンは第２次世界大戦中、ムスリムの忠誠心に信を置いていなかった。事実ムスリムの中にはドイツに協力する人間もいた。スターリンは、チェチェノ－イングーシとクリミアのタタール人住民をすべて中央アジアに移送した。

工業化とほぼ万人に及んだ教育がもたらした利点は無論あるのだが、アフガニスタンの聖戦《ジハード》に続いてソ連の勢力が撤退したことは、必然的に非共産主義的な諸思想の高まりを招いた。その中には地方的な民族主義もあり、汎トルコ主義もあり、イスラームの戦闘的な諸形態もあった。半世紀以上もたって、抑圧されていたイスラームの活動が1989年以降蘇生したのは、部分的には、神秘主義的なスーフィーの伝統に依るものだと説明できるかもしれない。中央アジアに端を発し、彼らはその運動の根を保っていたのである。特にナクシュバンディー教団のスーフィズムが公権力による弾圧の中を生き抜くことができたのは、ほかの催し物という外装のもとで“沈黙”の儀式伝統を維持することが可能だったからである。その上、拡張された血族集団の連帯意識《アサビーア》にもとづく旧家の連絡網が生き残っていたか、あるいは共産党組織を操ることによってより勢いを増していた。地方の独立運動を鎮圧するためにロシアが1994～96年と1999～2002年に2度にわたって残忍な戦争を行なったチェチェンで、70年間のソヴィエト支配にもかかわらず、スーフィーの連絡網とそれに対する忠誠心が生き残っていた事は、この独立運動が、外国の資金援助を受けたイスラーム主義者やワッハーブ派の闘士に依るものだというクレムリンの説明よりは、反ロシア活動であったという説明の方が適合していることを証明している。

中央アジアでは、ロシアが撤退し、ソヴィエト支配に対して広範囲な幻滅が見られ、地方経済が崩壊したにもかかわらず、昔ながらの共産党のノーメンクラトゥーラ達は、官僚的な権威主義的実体を辛うじて隠したいわゆる民主制の上辺のもとで、何とか権力にしがみつこうとした。

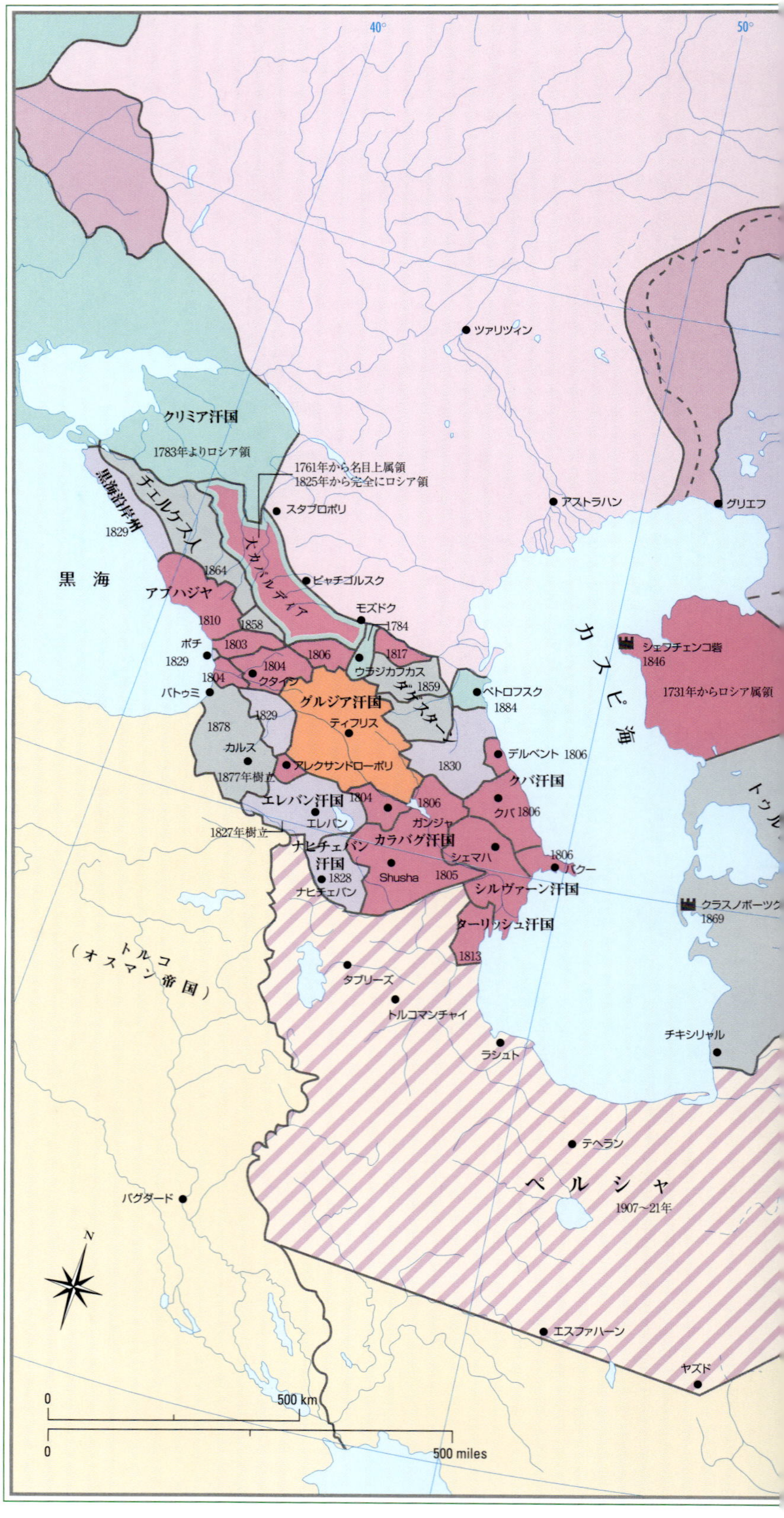

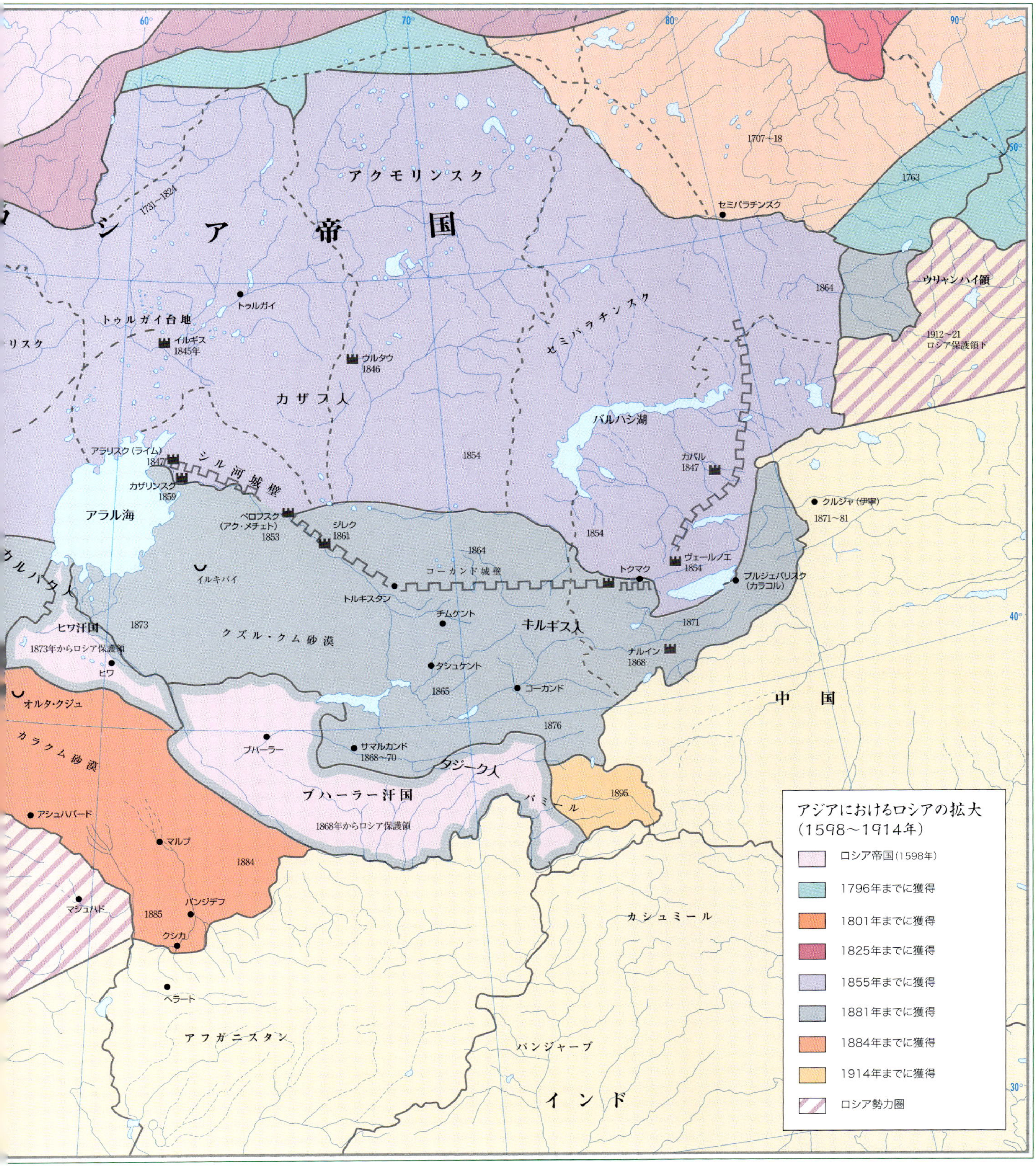
アジアにおけるロシアの拡大
(1598〜1914年)
ロシア帝国(1598年)
1796年までに獲得
1801年までに獲得
1825年までに獲得
1855年までに獲得
1881年までに獲得
1884年までに獲得
1914年までに獲得
ロシア勢力圏
ロシア帝国
アクモリンスク
セミパラチンスク
トゥルガイ台地
トゥルガイ
イルギス
1845年
ウルタウ
1846
カザフ人
バルハシ湖
カパル
1847
シル河城壁
アラリスク(ライム)
1847
カザリンスク
1859
アラル海
ペロフスク
(アク・メチェト)
1853
ジレク
1861
コーカンド城壁
トルキスタン
トクマク
ヴェールノエ
1854
プルジェバリスク
(カラコル)
クルジャ(伊寧)
1871〜81
イルキバイ
チムケント
キルギス人
ヒワ汗国
1873年からロシア保護領
ヒワ
クズル・クム砂漠
タシュケント
1865
コーカンド
ナルイン
1868
1876
オルタ・クジュ
カラクム砂漠
ブハーラー
サマルカンド
1868〜70
タジーク人
ブハーラー汗国
1868年からロシア保護領
パミール
1895
アシュハバード
マルブ
1884
マシュハド
パンジデフ
1885
クシカ
ヘラート
アフガニスタン
カシュミール
パンジャーブ
インド
中国
ウリャンハイ領
1912〜21
ロシア保護領下
1864
1707〜18
1763
1731〜1824
1854
1873
1871
60°
70°
80°
90°
50°
40°
30°

東南アジアへのイスラームの拡大、1000〜1800年

イスラームの中心地から見ると周辺地にあるその他の地域と同様、イスラームは征服によるよりも貿易によって東南アジアにもたらされた。イスラームの高い文化という威信をになったムスリム商人が、地方の支配的一族と縁組することもあった。その際、富や外交技術や広い世界に関する知識などを持ち込んだ。イスラームの採用は、沿岸地方の首長達が、中央ジャワで支配権をふるっていたヒンドゥー教徒支配者の権威に抵抗することを容易にした。スーフィー導師達は、その中には商人を兼ねている者もいたが、アラビアやインドからやってきて、ヒンドゥー教の伝統の中で育った者でも理解できる形でイスラームの教えを説くことができた。貿易が拡大するにつれて、イスラームの採用は小さな共同体がより大きな社会の一部となることを容易にした。そしてそのことがまた、よりいっそう貿易の規模を拡大させることになった。

おおむね平和的で、系統的なこうしたやり方でのイスラームの発展は、ポルトガルの出現によって中断されたが、ひっくり返されたわけで

はない。ポルトガルは 16 世紀から指導的な海上勢力としての自らを確立した。1509 年にゴアを取ったあと、ポルトガル人はマレー半島のマラッカを 1511 年に征服した。皮肉なことに、このことがムスリム導師や使節をアチェやジャワの支配者の宮廷に派遣することにより、イスラームの拡大を助けることになった。アチェもジャワもポルトガルに抵抗する拠点となった地である。オランダ（バタビアを建設し、のちに 1619 年ジャカルタを建てた）の登場は、胡椒、丁子《ちょうじ》、肉豆蔻《にくづく》や錫などを求めてのことであるが、状況をいっそう複雑なものにした。ただそれがこの地域におけるイスラームの拡大を止めることにはならなかった。事実オランダとポルトガルの貿易拡大をめぐる対立は逆の効果をもたらした。オスマン帝国との接触を求めしめ、特にアチェにムガール帝国インドからの学者やスーフィー達が流入する結果となった。

沿岸地方と内陸部との違い、ヒンドゥー教徒や仏教徒の王政による遺産、ポルトガル人やオランダ人や英国人の支配によって受けたさまざまな衝撃、そして彼らが行なった抵抗の度合いの差などが、マレー半島とインドネシア群島全体を通じて対照的なイスラームのあり方を生み出していった。共通要素といえば降水と、土地の大半を高度に生産的にする豊饒な熱帯の土壌であった。それが珈琲やのちにはゴムになったが、そういった換金作物を求める植民欲を満たしていた。東南アジアでは、イスラームは定住農耕民の社会や比較的古代的な政治形態と向き合うことになった。東南アジアの深い領土的根源は、中央アジアや西アジアでイスラーム史を支配していた遊牧民の流れと著しく対照的であった。ある場合には、インドやアラビアからやってくる信仰の思潮が、古くからの伝統と結びついた儀式や慣行の残滓を残していくこともあった。たとえばジャワでは村人達は自分達のことをムスリムと呼ぶ。しかし、彼らの実際の文化はイスラームにヒンドゥー教やアニミズムの要素が混淆したものである。他の場所では、たとえばミナンカバウのような所では、18 世紀に経済上の大変動があった後、イスラーム聖法（シャリーア）をより厳格に固守せよと説く改革派の潮流が圧倒的になった時期があった。これが社会的闘争を生み、オランダの干渉を招いて、結果として征服されてしまった（1839 ～ 45 年）。一般的に言って、イスラームがインドネシアに残した遺産は大まかな二つの傾向にまとめられる。ひとつは村落のアバンガン型文化類型と呼ばれるもので、母系相続を含む非シャリーア的な慣習に対して寛容な態度をとる。もうひとつは、より厳格な都市のサントリ型文化類型である。マレーシアやインドネシアにおける近代のイスラーム主義者達は、文化多元主義や文化の混淆にはおおむね反対してきたが、両国とも産業革命を成功裡に終え、その結果、経済発展という視点から見る限り、イランやパキスタンやアラブ・ムスリム諸国の先を行っているという事実は残る。

英国、フランス、オランダとロシア帝国

1800年頃からムスリム世界を引き継ぎ始めた欧州諸国の力の巨大な増加は、17世紀の科学革命とそれが生み出した産業革命にさかのぼることができる。1600年代中葉までは、西欧文明とムスリム文明は、軍事的にも経済的にも相対的に対等な立場にあった。しかしながら1800年までに、両者の比重は、決定的かつ恒久的に"西洋"と考えられるものの方へ傾いていった。ナポレオンの不運だったエジプト遠征が新マムルーク軍によって止められることはなかった。ナポレオンは彼らをピラミッドの戦いで敗ったのである。ところが英国の提督ネルソンがそのフランスの艦隊をアブー・キール湾で敗った。それ以来、ムスリム住民にとって歴史的事項を決定してきたのは、イスラーム世界と西洋との間の争いと言うより、欧州諸国間の軍事的・経済的競争であった。

欧州勢力の累加的な台頭を説明するために多くの解釈が提出されてきた。それらの解釈の中には、プロテスタントの改革派によって生み出された資本主義精神やアメリカから環流してきた富に突然接近できるようになったことを理由に挙げるものから、科学革命の祖の一人たるフランスの哲学者ルネ・デカルトによって唱導された万物探究という急進的方法論に原因を求めるものまであった。原因が何であれ、効果は絶大かつ不可逆なものであった。欧州資本は組織的に再投資され、工業生産方式の技術革新を財政的に支えた。たとえば綿糸紡績法の革新は競争によって伝統的なやり方を滅ぼしてしまった。欧州の軍事力は、絶えざる技術改善の恩恵を受けていたが、工場生産物のための市場を守り拡大するために展開されていた。その結果、地方経済が崩壊し、非欧州勢力が抵抗する能力を奪われることとなった。昔の俯瞰法からすると（たとえば、十字軍王国やアル・アンダルスが徐々にキリスト教徒の手に戻っていった過程を見れば）その過程は異常に急速なものであった。1920年までに欧州勢力は、事実上全地球を包囲していた。例外は、人口が少なすぎたり、貧しかったり、帝国主義的野心をそそらないものとみなされた地域であった。

精神的であれ世俗的であれ、ムスリム指導者達は、欧州人による世界征服に対する抵抗の最前線に立っていた。ジャワではディパネガラ王子が、オランダ人の力や欧州人植民者の圧力に屈服していた支配的一族の一人であったが、1825年から30年にかけて、土地を追われた農民や宗教的指導者を含む叛乱を起した。1600年代初葉より英国の東インド会社が貿易活動を行なってきたベンガルでは、1757年のプラッシーの戦いで東インド会社の力を押さえようとした地方君主ナワーブ・スィーラジッダウラが敗北を喫したが、これによって英国によるベンガル征服への道が切り開かれた。さらに1764年のブクサルの戦いでも敗北を喫したムスリムは、以前ヒンドゥー教徒の王国であった大マイソールに抵抗の拠点を移した。そこでパンジャーブ出身の兵士ハイダル・アリーはフランスの援助を得て欧州流に訓練された部隊を創設した。彼の息子にして後継者たるティープー・スルターン（1750～99年）は、マドラス近くのカンチープラムの戦いにおいて英国軍に対して注目すべき勝利を収めた。ティープー・スルターンは1799年にセリンガパタムの戦いで殺されてしまったが、この戦いをもって南インドにおける英国支配に対する抵抗は事実上終結した。それ以降は、抵抗運動は西北辺境や英国に指導されていたインド人将卒間で見られるものとなった。1820年代末、メッカで3年過ごしたことのあるナクシュバンディー派系伝道説教師のサイヤド・アフマド・バレーリー（1786～1831年）は、インド・イスラームのより広範囲な改革運動の一環として、西北辺境州でユースフザイ方言を話すパシュトゥーン人を集めようと試みた。英国の管轄外にある解放された領域にイスラーム国家を樹立しようという彼の狙いは、1831年バラコートの戦いで彼を敗ったシーク教徒によってくじかれた。西北辺境州は、しかし、バレーリー歿後も長く英国支配に対する抵抗の焦点であり続けた。1847年から1908年にかけて、英国に対する叛乱は60件を

下らなかった。叛徒達の多くには千年王国信者の趣きがあり、ほとんどすべての叛乱が異教支配に対するジハードとして正当化されていた。

欧州帝国主義に対するこれらの運動の多くは、スーフィー教団で修行した人達によって指導されていた。カフカスでは、ナクシュバンディー派の指導者イマーム・シャミールが1834年から1839年まで続いた戦没を率いてロシアの侵攻に対抗した。彼が建設したイスラーム国家は結局のところロシア帝国に併合されてしまったが、シャミールの思い出は今もダゲスターンやチェチェンの人達の心の中で生き生きとしている。彼らは引き続きロシア人に対して1863年、1877年、1917～19年、第2次世界大戦中にも戦いを挑んだ。そしてソ連崩壊後のボリス・エリツィンやウラディミール・プーチンの政権に対しても抵抗している。キュレナイカでは、オスマン帝国の宗主権を受け容れたサヌースィー教団が、1911年のイタリア軍侵攻後、組織的な抵抗の源泉となった。

英国とフランスは、ムスリム・アフリカ全土で似たような抵抗運動に遭遇した。カーディリー教団の長老だったアブドゥル・カーディルは、1830年のアルジェ占領後、フランスに対する抵抗運動を指導した。彼は西サハラにイスラーム国家を樹立した。この国家は、フランスが打ち勝ち、彼を追放した1847年まで続いた。1881年、ハルワティー教団の支部であるサンマーニー教団の長老《シャイフ》ムハンマド・アフマドは、上ナイル地方で自らを救世主《マフディー》であると宣言し、エジプト政府と欧州人司令官のもと当該地域に浸透していた外国人支援者に対する聖戦《ジハード》を唱導した。1898年オムドゥルマンにおいてマフディーの後継者が敗れたことは、ウインストン・チャーチルによって熱烈に歓迎された。チャーチルはこの戦いを“科学の武器によって獲得された野蛮人に対する最も象徴的な勝利”と見たのである。“科学の武器”とは、この場合、英国の機関銃を指している。1890年代アフリカの多くの地で、小規模な懲罰的遠征においてよく使われた武器であるが、ここでは、5万人以上の軍隊に対して初めて使われたのである。

19世紀の改革運動

18世紀以降イスラームの思想と慣行を特色づけているタジュディード（改革）運動には、内的次元と外的次元とがある。内部的には、メディナに聖遷した後、ムハンマドが神によってアダムやイブラヒームやイスマアイールに教えられた“元々の”一神教の名においてメッカの異教的偶像崇拝者を非難し、新しい社会を建設し、勝利に終った再征服の後、メッカの異教徒達を追放した例それ自体が宗教改革の範疇に入る話である。イスラーム史を通じて、ムハンマドとその時代の真のイスラームを回復するのだと言って、腐敗した支配者を攻撃しそれにとって代った学識ある敬虔な著名人が採用してきたのは、預言者が行なったのと同じ筋書であった。18世紀や19世紀にはそうした運動が多く起った。こうした運動の中には、地方的な慣習に対する宗教的反発によるものもあった。たとえば、スーフィー聖者の廟墓で祈ったりするような慣行は、アラビア半島のワッハーブ派によって非難された。他には、たとえば、西アフリカのセネガンビア地方における改革運動では、非ムスリムの政治的エリートに対する地方的な抵抗運動を含んでいた。他にもいろいろある。たとえばインドの西北辺境での聖戦《ジハード》運動やナイル河流域のスーダンにおけるマフディー派の運動は欧州の進出に対する反発である。

しかしながら、武器をとった抵抗運動や改革運動は、大半は辺境地域の部族民の間で起ったものである。マフディー・ムハンマド・アフマドやウスマーン・ダン・フォディオのような知識人に指導されていた場合でも、部族民の武力に支援された場合のみ、彼らは成功することができた。西洋の圧倒的な力ゆえに、軍事的解決が機能しないことがいったん明白になると、ムスリムの思想家達は改革主義者達の筋書を知的に解釈し始めた。部族に依拠する運動が正しい宗教的慣行と受け容れられない革新とを峻別するところでは、知的な改革者達は、永遠で適合できるイスラームの原理（ウスール）と、個々の特別な状況に適用される枝葉（フルー）とを区別することによってイスラームを再生させようとした。もしイスラームが近代的環境のもとで生き残り、繁栄すべきであるならば、ムスリムは近代的な学問を修め、近代的な教育を受けねばならぬということはすべての改革者が認めていた。インドでは、サイヤド・アフマド・ハーン卿（1817～98年）がアリーガル・カレッジを創設した。この学校はムスリムの官吏や法律家や報道人で現代の世代の者を養成し、時経てパキスタン運動の指導者たるべき人材を育てんとするものであった。インドのウラマーの中でもっと保守的な者たちは、1867年にデーオバンド学院を設立した。この学校は顕教の知識（コーランやハディースや法学）の研究を論理学や哲学や科学といった合理主義的な科目と結び付けた。鉄道網を利用することによってデーオバンド派の人達は、ウルドゥー語で書かれた印刷物をムスリム・インドのあらゆる地点に届けることができた。このことがデーオバンドを他の国々へ広がっていった新種のムスリム意識の中心地にし、アフガニスタン、中央アジア、イエメンやアラビア等から多くの学生が集まってきた。デーオバンドの卒業生マウラーナー・ムハンマド・イルヤースは、1927年に改革主義的なタブリーギー・ジャマーアト（伝道協会）を設立した。もともとはより厳格なイスラーム遵奉を目ざして、デリー近郊の農民共同体メワティを改宗させる狙いで設立されたが、この協会は、イスラーム聖法《シャリーア》の厳守と、イルヤース自身が所属していたチシュティー教団によって行なわれていたムハンマド精神についてのスーフィー的瞑想とを組み合わせた。タブリーギー・ジャマーアトは形式上政治とのかかわりを避けていたが、最も早く世界中に広まって行ったイスラーム運動のひとつであり、90以上の国々に支部を持っている。

エジプトでは最も影響力のあった改革者はムハンマド・アブドゥフ（1849～1905年）であった。もともとは反英・汎イスラームの活動家ジャマールッディーン・アフガーニー（1839～1997年）の弟子であったが、英国占領後パリに亡命したアフガーニーと共に、短命だったが

◀機関車が狭軌のダージリン鉄道の上を満載の客車を引っ張って走っている。1900 年頃。デーオバンド派の改革運動はイスラーム文献を国中に広めるために鉄道網を活用した。インドにおける独自の共同体としてのムスリムという感覚を育てた。

影響力のあるアラビア語の汎イスラーム的『固き結合』誌（アル・ウルワ・ル・ウスカー）の編集にたずさわった。1885 年アブドゥフは師の帝国主義に対する敵意と訣別し、シリア経由でエジプトに戻り、アフマド・ハーン同様、ごくわずかな英国勢力と働くことに決めた。その中に近代化に必要な力を認めたからである。法律事務にたずさわって頭角をあらわし、エジプトの首席法官《ムフティー》になると、アブドゥフは、イスラーム聖法《シャリーア》の近代化を志し、スンニー派イスラーム世界での最高学府アル・アズハルの学科目に近代史や地理を導入しようとした。彼はマスラハ（社会的利益）の原理に特別な注意を払った。法というものを近代の要請に応じて変えられるようにしたかったのである。曰く、「もしある統治が以前になかったような害をなす原因となっているのなら、我々は優勢な状況に応じてそれに変更を加えなければいけない」と。いみじくもアブドゥフは、啓示は理性と調和していなければならないと信じていた。なぜなら、イスラームは、人間の条件に適合するよう神によって設計された“自然な宗教”だからである。アフマド・ハーン同様、彼は啓示の中の本質的な部分と本質的でない部分とを区別しようとしたのである。歴史的には不確かでその時限りのものを捨てつつ、原理・原則は保持し続けようとしたのだ。彼は倦むことなく偏狭なものとみなした伝統的なウラマーの保守主義に反対し、アフマド・ハーンと同様、近代の環境に応ずるためにイジュティハード（イスラーム法立法行為）の原則を新しく利用しようと強調した。アブドゥフの考え方は、彼の裁判官としての活動やその著作や講義を通じて、歿後は定期刊行物『アル・マナール』（灯台）誌を通じて広められた。『アル・マナール』は、ナクシュバンディー教団の改革派の一員であったシリア人の弟子ラシード・リダーによって刊行された雑誌で、1897 年から 1935 年まで発行された。近代イスラームのムジャッディド（改革者または革新者）として、彼の影響力は決して過少評価できない。東南アジアでは、ジャワに本拠を置いた伝道に従事するムハンマディーヤ運動が、1912 年にアフマド・ダフラーンによって創設され、現在何百万もの信者を擁しているが、多くをアブドゥフの思想に負っている。アラブ世界では、ダフラーンはアフガーニーと共にサラフィーヤ運動の創始者とみなされている。この運動は、イスラームの教えをその本来の文脈で受け取ったムスリムの最初の三世代と古典的には考えられている“敬虔なる先祖達”の例に鼓舞されて起ったものである。アブドゥフの知的遺産の一部を要求できる近代のサラフィーヤ運動家の中には、もし必要なら暴力的手段を用いてでも近代的なイスラーム国家を樹立せんとする戦闘的な活動家もいれば、アブドゥフの思想を政治的領域と宗教的領域に完全に分離して考えるべきものと解する世俗的なナショナリストまでいる。

トルコの近代化

トルコの近代化は少なくとも２世紀さかのぼることになる。オスマン帝国のスルターン・セリム３世（1789～1807年）が一連の教育改革や軍事改革を導入しようとした時である。彼の努力はウラマーやイェニチェリの利益を脅かすものだったので、廃位させられてしまった。しかし、カフカスとギリシャにおける一連の戦役に敗北したのち、彼の後継者マフムト２世（在位1807～39年）は新たな改革努力を重ね、西洋志向の学校をつくり、イェニチェリ軍団を解体し、それと結び付いていたベクターシュ神秘主義教団を解散させた。ウラマーによる自治は、国家によるワクフ（寄進財産）やシャリーア（イスラム聖法）法廷や学校の接収によって弱まっていた。ターバン着用禁止令は政教分離を象徴するものであった。公式のウラマーを除くすべての人にとって、しばしばスーフィー教団のひとつに対する忠誠心のあかしでもあったターバンは、マグリブから導入された赤いフェルトの円筒形帽子フェスにとって代られた。中央集権的な専制国家（革命以前のフランスやプロイセンにならった）を創始したいというマフムトの野心は、1839年から1876年まで続いたタンズィマーティ・ハイリエ（恩恵的改革）として知られる一連の計画が彼の後継者達によって実行に移された。近代的な郵便制度、電信、蒸気船による航海や鉄道などが、西洋式の法廷や法典と共に、急激な法改革の線に沿って導入された。メジェッレと呼ばれた新民法は、内容的にはイスラーム聖法（シャリーア）に従っていたが、従来と異なり、国家の法廷で裁きが行なわれた。

1855年、ジズヤ（人頭税）――宗教上劣者の立場にあることを公けに示す目印――は、兵役免除税に切り替えられた。新しく出現する中央集権政府は、新たに専門家として訓練された官僚達という社会基盤の上に構築された。小規模な都市の中産階級は、宗教的共同体の宗教基盤にもとづいた権力構造に挑戦し得るような新興経済勢力としての地位を享受することができた。タンズィマート改革は、イスラーム的教育・司法制度の自治を廃して、それらを国家の管理下に置くことによって、以前のオスマン社会の基礎を変えた。

この改革は“青年トルコ党”の台頭を促した。

▶ガリポリにおける英軍。連合軍も一緒。1915年４月25日から1916年１月９日まで半島に展開。彼らの狙いは、コンスタンチノープルを脅やかし、黒海を経由してロシアへの補給路を開くことであった。トルコ軍はムスタファ・ケマル中佐によって指揮されていた。彼の猛攻撃と精力が連合軍の企図を挫いた。彼の成功は共和国大統領の地位へと彼を導いた。

1 撃退されたオーストリアのセルビア侵攻（1914年7月29日～12月15日）

2 ドイツのモラヴィア渓谷進出（1915年10月）

3 連合軍のガリポリ半島占領作戦失敗（1915年2月～12月）

4 ブルガリアの攻撃がセルビア陣営を打ち破る（1915年10月）

5 セルビア撤退（1915年11月）

6 ルーマニア軍、トランシルバニア進攻（1916年8月27日）

7 ドイツ防御軍、ルーマニア軍を撤退させる（1916年9月～12月）

8 ブルガリア前進軍、ロシア・ルーマニア防衛軍を撤退させる（1916年10月）

1 連合軍前線（1918年9月15日）

2 連合軍前線（1918年9月29日）

欧州と同じ方向に進みたいと願っている知識人達の起した運動である。1908年、この運動の前衛であった統一と進歩委員会（ＣＵＰ）が、以前から軍隊に滲透していたが、武装蜂起により権力を握った。スルターンは、1876年に公布され、一時停止していた憲法の復活を余儀なくされ、議会政府が前面に立った。真の権力は依然として軍隊とＣＵＰが握っていた。彼らは、帝国の東方部分を掌握している権力を減殺しつつ、急激な世俗化計画へ乗り出していった。軍改革を押し進めていた軍事顧問達の属する国ドイツの援助を得て、ベルリン＝バグダード鉄道が建設された。20世紀初頭には、ダマスクスからメディナ（メッカへの連絡は完成しなかった）までの有名なヒジャーズ鉄道が建設された。鉄道敷設は、一方ではイスラームの聖都への巡礼行を容易なものにしつつ、他方シリアやアラビアの部族的叛乱に際して迅速に軍隊を半島に急派できるようにという目的も持っていた。オスマン・トルコは20世紀初頭の20年間、その領土を失い続けていた。リビア、アルバニア、そして欧州側に持っていた領土の大半がバルカン戦争で失われた。とどめの一撃は第１次世界大戦（1914～18年）であった。英・仏・露に対抗する枢軸国側（オーストリアとドイツ）に付いたため、帝国はイラクやパレスチナで英国による三叉攻撃を受け、また英国の冒険家Ｔ・Ｅ・ローレンスの手助けを受けたメッカのシャリーフの息子ファイサルに率いられたアラブ人に攻撃されて、残っていたアラブ人地域の諸州を失った。

▶ムスタファ・ケマル・アタテュルク。1881～1938年。世俗制をとるトルコの創設者。

　アラブ人居住の諸州を失ったにもかかわらず、トルコ自身は第１次世界大戦後もムスリム国家として独立を保った。ムスタファ・ケマル（のちにはアタテュルク、すなわち“トルコ人達の父”）の努力の賜物である。この青年トルコ党の将軍は、1915年に、大英帝国軍の侵略からゲリボル（ガリポリ）半島を防衛することによってイスタンブールを救った。地方的な民族主義的政権を樹立したのち、アタテュルクはトルコ人民を総動員して、アナトリアの心臓部が分割されたり、フランスに管理されているシリアやギリシャを失ったり、クルド人やアルメニア人（彼らはトルコと新生ソヴィエト共和国との間をはっきりと分割して東北部に国家を建てんと提唱していた）にしてやられたりせぬよう働きかけた。ギリシャ人（1920年のセーブル条約によって、屈辱的な条件でスミルナ（イズミール）近辺の主にギリシャ人が居住する地域のみを与えられた）を敗ると、ケマルはアナトリア、アドリアノープル（エディルネ）やトラキア（欧州側トルコ）などの完全かつ不可分の主権を、1923年のローザンヌ条約によって国際的に承認された。アタテュルクは、ギリシャとの間に抱えていた住民交換問題を、野蛮だがはっきりしたやり方で解決した。

　トルコの敵に対する勝利者ないしは信仰戦士としての権威を確立するや、アタテュルクは急進的な近代化計画に乗り出していった。1923

年、スルターン制とカリフ制は切り離され、前者は制度として廃された。翌年、カリフ制も廃され、同時にシャリーア（イスラーム聖法）法廷もなくなった。イスラーム法の代りにスイス民法典がトルコの需要に応ずべく適用された。ラテン文字による字母がトルコ語を表記するために導入された（以前はアラビア文字で表記されていた）。トルコをイスラームの過去から切り離し、もっと識字率を高めたいという狙いもあった。スーフィー教団は禁止され、地下に潜った。フェスは皮肉なことに“イスラーム的な”かぶり物という地位を獲得していたが、廃された。代りに当時の欧州人労働者がかぶっていた前びさしのある布製の帽子が推奨された。

植民地帝国主義時代のムスリム世界、1920年頃

オスマン帝国が第1次世界大戦で敗れたことは、広大なムスリム社会の大多数を、直接的または間接的に植民地主義者の支配下に置いた。1920年までムスリム諸国の中で独立国は、トルコ、ペルシャ、アフガニスタン、イエメン、中央アラビア（ナジド）であった。トルコはケマル・アタテュルクのもとで再活性化した。ペルシャでは、カージャール朝がパフラヴィー朝にとって代られようとしていた（1925年）。アフガニスタンはアマヌッラー（在位1919～29年）王の手で近代化路線がとられていた。北イエメンでは、ザイディー・イマーム・ヤフヤーがオスマン敗北後支配権を握っていた。中央アラビア（ナジド）とヒジャーズは、メッカとメディナを含むムスリムにとっての聖地であるが、依然としてハーシム家の管理下にあった。ダール・ル・イスラーム（イスラームの家）の残りは、植民地主義帝国の直接支配下に入るか、欧州の“保護”領として国際的に認められる形をとった。二つの新たな原則が確立されて、前に述べた植民地や半植民地が国際的制度のもとに置かれることになった。二つの原則とは、国境の固定化と王朝の凍結である。国境の固定化は、通常、欧州諸国の都合の良いように定められたが、首長国群の場合は条件によって英国に縛りつけられた。王朝の“凍結”は統治の継続性を確保するためである（必ずしも欧州流の長子相続制を通してではないが）。王位継承権の正統性は、伝統的な支配者の死後しばしば起った王朝を分裂させるような競争を防ぎ、その継承者達を現存の条約内容に縛りつけた。

1920年までに、フランスはスペイン領サハラやスペイン領モロッコ等の沿岸地方を除く西北アフリカのすべてを領有した。イタリアはトリポリやキュレナイカの沿岸諸州を越えてさらに拡大しようとしていた（征服事業は1934年まで完成しない）。英国は1882年以来、ムスリム世界の文化的中心地であるエジプトを占領していた。英国は以前のオスマン帝国の一州に立憲君主制のもとで名目的な独立を許していたが、戦略的要衝はすべてしっかり押さえていた。そういうわけで、公式には中立である国が第2次世界大戦中、何千という大英帝国軍を受け容れるという皮肉な事態も発生した。マフディー・ムハンマド・アフマドが1898年に創設したイスラーム国家をキッチナーが破壊した後、英国はスーダンを英領エジプトに併合した。その領土は今なお赤道アフリカ深く拡大しつつある。タンガニーカをドイツから奪い取ると、英国は、イタリア領ソマリアの一部を形成していた部分を除き、スワヒリ語圏の沿岸諸国の大半を支配した。アデンを拠点にして英国はバーブル・マンダブ——紅海入口にある戦略的要衝——をエリトリアを支配していたイタリアと争っていた。英国は一方ではアデンからバスラまでのアラビア半島沿岸地帯を押さえつつ、アラビア南部や湾岸の首長国を排他的条約の枠に押し込み、英国の防衛と外交政策を思うままに操れるようにした。

インド亜大陸では、560 人ほどの藩王——中にはムスリムもいた——をさまざまな条約・協定網の中に押し込んで、彼らや彼らのムスリム家臣達を英国統治の傘のもとに置いた。東南アジアでは、英国はマレー半島の諸国を支配した。一方オランダは、ジャワやスマトラの元の植民地を越えて支配権を拡大していた。ムスリム中央アジアやカフカス地方では、共産主義革命と続いて起った内乱が、新しい地域秩序の枠内でモスクワの権力を強化した。

マシュリク（東方）の中核地域において、パレスチナは国際連盟によって英国に委任統治領として与えられるという条件でユダヤ人の植民が許された。1916 年にフランスとの間で結ばれた秘密のサイクス・ピコ協定によって、英国も委任統治領——植民地の婉曲語法——をトランスヨルダンとイラクに獲得した。フランスはレバノンとシリアを勢力範囲とした。英国の援助を得て、オスマン・トルコからダマスクスを解放したメッカのシャリーフの息子ファイサル・ブン・フサインは、1915 年に父親が英国のエジプト高等弁務官ヘンリー・マクマホンから受け取ったやや曖昧な約束の線に沿って、シリアを独立したアラブ国家にするつもりであった。しかしながら戦争が終ってみると、ムスリム世界にとって明らかになったことは、帝国主義的権益が、欧州における戦後処理の基礎としてウッドロー・ウィルソン大統領によって高らかに唱導された民族自決権を押しのけてしまっていたことである。欧州のキリスト教徒の帝国臣民には民族自決権を承認し（チェコ人、スロヴァク人、ハンガリー人、ユダヤ人、アイルランド人、バルカンのオスマン帝国臣民も含む）、ムスリム達には民族自決権を否定するという二重基準に対する抗議は反植民地主義感情をかき立て、元オスマン・トルコ領であった地域全体にわたって表面化した。

ムスリム世界における西欧帝国主義

- ムスリム独立国家（1920年）

植民支配下にある領域（1920年）

- 英領
- 仏領
- 伊領（イタリア領）
- ポルトガル領
- 西領（スペイン領）
- 蘭領（オランダ領）
- アメリカ合衆国領
- 露領（ロシア領）
- 属州
- 英国勢力圏
- ロシア勢力圏（1907〜21年）
- ムスリム集住地、中国各地に分散

バルカン諸国、キプロス、クレタ、1500 ～ 2000 年

セルジューク人やそれに続くオスマン・トルコのバルカン征服は、移住者としてやってきたり改宗によってイスラームを信奉するようになったムスリム残留者を欧州に残すこととなった。ビザンチンの教会組織が帝国の敵として活動を抑圧されていたアナトリアの征服とは異なり、バルカンの正教徒教会は、キリスト教徒共同体の実効的な司法権を与えられていた。こういったことがアナトリアの場合と比べて、キリスト教バルカンにおける改宗を限定的なものにしたかもしれない。

▶ボズナイ・ヘルツェゴビナのモスタルにあるスタリ・モスト橋。1993 年ボズナ－クロアチア砲兵によって破壊される前は、この橋はオスマン朝の技術と意匠の最も洗練された生き残り例のひとつであった。オスマン朝の偉大な建築家スィナンの弟子ハイレッディンによって1566 年に完成された。ひとつの迫持でひとまたぎ 30 m。ナレトバ河の上に 27 m の高さ。橋の再建は、ボズナの砕け散った社会関係の再興をめざす象徴となった。

欧州に初めてイスラームの存在が恒久的に確立されたのは、14 世紀から 15 世紀にかけて北ギリシャやブルガリアやアルバニアに移住していったトルコ人によってである。大きな役割を果たしたのがスーフィー聖者によって建てられたテッケ（修道場）である。テッケはしばしば村落共同体の中核になった。田舎ではメウレヴィー教団やベクターシュ教団のようなスーフィー教団があったので、改宗は容易であった。彼らはイスラーム思想をキリスト教ないし“異教の”信仰を持っている百姓達に伝える道を見出した。たとえばボゴミール派の農民達がその対象となった。ボゴミール派は、グノーシス主義にもとづくキリスト教の一異端説で、11 ～ 12 世紀にカトリックの南欧全土に広まって影響力を及ぼしていた。改宗は、アルバニア、ボズナイ・ヘルツェゴビナとブルガリア、特に現代のギリシャやマケドニアまで延びているロドペ山脈地帯のポマク人（ムスリムのマケドニア人）の間で最大数になった。クレタ島も同様である。しかしオスマン帝国が公式にキリスト教正教会を支持したおかげでキリスト教徒がバルカンで圧倒的多数派であり続けたため、最初、彼らは帝国のムスリム臣民以上に、19 世紀西欧に吹き荒れたナショナリズムと革命に対して懐疑的であった。1520 年から 30 年にかけて実施された調査では、バルカン住民の 19％がムスリムで、81％はキリスト教徒であり、その他少数のユダヤ人がいたという。最もムスリム人口の多いのがボズナ（ボスニア）であった（約 45％）。たいていのムスリムは都会で暮らしていた。たとえば、ソフィア（ブルガリアの首都）にはムスリム多数派が 66.4％もいた。

カトリックのハンガリーで征服の潮流が変ると共に、ギリシャやセルビアやルーマニアやブルガリアで正教会教徒のナショナリズムが勃興した。そして欧州のオスマン帝国解体によってムスリムは政治的保護を失った。オスマン帝国軍と一緒に撤退することに失敗した者の多くは虐殺されるか、強制的にキリスト教に改宗させられるかした。1878 年の露土戦争や 1912 ～ 14 年のバルカン戦争の後では多くの人が移住をした。また、第 1 次世界大戦後は、（クレタ島やドデカニソス諸島を含む）ギリシャに住んでいるムスリム・トルコ人と本土アナトリアにいるギリシャ人の間で公式の住民交換が行なわれた。クレタ島と同じくオスマン・トルコによってヴェネチアから奪われた（1571 年）キプロスは、1878 年のベルリン会議後、大英帝国の一部となった。その結果、正教会教徒の多数派がギリシャとの連邦を選ぶ（クレタ島は 1913 年にそうした）ことが妨げられ、キプロスは 1920 年の住民交換から除外された。キプロス島は 1972 年に分割された。この年トルコは軍事干渉を行ない、ナショナリスト的な軍事政権が島をギリシャに併合してしまうのを防いだ。

アルバニアは今でも文化的にはほぼムスリム（70％）の国である。アルバニアは世界で最初の正式の無神論者国家であると宣言した共産党政府による反宗教運動が長く続いた後、イス

ラームの信仰と慣習が復活しつつある。相当数のムスリム少数派がブルガリアには残っている（13%）。共産党や共産党以後の政府によるブルガリア人化運動（ムスリムの名や姓を排除することも含む）が巧みに持続され、ブルガリア系トルコ人（60 万人ほど）は大挙トルコに移住してしまっていたが。

ボズナではムスリムは人口の 45%を占めている。セルビアとムスリム・クロアチア連合との間で行なわれた内戦（1991 ～ 95 年）は、虐殺を含む残虐行為や“民族浄化”を惹き起した。NATO 空軍がこれに干渉し、1995 年のデイトン合意調印にもとづいて、ボズナは二つの国に分けられ、ムスリム・クロアチアとセルビアという国家になった。

バルカン諸国、クレタ、キプロス（1878～1912年）

バルカン諸国、
クレタ、キプロス
（1912〜13年）
1913年におけるオスマン領
1913 独立年
20°
30°
40°
ドネストル河
ブグ河
ロシア
帝国
(1917年まで)
プルート河
シレト河
ティサ河
ハンガリー
王国
モルダビア
ベッサラビア
オルト河
イズマイル
ガラツ
ルーマニア王国
ブカレスト
クラヨーバ
ドブルジア
ドナウ河
ルーマニアへ
(1913年)
黒海
ボズナ
(ボスニア)
ミトロビツァ
ベオグラード
ドリナ河
モラバ河
セルビア
王国
ニシュ
プレブナ
ブルガリア
王国
バルナ
ソフィア
ヤンボリ
ブルガス
マリツァ河
ブルガリアへ（1913年）
モンテネグロ
王国
モンテネグロへ
(1913年)
カタロ
グシニェ
ジャコビツァ
クマノボ
ユスキュブ（スコピエ）
スクタリ
(スコドラ)
ドリナ河
セルビアへ
(1913年)
バルダル河
ブルガリアへ
(1913年)
アドリアノープル
ブルガリアへ（1915年）
トラーキ
ブルガリアへ（1913年）
コンスタンチノープル
マルマラ海
デデアガク
ストルマ河
ドゥラッツォ
アルバニア
公国
1913
マケドニア
サロニカ
ギリシャへ
(1913年)
タソス島
ガリポリ
ムダンヤ
レムノス島
オスマン
帝国
ヤニナ
ラリサ
エーゲ海
エピロス
コルフ島
テッサリーア
ギリシャ王国
ミティリーニ島
(レスボス)
リヴァディア
エウボイア島
スミルナ
キーオス島
サモス島
コリント
アテネ
イオニア海
イオニア諸島
ペロポネソス半島
トリポリ
ナヴァリノ
キクラーデス諸島
ドデカネソス諸島
イタリア占領
(1912年)
ロードス島
キーテラ島
(チェリゴ)
1914年、併合
キプロス島
クレタ島
N
地中海
0
200 km
0
200 miles

バルカン諸国、クレタ、キプロス
(1920～23年)
非武装地帯
(1920～22年)
ソ 連 邦
ハンガリー
トランシルバニア
モルダビア
ベッサラビア
ルーマニア
ルーマニアへ
(1918～20年)
イズマイル
ガラツ
プロエシュティ
ブカレスト
クラヨーバ
ドブルジア
黒 海
ボイボディナ
スラボーニア
ミトロビツァ
ベオグラード
ユーゴスラビア
セルビア
ボズナ
ニシュ
モンテネグロ
カタロ
グシニエ
ジャコビツァ
クマノボ
ユスキュプ(スコピエ)
スクタリ
(スコドラ)
ドゥラッツォ
アルバニア
ブレブナ
バルナ
ブルガリア
ヤンボリ
ブルガス
ソフィア
マリツァ河
アドリアノープル
(1923年エディルネ)
ギリシャへ
(1920～22年)
コンスタンチノープル
(1923年イスタンブール)
トラーキ
マルマラ海
テデアガク
ムダンヤ
ガリポリ
アンカラ
マケドニア
サロニカ
タソス島
レムノス島
エーゲ海
ト ル コ
ヤニナ
ラリサ
エピロス
コルフ島
テッサリーア
ギリシャ
ミティリーニ島
スミルナ
エウボイア島
キーオス島
サモス島
コリント
アテネ
ペロポネソス半島
トリポリ
イオニア海
イオニア諸島
ナヴァリノ
キクラーデス諸島
ドデカネソス諸島
イタリア領
ロードス島
キプロス島
キーテラ島
(チェリゴ)
クレタ島
地 中 海
ドネストル河
ブグ河
プルート河
シレト河
オルト河
ドナウ河
モラバ河
ドゥナ河
ティサ河
バルダル河
ストルマ川
20°
30°
40°
N
0
200 km
200 miles

中国におけるムスリム少数派

▶この光塔はムスリム建築が地方固有の形態に適合し得ることを象徴している。伝統的な大伽藍などと違って、礼拝の方向を示すミフラーブ（聖龕）以外イスラーム寺院らしい造作はなにもない。

中国のムスリム共同体は、中国人女性と結婚したアラブ人やペルシャ系中央アジア人やモンゴル貿易業者の子孫であり、多くは中心地の礼拝堂周辺にひとかたまりになって小さな共同体を営んでいた。彼らの子孫は、何世紀もの間にモンゴリアや中央アジアからやってきた侵入者達の子孫と共に、回族として知られている。回族の数は、中国の2000万人のムスリムのほぼ半分を占める。中央アジアの諸共和国と境を接する地域に集中してしまいがちな他の集団と違って、彼らは全国に散らばっている。ただし、寧夏回族自治区には特別な集中が見られる。回族は民族的少数派として国家によって認められている——中国で3番目に大きい。そして宗教を理由に結び付いているとされる唯一の少数派である。その他の認められたムスリム少数派の中には、新疆省のウイグル人やカザフ人やキルギス人やウズベク人やタタール人と、元のソ連の領土内に故地を持つタジク人などがいる。

彼らはダール・ル・イスラーム（イスラームの館）の境界の外側で、ムスリム少数派として生きていく独特のやり方を発達させたが、回族はイスラームの中心地から流入する精神的潮流から隔絶しているというにはほど遠い。17世紀からスーフィズムがかなり進出してきていて、ナクシュバンディー教団やカーディリー教団やクブラーウィー教団の長老達が、中国本土全土に教団や結社の連絡網を確立していった。17世紀から19世紀にかけての動乱時代には、諸教団は雲南や山西や甘粛や新疆で起った一連のムスリム主導の叛乱を組織するのを援助した。これらの騒動の多くは、アラビアから輸入された改革思想が地方の回族共同体に与えた衝撃によって惹き起されたムスリム内部の暴力の結果であった。たとえば馬明心（1719年生まれ）は、16年間にわたってアラビアとイエメンで勉強したナクシュバンディー派のシャイフ（長老）であったが、聖者崇拝を非難した新教（ジャフリーヤ）として知られる運動を指導したのち、1781年に処刑された。1860年代と70年代には、別のナクシュバンディー派シャイフである馬化龍が叛乱を起し、清（満州）帝国を北西部から締め出し、新疆のウイグル人の叛乱に道を開いた。最近は20世紀への変り目の頃、イフワーン派（イフワーンとはアラビア語で「同胞」の意）として知られているワッハーブ派にけしかけられた改革運動が活発で、偶像崇拝とみなすことのできる慣習に反対していた。そうした慣習の中には、スーフィー聖者崇拝や中国女性の喪服着用も含めて考えられている。共産党支配下では、イフワーン派の方が、ゲディム（アラビア語のカディームに由来する。「旧〜」の意）として知られる伝統的なハナフィー派よりもより多くの国家的保護を受けている。毛沢東の文化大革命時代（1966〜76年）にはすべてのムスリム集団は迫害を受け、雲南蜂起に続いて回族大虐殺が少なくとも1回あったが、イフワーン派の国家的保護は、鄧小平登極後のより安穏な雰囲気の中で続けられている。

香港が中国人民共和国に統合されたあとは、香港島の小さなムスリム共同体も本土のいろいろな集団と関係を持つに至った。

レヴァント、1500 ～ 2002 年

オスマン・トルコおよびその配下の者が属国ないし属州として支配したエジプトと異なり、シリアやレバノン山やパレスチナを含むレヴァント地方は、地方的指導者の支配下にあって部族単位でまとまったり、民族単位でまとまったり宗教的にまとまったりするいろいろな共同体のつぎはぎ細工のままであった。レヴァント地方は、フランスと英国があやふやな民族区別にもとづいていくつかの属国に分割した 20 世紀まで、正式にはオスマン帝国スルターンに臣従していた。レヴァント地方は十字軍以来、長く西欧の文化的影響を受けやすいままであった。

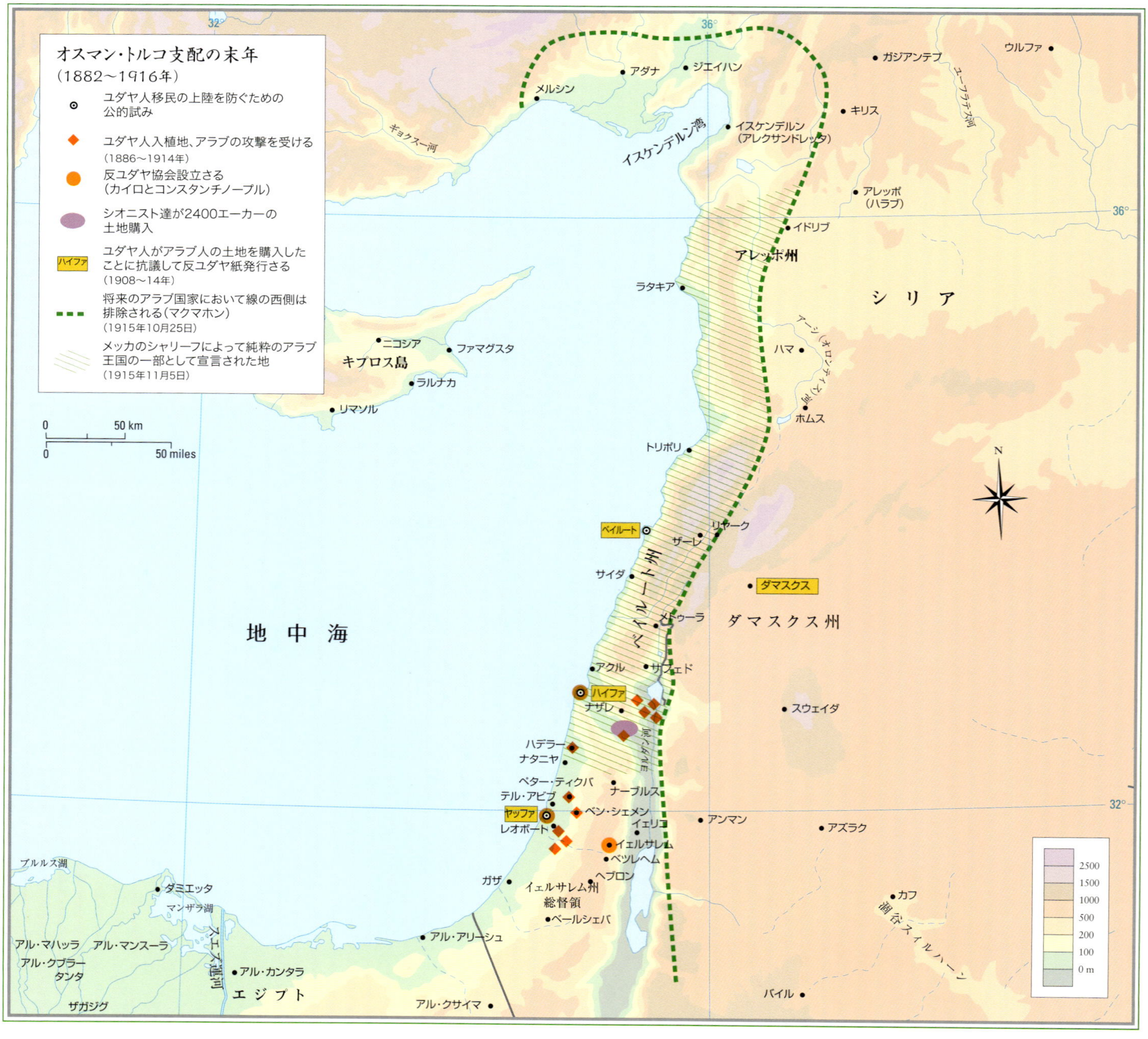

北部レバノン高原に本拠を置いたマロン派教会は、ラテン人風の儀式を採用し、ローマ法王の至上権を認めていた。ガリリー平原を見おろす位置にある南部高原は、ドルーズ派の人達にとって故地であった。ドルーズ派はシーア派の一分派であるが、他のムスリム達からは異端とみなされている。1544 年から 1697 年までマーン家が指導権を握り、1697 年から 1840 年までシハーブ家がこれに代った。その間マロン派とドルーズ派の勢力は比較的拮抗していた。オスマン・トルコの総督が両集団の利益を調整していたのである。しかしながら 18 世紀に入ってオスマン・トルコの力が衰えてくると、英仏間の競争にそそのかされて、マロン派とドルーズ派間の緊張は増大し、偏狭な敵対視が増大した。かくて 1838 年から 60 年にかけて虐殺が相

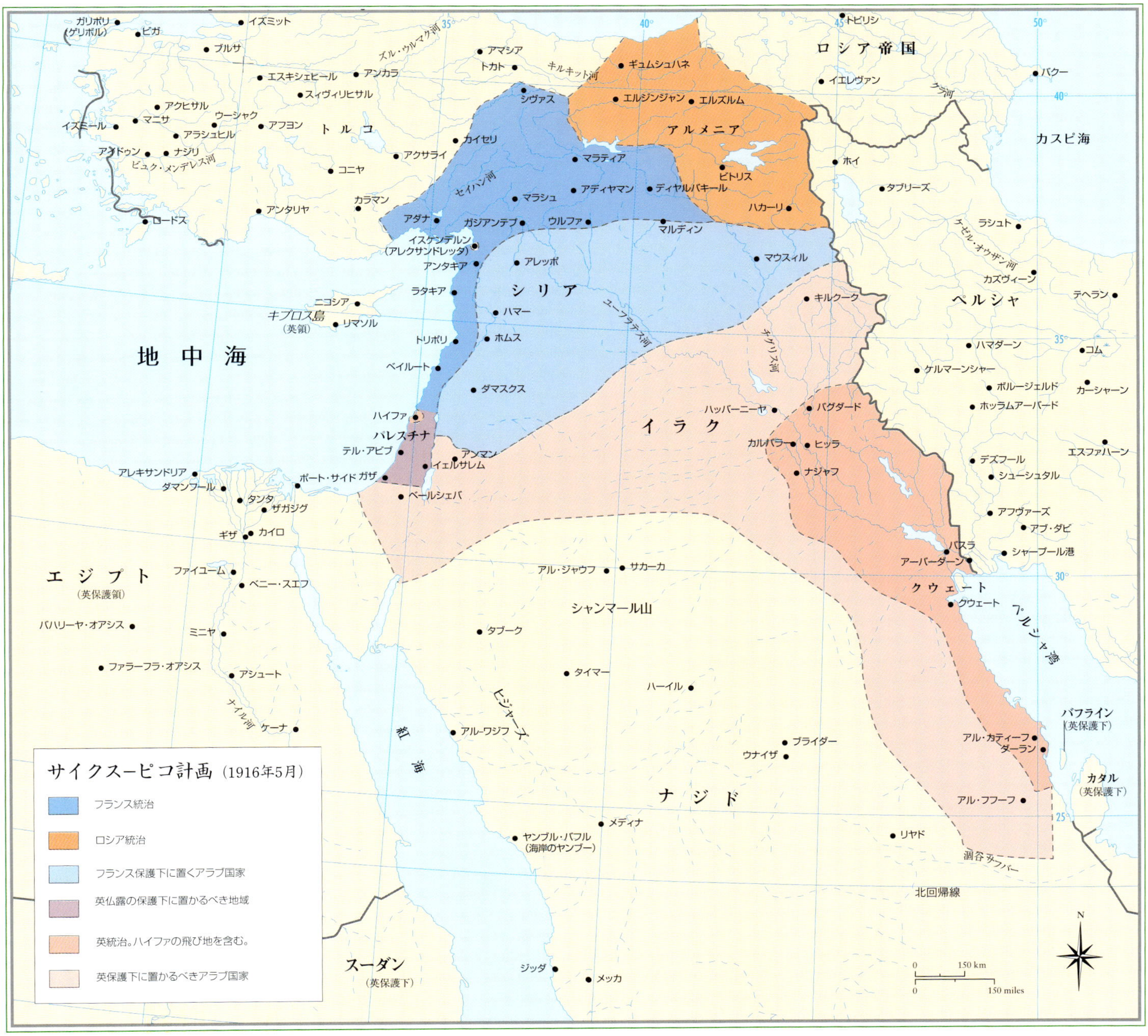

次ぎ、厳しい宗派間の闘争が続いた。

1918年にオスマン・トルコが敗北したことは、英仏の間でレヴァント地方をそれぞれの勢力圏に分割するという結果を生んだ。勝った同盟者達は、かつてのオスマン領属州から４つの植民地保護領を作り出した。すなわち、イラク、シリア、レバノンとパレスチナである。メッカの支配者の息子であり、ダマスクスに属州政府を樹てたトルコ人に対する叛乱の指導者であるファイサルを追い出してから、フランスはシリアとレバノンを直接支配した。一方英国は欧州のユダヤ人の植民地としてパレスチナを開放し、トランス・ヨルダンとイラクに属領君主国を創設した。道路網や通信網といった下部構造と共に、シリアに近代的な官僚制度を作り出した一方、フランスは民族的・宗教的分裂を強化してしまうことになるような行政管区を作り出して、国民的統合の土台を浸食してしまった。特に彼らは、ラタキア背後の山地からアラウィー派（シーア派）の新兵を徴募

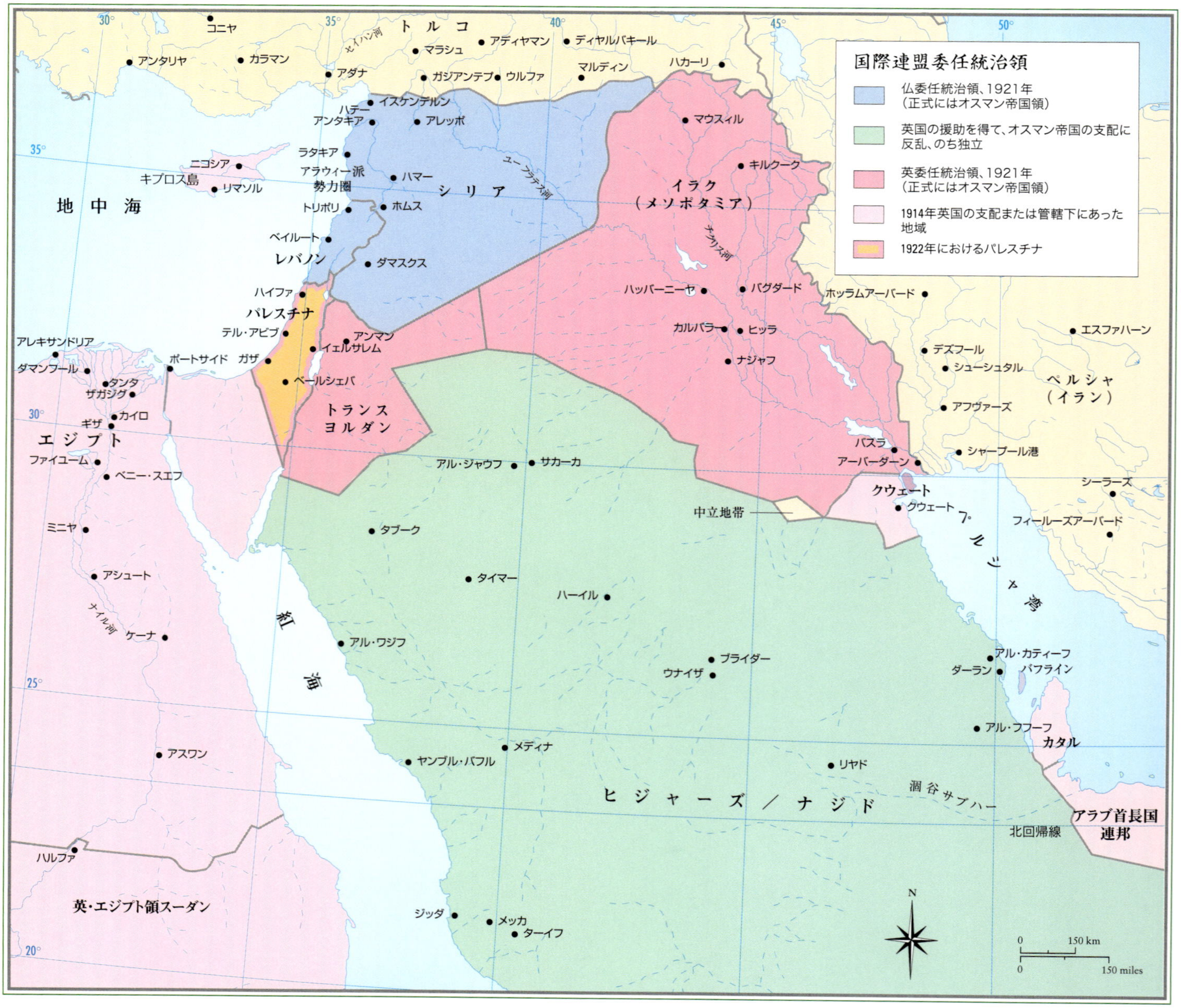

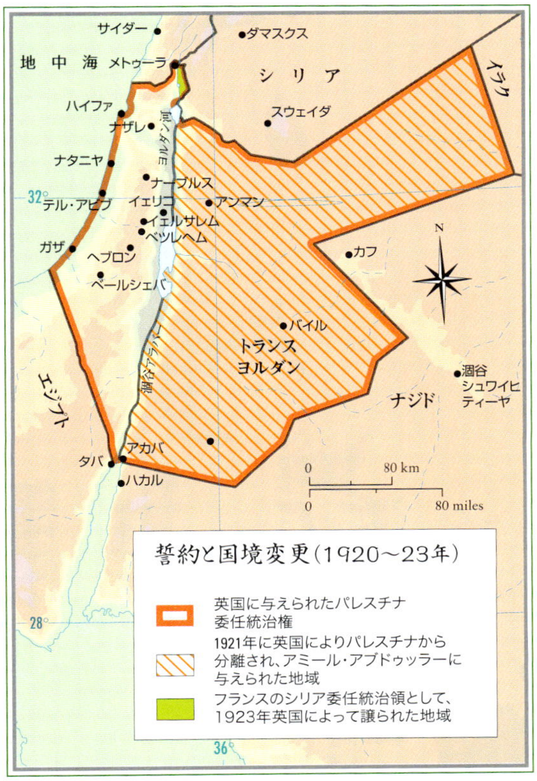

してくることを好んだ。独立後アラウィー派の人達は民族主義的なバアス党（復興党）を掌握し、自派による独裁を確立して、東欧から輸入した社会主義的な考え方と昔からのアラブ的な連帯意識とを結び付けることができた。トリポリ、シドン、ビカ渓谷や南レバノンをより小さかったオスマン領属州に付け加えることによってフランスが拡大したレバノンは、スンニー派からシーア派までかなりの数のムスリムの割合を増やすことになった。オスマン・トルコの先例に基礎を置いて、彼らは憲法を制定した。憲法によって権力は主要な宗教集団の間で分割されたが、最高権力は人口統計上の変化にもかかわらず軍最高司令官と大統領職を通じてマロン派の人間が握り続けた。宗派分布に従って権力を分割するやり方は、1943 年の国民協約によっても再確認された。このことが独立後の統治の基礎を確立した。この制度はわずかばかりの平和をもたらしたが、国民統合を妨げる作用ももたらした。1970 年代、パレスチナ人がイスラエルを攻撃するためにレバノンの領土を使用した時、それに対するイスラエルの報復は、広範囲な内戦（1975 〜 82 年）と宗派別分裂をレバノンにもたらした。レバノンは敵対し合うキリスト教徒、シーア派、スンニー派やドルーズ派の民兵が支配する地帯に断片化した。この混乱は、1982 年にパレスチナ人を追い出して、イスラエルと組むマロン派政権を樹立しようとしたイスラエルの侵攻によって複雑化した。パレスチナ解放機構（ＰＬＯ）をレバノンの根拠地から追い出すという点では、イスラエルの目的は達成されたわけであるが、この侵攻がもたらした主だった結果は、事実上のシリアの覇権確立であり、シリアとイランに支援されたシーア派のヒズブッラー（神様党）の台頭であった。イスラエルにとってはシリアやイランの方がパレスチナ人よりも影響力のある敵であった。イスラエルによる南レバノン占領は費用がかさみ無駄であることが分かり、怒った政府は 2002 年に一方的に撤退を敢行した。

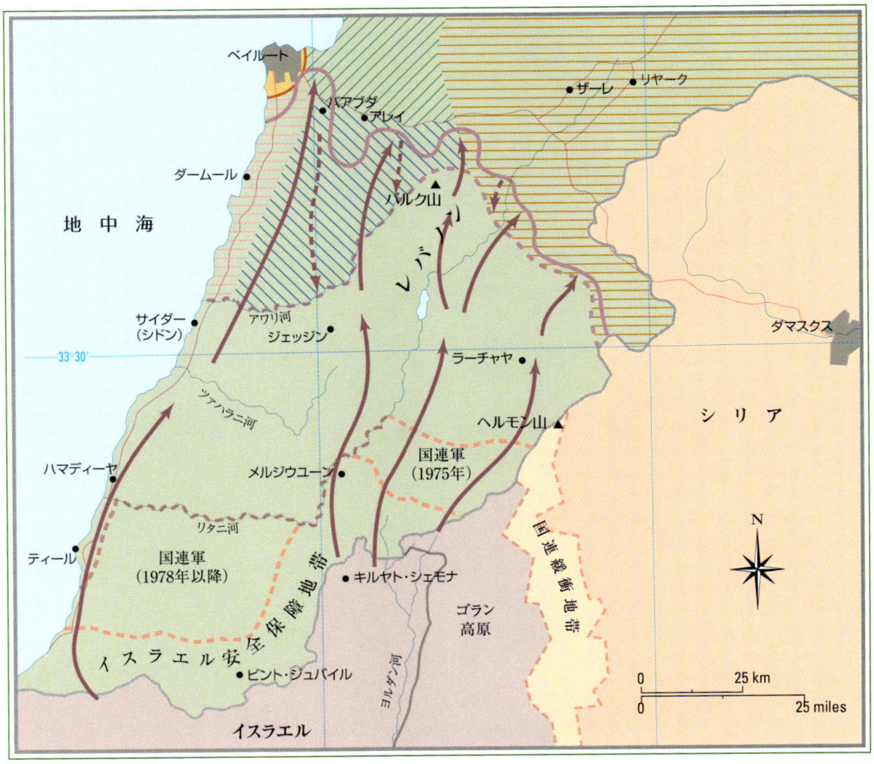

傑出した旅行家達

◆イブン・バットゥータはモルディブ群島で1年以上暮した。そこでちょっと迷ったがカーディー（裁判官）の職を引き受けた。彼は人々のことを「正直で敬虔」であるとみなしたが、婦人が上半身裸であることを問題視していた。

メッカ巡礼は旅行記という豊饒な分野を生み出した。巡礼者達は日記をつけたり、自らの話を書き取らせたりして、食物から建築物に至るまであらゆる事柄について魅力的な細部を我々に提供してくれた。

最も興味深い記述のひとつがナーセル・ホスロウ（1004～1072年頃）の『サファルナーメ』（旅の書）である。彼はイランの哲学者であり詩人であり、ニーシャープール、レイ、ヴァン湖、アレッポやイェルサレムを経由してカイロまで旅をした。彼はカイロを基点として中央アジアに帰還する前に2度、メッカ巡礼を果した。帰国する時は、ファーティマ朝のイマーム・カリフであるアル・ムスタンスィル（在位1036～94年）のために働くイスマアイール派の主席ダーイー（宣教者）としてであった。バルフ市で説教している時スンニー派の群衆に攻撃されたので（たぶんセルジューク朝の官吏にそそのかされた群衆であろう）、彼は西パミールのバダフシャーンに逃避した。彼はそこでイスマアイール派君主の庇護を受け、余生を過した。パミール（東アフガニスタンと元タジキスタン・ソヴィエト共和国の自治区ゴルノ・バダフシャーン地区）におけるイスマアイール派の人達は、彼を開祖として崇めている。地方伝承によれば、彼は人々をイスマアイール派に改宗させたばかりか、彼らのすべての村々に名前を付けていって、お互い離れている所でも聖別したという（同様にしてアイルランドの守護聖人が、メイヨー、ティペラリ、アントリムやアーマーのように離れた土地を結び付けた）。彼の詩は漂泊の身の孤独を反映したものであるが、彼の哲学的著作の合理的性格は、この地域を1920年に接収した共産主義者でさえ受容できるものだった。彼は今なおタジキスタンの国民的英雄であり続けている。

ナーセルが彼の著書の中で描いたカイロは、賢明かつ公正な行政の見本である。職人達は充分な報酬を受け取り、その分を製品の品質向上にまわした。兵士達も規則正しく給料を受け取っていたので、農民達を苦しめることもその分少なかった。法官達も良い給料を得ていたので、公正さが保障され、庶民は腐敗や不正から免れた。ナーセルの記述によると、客をだましてつかまった商人は、「駱駝に乗せて手に鈴を持たされ、市中を引き廻される。彼は鈴を鳴らしながらこう叫ぶ。“私は悪いことをしてしまいました。そしてそのとがめを受けております。嘘をつく者は誰でも公衆の面前で恥かしめられるのです”と。」

巡礼記のアラビア語版はリフラ（旅行記）と呼ばれる。この分野はアンダルシアの人イブン・ジュバイル（1145～1217年）によって案出された。彼は、1183年にグラナダを出発してメッカに至った2年間に及ぶ旅行体験を記したことで有名である。メッカで９カ月間過したのち、彼はムスリムにとっての聖地をあとにし、イラクおよびアクル（アッコ）経由で帰国しようとした。彼はアクルでシチリア行きのジェノバ船に乗った。ところがその船がメッシーナ海峡で難破してしまった。幸い生き残れた彼はトラーパニ港で別の船に乗り、1185年４月、無事にグラナダに帰り着いた。イブン・ジュバイルの記述は、彼が通過した国々や都市に関する豊富な情報を提供しており、十字軍や地中海の航海事情や、当時の政治・社会状況に関する貴重な情報源である。それは他の人が書いた物語のよき手本となった。とりわけイブン・バットゥータのリフラに与えた影響は重要である。

モロッコ出身のイブン・バットゥータ（1304～1370年頃）はムスリム旅行家中最大の人物と言われ、彼の旅は故郷のタンジールから中国やサハラ以南のアフリカに至るものであった。イブン・バットゥータは彼の旅行中、少なくとも６回はメッカ巡礼を果している。彼の旅行記の初期の部分は旅行記というジャンルにふさわしいものである。ところが旅が先に進むに従って彼の本はより包括的なものになってくる。知られている世界に関する無比の叙述へと発展してくるのである。有名な旅行記を残したマルコ・ポーロの場合と同じく、イブン・バットゥータ自身が筆を執ったのではなく、協力者であるグラナダの学者イブン・ジュザイイ（1321～1356年頃）に口述内容を筆記してもらった。イブン・ジュザイイはフェスの王アブー・イナーン（在位1349～58年）の勅令により、イブン・バットゥータの話を書き取った。この本が書かれるまでに旅行記《リフラ》というジャンルは、教育のある人達の間で充分に確立していた。問題が起こ

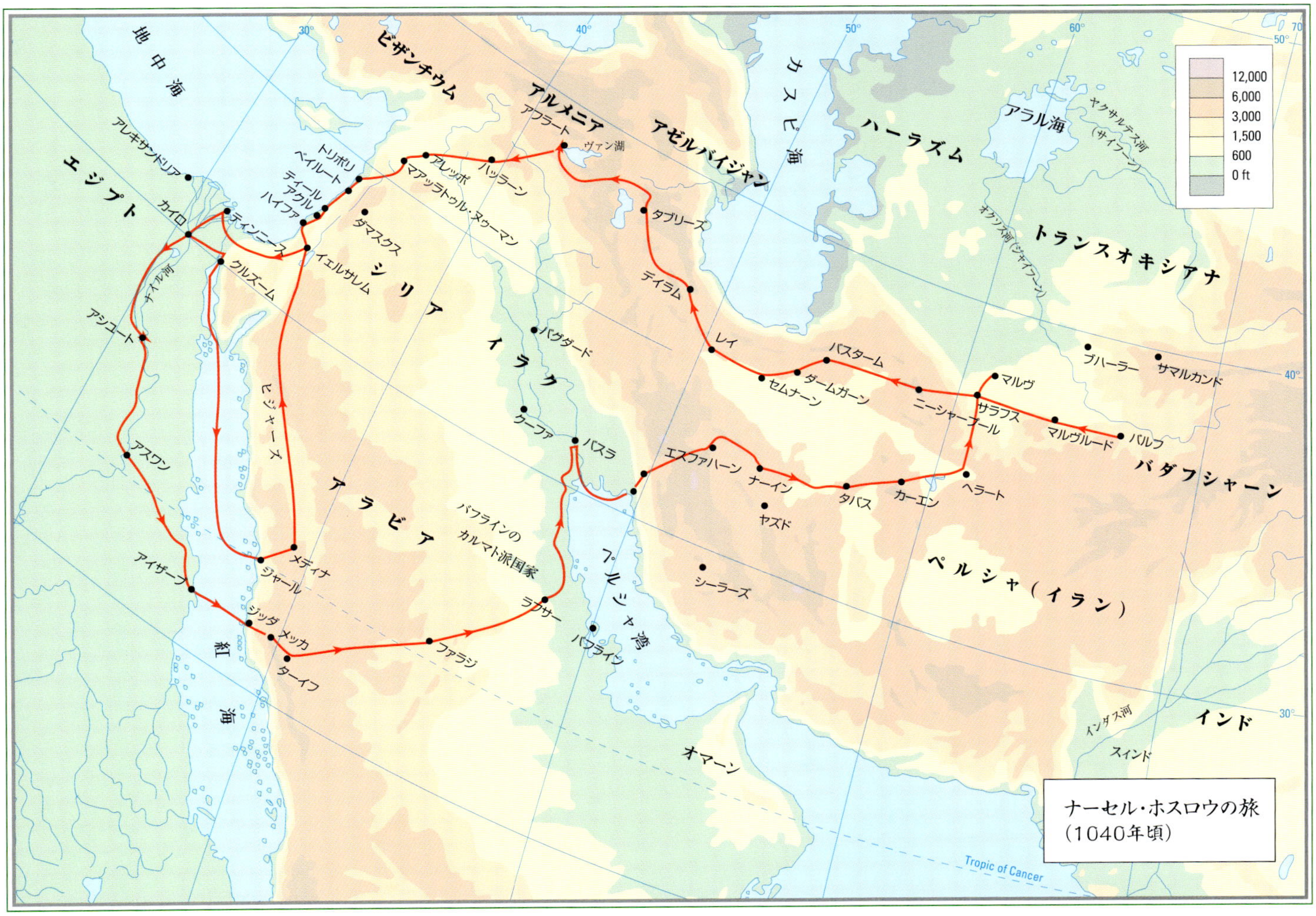

ナーセル・ホスロウの旅（1040年頃）

る（他の旅行記の場合でもたいていそうだが）のは、イブン・バットゥータの記述のいくつかに信憑性が疑われる部分があることである。現代の学者は次のように推測している。すなわち、イブン・ジュザイイは、口述された本来の内容はもっと普通の内容だったのに、幻想的な傾向を助長するように意図的に誇張したのかも知れないというのだ。また、イブン・ジュザイイは文体上の理由からイブン・バットゥータの旅程を配列し直している。しかし学者があら捜しをしても、稀代の偉大な旅行家としてのイブン・バットゥータの名声を減ずることはできない。彼の時代の世界について後代に渡した情報の豊かさは比類のないものである。すべての偉大な旅行家と同じく、彼の観察は、彼が旅した国々についてと同じほど、彼自身の社交世界について多くを語っている。彼は細部に至るまで鋭い観察眼を持っていた。彼の好奇心は読者を表面的な外観の裏へ連れて行く。すべての文章が豊富な問いかけによって下支えされている。曰く、「シナの異教徒たちは豚や犬の肉を食べ、彼らの市場でもそれらの肉を販売している。彼（シナのイスラム教徒たち）は生活にゆとりがあり、富裕な生活をしているが、食事と着るものにはあまり関心を払わない。つまり、あなたが実際に見て分かることだが、彼らのうち、算定できないほど莫大な財産を所有した大商人であっても、一枚の粗末な木綿の上着を着ている〔だけである〕。」（家島彦一訳『大旅行記』7、平凡社、17～18頁）ムスリム社会との対照が暗黙のうちに語られている。ムスリム社会では、織物は高価なものであり、公衆の面前で着ている物は富と社会的地位の重要な目印なのである。マリ王国でイブン・バットゥータは、アフリカ人の敬虔さ、とりわけコーランを暗記しようとする熱心さを讃嘆している。曰く、彼らは「子

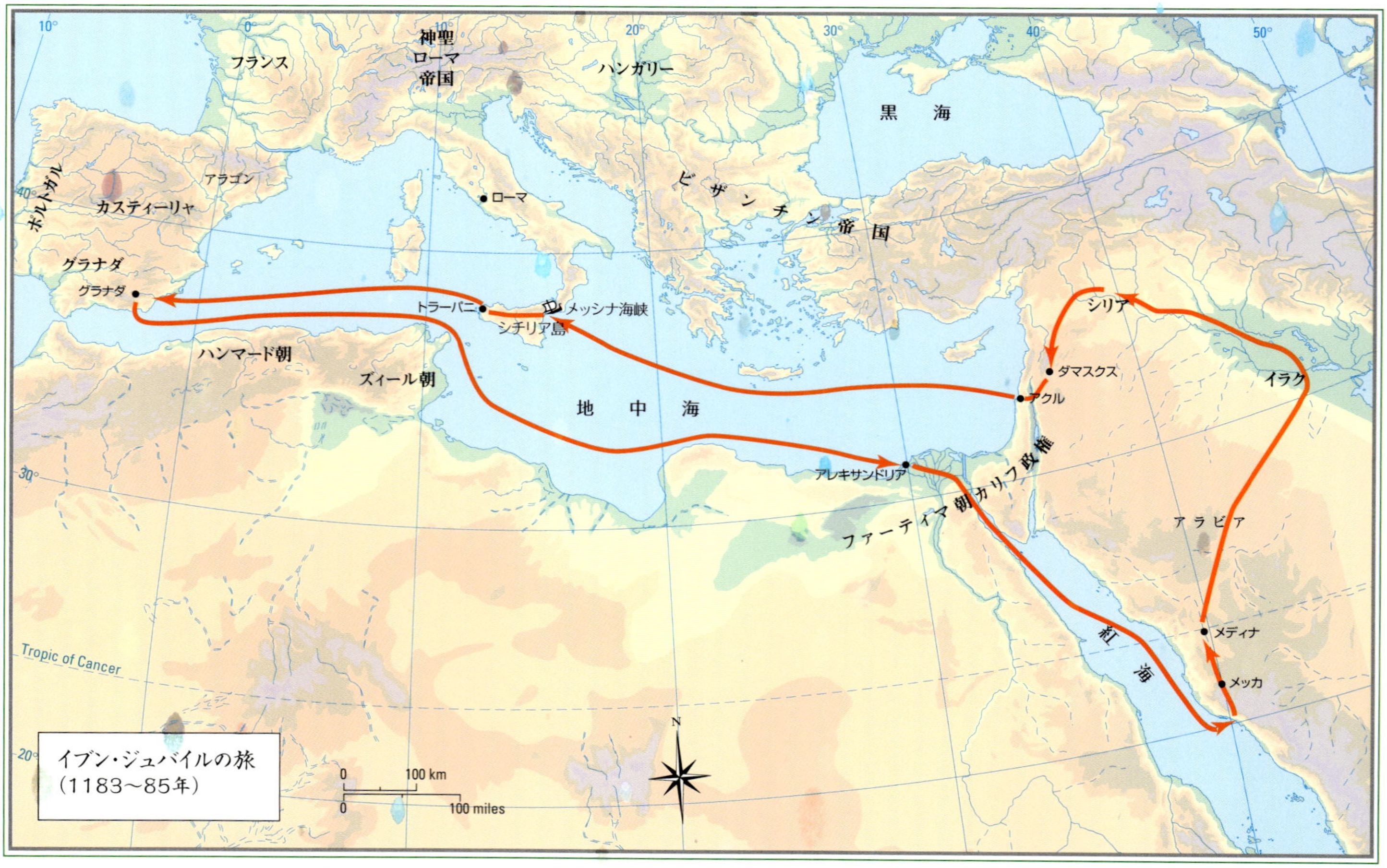

イブン・ジュバイルの旅
（1183～85年）

供たちがその暗誦を怠ったことが明らかになれば、子供たちに足枷を付け、暗記するまでは決して足枷を解いてやらない」と。しかしながら彼は、彼らの食物や女が着物を身に纏わないのを承認しない。曰く、「女たちが顔に覆いをせず、裸のままスルタンの部屋に入ってくることがある。スルタンの〔皇室の〕娘たちもまた、全裸である。……彼らの多くが腐肉、犬やロバ〔の肉〕を食べること〔など〕も悪しき行為である」と。（家島彦一訳『大旅行記』8、57～58頁）

◀アストロラーベ（天体観測器）の構造。この12世紀の図解はメッカの方向を定めようとしたものである。ムスリム礼拝者にとって大変重要なことである。

19 世紀のエジプトとスーダンにおける英国

◭チャールズ・ジョージ・ゴードン将軍（1833 ～ 85）は、5ヶ月続いた包囲ののちハルトゥームの総督邸の階段で、マフディー軍によって殺された。彼の死は英国民からはキリスト教徒殉教という風にみなされた。1898 年、キッチナーがスーダンを再征服し、仇討を果たした。このヴィクトリア時代風の絵はロウエス・ディッケンソンの描いたもの。画題は「ゴードン最後の姿」。

英国のエジプト支配は、近代化を推進したムハンマド・アリーとその５代目の子孫イスマアイール・パシャ（在位 1863 ～ 79 年）の政権と共に始まった。ムハンマド・アリーは公式にはオスマン帝国のエジプト総督であったが、事実上の独立君主であった。イスマアイール・パシャは情熱的な欧州びいきであった。彼の経済発展計画――鉄道、電信、スエズ運河敷設（1869 年開通）を含む――は野心的で、国家財政の破綻と外国人が管理する財政を押しつけられるという結果を生んだ。ウラマーや大地主層や報道関係者および汎イスラーム主義の活動家ジャマールッディーン・アフガーニー（1839 ～ 97 年）などに支持された一団のエジプト出身将校達が、債務管理政権に反対していた。彼らは陸軍省を乗っ取り、“叛乱軍の”大臣アラービー・パシャのもとに議会制内閣を組閣せしめた。英国首相グラッドストーンは、アレクサンドリアを爆撃し、軍隊を上陸させて、テル・エル・ケビールの戦いでアラービー軍を敗った。政府財政の手綱をとった英国駐在武官イヴリン・ベアリング（のちのクローマー卿）のもとで、エジプト経済は能率的に管理されていたが、もちろん大英帝国の利益のためであった。農業生産性は向上し、ナイルの水流を管制するため多くの堰が設けられ、鉄道網は拡張された。輸出用の綿花生産量は増大したが、英国は競争を奨励するような結果になることを惧れて、工業化を制限した。

エジプトがスーダンに進出することは 1820 年代に始まった。ムハンマド・アリーが、アフリカにエジプト人の帝国を造ろうという彼の試みの一環として、フンジュ・スルターン国を滅ぼした時である。1830 年白ナイルのハルトゥームに新しく要塞化された首都が建てられた。地方の召集兵士やエジプト人の軍隊を指揮するために欧州人の将校を使いながら、ムハンマド・アリーの後継者達は、上ナイルや赤道地方に領土を拡大していった。エジプトやオスマン帝国で適用されていた行政改革の諸原則に則って行動しつつ、エジプト人達は、国家による貿易独占を押し付けた――奴隷捕獲は国家の仕事になった。また彼らはオスマン・トルコ公式のハナフィー派教義にもとづいて法的手続を標準化した。このことは地方のスーフィー教団の力を弱めると同時に、地方のウラマー（マーリク派）の権威を削ぐものであった。逆説的であるが、またこのことが、サンマーニー教団やハトミー教団を含む改革主義者の教団拡大を助けた。彼らは、18 世紀以来改革主義的な精神が強烈であったヒジャーズから帰ってくる巡礼者達によって鼓舞されたのである。

1850 年代にエジプトの国家による独占が廃されると、欧州人達はアラビア糊や駝鳥の羽毛、象牙などの貿易を引き継ぐべくスーダンに入り始め、地方の商業に損害を与えた。英国の圧力下、政府は奴隷貿易を廃止する協定に調印した（1877 年）。続いて起った民衆の怒りは、ムハンマド・アフマドによって起こされた大叛乱の中で燃え上った。ムハンマド・アフ

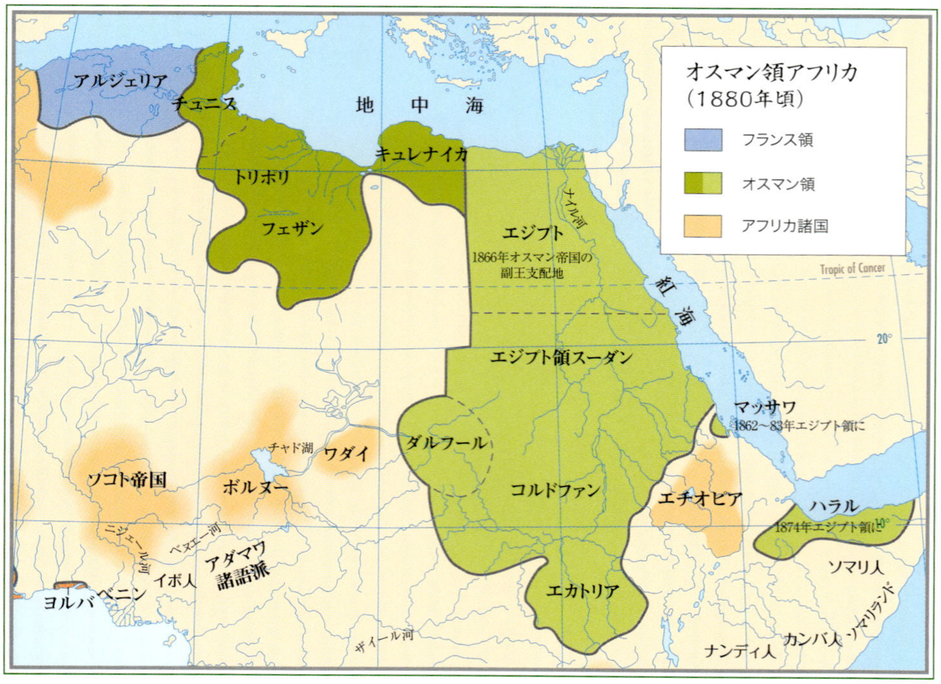

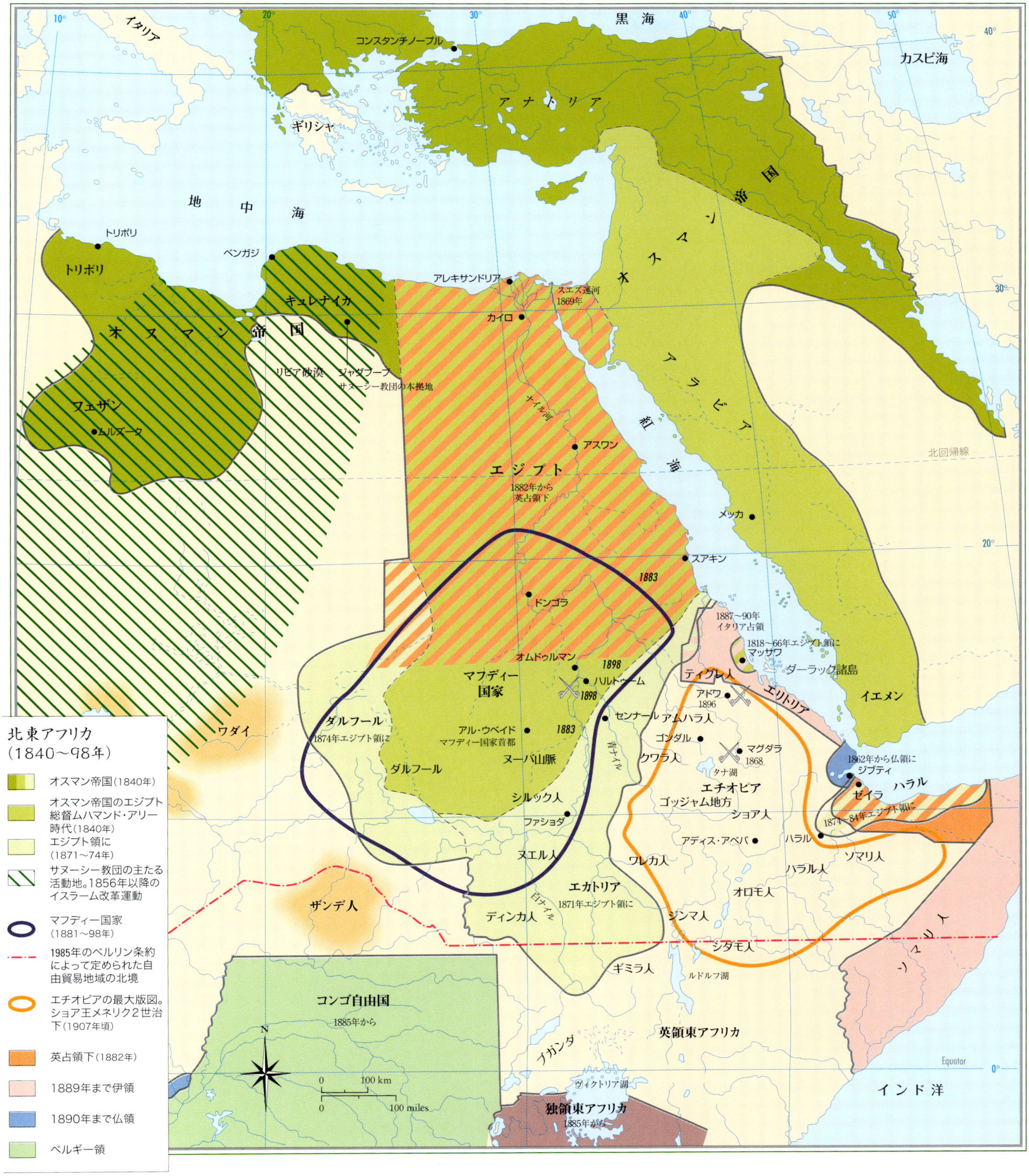

北東アフリカ
（1840〜98年）
オスマン帝国（1840年）
オスマン帝国のエジプト総督ムハマンド・アリー時代（1840年）
エジプト領に（1871〜74年）
サヌーシー教団の主たる活動地。1856年以降のイスラーム改革運動
マファディー国家（1881〜98年）
1985年のベルリン条約によって定められた自由貿易地域の北境
エチオピアの最大版図。ショア王メネリク２世治下（1907年頃）
英占領下（1882年）
1889年まで伊領
1890年まで仏領
ベルギー領
黒海
カスピ海
イタリア
コンスタンチノープル
アナトリア
ギリシャ
地中海
トリポリ
ベンガジ
キュレナイカ
オスマン帝国
リビア砂漠
ジャグブーブ
サヌーシー教団の本拠地
フェザン
ムルズーク
アレキサンドリア
スエズ運河
1869年
カイロ
ナイル河
アスワン
エジプト
1882年から
英占領下
オスマン帝国
アラビア
紅海
北回帰線
メッカ
スアキン
1883
ドンゴラ
1887〜90年
イタリア占領
1818〜66年エジプト領に
マッサワ
ダーラック諸島
オムドゥルマン
1898
マフディー
国家
ハルトゥーム
1898
ティグレ人
アドワ
1896
エリトリア
イエメン
ダルフール
1874年エジプト領に
ワダイ
アル・ウベイド
マフディー国家首都
1883
センナール
アムハラ人
ゴンダル
マグダラ
1868
クワラ人
タナ湖
ダルフール
ヌーバ山脈
青ナイル
エチオピア
1862年から仏領に
ジブティ
ハラル
ゼイラ
ゴッジャム地方
シルック人
ショア人
ファショダ
1874〜84年エジプト領に
アディス・アベバ
ハラル
ソマリ人
ヌエル人
ワレカ人
ハラル人
エカトリア
オロモ人
ザンデ人
白ナイル
1871年エジプト領に
ディンカ人
ジンマ人
シダモ人
ソマリア
ギミラ人
ルドルフ湖
コンゴ自由国
1885年から
英領東アフリカ
ブガンダ
Equator
インド洋
ヴィクトリア湖
独領東アフリカ
1885年から
100 km
100 miles
N

マドはサンマーニー教団の長老であり、敬虔さゆえに大いなる名声を享受していた。彼は自らをマフディー（ムスリムの救世主：ヒジュラ暦13世紀、すなわち1882年11月に再臨なされると広く期待されたた）であると宣言した。彼は牧牛をなりわいとするバッカーラ人を“異教徒の”トルコ・エジプト政府に対抗して立ち上らせた。ヒックス・パシャ麾下の8000名の兵士をシェイハンの戦いで壊滅させ、マフディーはさらにオムドゥルマンやハルトゥームを取るべく軍を進めた。ゴードン将軍（駐屯軍を撤退させよという彼の命令を聞かなかった）はハルトゥームで総督邸の階段で殺された。この事件は、ヴィクトリア朝期の英国人に復讐を渇望させた。マフディーはハルトゥームに凱旋して6カ月後、おそらくチフスで病死した。彼の後継者カリフのアブドゥッラーヒ・アッタイシーのもとで、運動はヌーバ山地やバフル・ル・ガザル地方などの南方へ向って拡大していった。これはヌエル人、ディンカ人その他を含む非ムスリムの多くの精霊信仰者《アニミスト》達を彼らの勢力圏の中に引き込み、未来の紛争の種を蒔くことになった。

フランスも帝国主義的野心を抱いている戦略的に微妙な地域において、英国勢力に挑戦し屈辱を与えつつも、マフディー国家は運命の日を迎えねばならなかった。1898年、5万人から成るカリフ軍は、ハーバート・ホレイシオ・キッチナー将軍に指揮された英・エジプト軍によって惨殺された。カリフ軍の槍や旧式のライフル銃は、キッチナーが装甲蒸気船の小艦隊でナイル河を運んできた新式のガットリング砲の前では歯が立たなかった。

マフディー軍が敗北した結果、英・エジプト共同管理のもとで、半世紀以上、英国が支配者となった。マフディーの以前の支持者――アンサールとして知られる。ムハンマドのメディナにおける“援助者”にちなんだ呼称であろう――達は“平和的な”ジハード路線を採用し、都市地域に勢力を伸ばした。1944年、マフディーの息子のサイイド・アブドゥッラフマーンがウンマ党を創設した。彼らは親英的であったが、一方で独立に向って運動していた。ハトミー教団はアンサールの勢力に対抗するため、エジプトとの併合に好意的な民主統一党を創設した。1952年のエジプト革命後、併合は圧倒的に否定されてしまったが、二つの宗教に基礎を置いた政党間の厳しい対立関係は続いた。そしてこのことが、イブラーヒーム・アッブド（在位1954～64年）の、のちにはジャアファル・ヌマイリー（在位1969～85年）の軍事政権への道を開いた。最初ヌマイリーは、ムスリムの多い北部と圧倒的に非ムスリム（キリスト教徒や精霊信仰者《アニミスト》）の多い南部との分裂を、バフル・ル・ガザルや赤道地帯や上ナイル地方に限定的な自治権を与えることによって解決しようとした。ところが、ヌマイリーは1983年になって急に方向転換を図り、全面的にイスラーム化運動をやることになった。彼は、国民イスラーム戦線（ムスリム同胞団のスーダン版）の指導者ハサヌル・トゥラービーの支持を得た。ひどく不安定になって1985年に顛覆されてしまったが、イスラーム化計画は、トゥラービーの支持を得て1989年に権力を掌握したウマル・ル・バシール将軍のもとで継続された。イスラーム法にもとづく刑罰に従わせられる非ムスリム住民をイスラーム化・アラブ化しようとするトゥラービーの強要は、南部人の間でいやます抵抗を喚び起した。多くの人間が、ガラング大佐に率いられに参加したり、これを支持したりした。南北間のこの闘争、アフリカで最も長く続いているこの内戦は、指導的な歴史家によって次のように描写されている。曰く、「大虐殺規模の内乱………住民を飢えさせたり、移住を強いることを含む戦術」（イラ・ラピダス『イスラーム社会の歴史』第2版、ケンブリッジ、2002、768頁）。ヌエル人やディンカ人のようにアフリカ土着の宗教を固守する人達は、強制改宗を余儀なくされてきた。バシール将軍は国民イスラーム戦線の計画を用いた。スーフィー（神秘主義的）同胞団に支配された伝統的な諸政党の力を破砕するために、軍隊や官庁の上層部にいる非イスラーム主義者を処刑したり追放することも計画表に含まれていた。10年間独裁政治を行ない、トゥラービーは自身の目的に奉仕した。1999年、“宮廷クーデター”において、彼は将軍に追放された。

ベルリン会議後のアフリカ
(1885年)
英領
仏領
オスマン領
ポルトガル領
スペイン領
ドイツ領
アフリカ諸国
自由貿易地域の境界
(ベルリン条約)1885年
ポルトガル
スペイン
アルジェ
タンジール
オラン
チュニス
チュニス
1881年保護領
マデイラ諸島
モロッコ
フェス
アルジェリア
征服さる
1871～90年
トリポリ
地中海
トリポリ
オスマン帝国の州
キュレナイカ
アレキサンドリア
カイロ
エジプト
総督州
1882年英国占領
ナイル川
紅海
アラビア
イフニ
スペイン領に
カナリア諸島
フェザン
オスマン帝国の州
ムルズーク
リオ・デ・オロ地方
1884年スペイン保護領に
アスワン
渓谷ハルファ
北回帰線
サハラ砂漠
セネガンビア
サン・ルイ
ダカール
ケーズ
ガンビア
ポルトガル領
ギニア
トンブクトゥ
ヤテンガ
ワガドゥグ
グルマ
セグー
サモリ帝国を
仏が討伐作戦
マンプルシ
ダゴンバ
ソコト・カリフ政権
ソコト
カノ
ブッサ
ボルヌー
クカ
チャド湖
カネム
ワダイ
バギルミ
ダルフール
エル・ファシェル
オベイド
マフディー領
1881～98年
ベルベル
1884年マフディー派領に
マレウェ
1885年マフディー派領に
ハルトゥーム
1885年マフディー派領に
センナール
ゴンダル
マッサワ
1885年伊領に
アサブ
伊領
オボク
英領ソマリランド
1884～85年英保護領に
エチオピア
ハラル
1875～85年エジプト領に
1881～1907年頃
メネリク2世治下征服さる
フリータウン
シエラ・レオネ
モンロビア
リベリア
象牙海岸
アシャンティ
黄金海岸
ロメ
ポルト・ノボ
ラゴス
ベニン
ベヌエ川
ヨラ
アダマーワ高原
ラービフ
帝国
ザンデ人
エカトリア
ドゥアーラ
1884年ドイツ領に
クリビ
フェルナンド・ポー島
サン・トメ・
プリンシペ
リオ・ムニ
リーブルビル
ガボン
ウバンギ川
コンゴ自由国家
ブニヨロ王国
ブガンダ
ヴィクトリア湖
赤道
ブラザビル
レオポルドビル
コンゴ川
ウィーツ
1885～90年ドイツ保護領に
モンバサ
ペンバ島
ザンジバル島
ドイツ領
東アフリカ
タンガニーカ湖
南大西洋
カビンダ
1886～91年ポルトガル領に
アンブリーシュ
ルアンダ
ルバ王国
ルンダ王国
カゼンベ
王国
アルダブラ諸島
コモロ諸島
ニアサ湖
ベンゲラ
アンゴラ
モサメデス
ザンベジ河
ロジ王国
テーテ
モザンビーク
マタベレ
帝国
タナナリーボ
マダガスカル
1885年フランス保護領
独領
南西アフリカ
ツワナ人
ベイラ
ウォルビスバイ
1885年
ドイツ保護領に
リンポポ河
南アフリカ
共和国
ポルトガル領
東アフリカ
南回帰線
ボツワナ
リューデリッツ
1883年ドイツ領に
ヨハネスブルク
オレンジ河
オレンジ
自由州
ズールーランド
バストランド
ナタール
ダーバン
インド洋
ケープ・コロニー
ケープタウン
500 km
500 miles
N

北アフリカと西アフリカにおけるフランス

フランスによる北西アフリカ征服が真剣に始められるようになったのは、1830年のことである。復位したブルボン王家の君主シャルル10世が、羊毛貿易による長期の利益を狙うマルセイユ商人の支持を得て、アルジェリアに侵攻した。フランスがアルジェやその他の沿岸都市を占領した際、欧州人がオスマン帝国に代って権力を握ったことは、カーディリー教団の首長の息子であったアブドゥル・カディールの抵抗運動を喚起した。カディールはモロッコのスルターンと同盟を結んで戦った。1844年のイスリーの戦いにおいてモロッコ軍がトマ・ロベール・ビュジョー将軍に敗北を喫したことによって、フランスによる植民地化への道が開かれた。ビュジョーは、果樹園や作物、すべての村落を破壊し、多くの人間を殺戮して、何千もの人々を飢えるがままに放置した。広大な土地が接収され、アラブ人やベルベル人の代りにフランス人やその他の欧州人植民者がその主人となった。フランスに対する叛乱は19世紀を通じて何度か起り、その最大のものは1871年の叛乱であったが、鎮圧された。アルジェリア沿岸地方の肥沃な土地に対する植民地化は20世紀に入っても続けられた。1940年までに、欧州人植民者はざっと270万ヘクタールを所有するようになった。

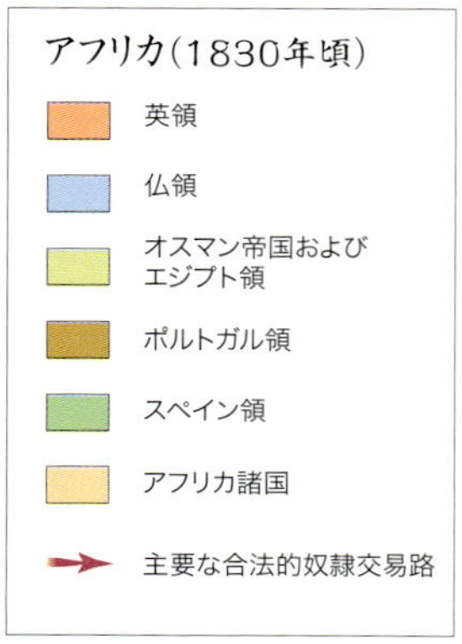

可耕地の35～40%を占める割合であり、ワイン(ムスリムには禁じられている飲物)が最大の輸出品であった。

文化的破壊は広範囲に及んだ。伝統的なイスラーム学院は廃止されるか、歳入を押さえられた。それらはフランス語学校にとって代られたと考えられるが、その恩恵に浴せるのはアルジェリア人ムスリムの中でも少数であった。柔順な代行者を通じて帝国を支配することを好んだ英国とは異なり、フランスは同化政策を持っていた。その適用は限られていたが、同化政策は、フランス文明と結び付いた少数だがフランスびいきの選良を生み出した。1920年代および30年代、アブドゥル・ハミード・ブン・バディス(ベン・バディス)のまわりに集まったイスラーム改革主義者や、メッサリ・ハッジに鼓吹されたアラブ民族主義者達と結びついた民族主義運動が地盤を得、充分に成長した独立戦争の種を蒔きつつあった。それは1950年代後期になって勃発し、ソヴィエト圏やエジプトやその他のアラブ諸国に支持された。1958年、フランス人植民者による独立反対運動が第四共和制政府を倒してしまい、ド・ゴール将軍がフランスの権力を握った。しかしながら、植民者達の期待とはうらはらに、ド・ゴールはアルジェリアの独立を認めた。エヴィアンにおける長い交渉のすえに、フランスは、1962年にアルジェリアの独立主権を認めた。だがフランスとアルジェリア間の経済的・社会的・政治的結びつきは緊密なままであった。FLN(民族解放戦線。これが独立交渉に当たった)が、フランス政府にとって代ったが、アラビア語やベルベル語話者の多数派の上に君臨する親仏少数派の準植民者的政権だった。1991年12月、総選挙で勝ったイスラーム救国戦線(FIS)が権力を握るのを阻止するため軍隊が介入した。その後に起った内戦の中で10万人を越えるアルジェリア人が命を失った。これは一部には西欧的価値を認める親仏派選良と、より高い文化的正当性を有すると主張しているイスラーム主義者との間の闘争を表わしたものとも言える。

アルジェリアにおけるフランスの植民地主義的野心は隣りのチュニジアに広がっていった。ここはオスマン・トルコの自治州であったが、1881年以降、フランスは進んでそのあとを引き継いだ。1945 年までに 14 万 4000 人の欧州人が植民して可耕地の５分の１を占領した。しかしこれらの植民者達は、アルジェリアの場合と違って、それほど強力な自国の圧力団体を作らなかった。第２次世界大戦後は、インドシナ戦争に敗れて、フランスは 1956 年にチュニジアの独立を承認した。行政府による統制と植民地化のあとにフランスの経済的進出が続いたのと同じ形態が、モロッコにおいても見られた。重要な違いは、モロッコでは 17 世紀にムーレイ・シャリーフ（預言者の末裔であると主張）が創始した王朝治下で行なわれていたムスリムの統治組織としての地位をそのまま保持していたことである。シャリーフと同時代のイランの支配者がそうであったように、モロッコのスルターンは、軍隊に給料を支払うための財源が不足していた。この状況は、彼の最も価値ある商品のひとつ、砂糖の生産がカナリア諸島やアメリカで農園栽培が発達するにつれ、欧州人の手に委ねられるようになって特にそうであった。反抗的な部族に対して覇権を維持するために、スルターンは関税収入を抵当に入れて、フランスの銀行から莫大な借金をした。これに怒ったウラマー達の間で叛乱が起ると、フランスは直接介入に踏み切り、1912 年に保護領条約を押しつけた（一部はスペインの委任統治下に置かれた）。モロッコの土地は欧州人でも買えるようになった。欧州人達は、1953 年までに百万ヘクタール、すなわち作地の 10％と果樹園や葡萄園の 25％を管理するようになった（欧州人は全人口のわずか１％にしかならないのに）。しかしアルジェリアやチュニジアの場合と異なり、モロッコの場合は、王朝が独立運動を指導できる立場に身を置くことができた。1953 年、スルターン・ムハンマド５世が二重主権の体制を拒絶して流刑に処せられた時、フランスは彼を英雄にしてしまった。大衆抗議と暴動が発生し、フランスは 1956 年に独立を認め、スルターンを帰国させた。王朝はスルターン・ムハンマドの孫ムハンマド６世のもとで統治権を保持し続けた。

民族主義的叛乱の後に植民地征服が続くという図式は、アフリカのフランス帝国の他の部分において、よりきびしくない形で繰り返された。そこではフランスは経済的野心は持っていたが、持っている植民地的権益は少なかった。その主要な経済的権益は落花生、木材、棕櫚油のような換金作物の生産を刺激することであった。フランスは税金を現金で徴収し、バナナ、ココア、コーヒー農園で強制労働を課した。彼らは鉄道を敷設し、内陸から大西洋沿岸まで物資を輸送できるようにした。そのためサハラを越えて駱駝を使う昔ながらの輸送方法は衰微してしまった。レヴァント地方のアラブ人やギリシャ人や東南アジア人とのアフリカの交易は、土台をつきくずされてしまい、フランスの植民地における小売りが後を引き継いだ。アフリカ人の教育は放置された。フランス帝国のアフリカ人のうちわずかに３％だけが学校に行くことができた。にもかかわらず少数の親仏的選良は養成され、独立後権力の座にのぼることになる。1958 年ド・ゴールは、フランスのアフリカ植民地に対して二者択一の選択を迫った。すなわち、直接独立国家を作るか、フランス経済共同体の中で自治政府を持つかのどちらかである。ギニアのみが直接的な独立を選んだ（経済発展が深刻に損われるという意味で高くつく決定）。西アフリカに残っているフランスの属国群は、1960 年代中に完全な独立を獲得した。

巡礼の発展とその他の巡礼地

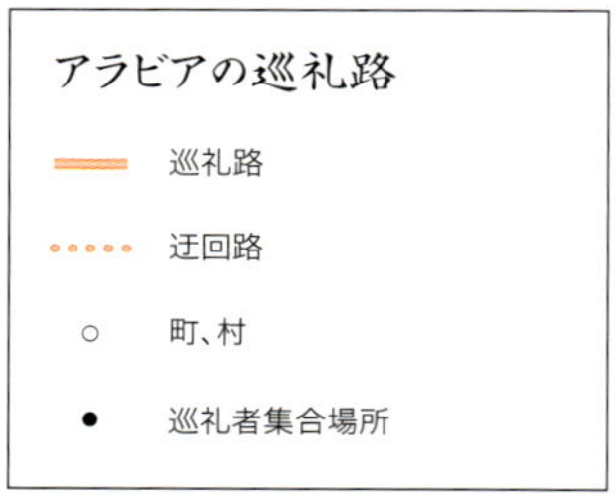

ハッジ（巡礼）はすべてのムスリムが生涯に１度は行なわねばならぬとされている宗教的義務であり、五柱のひとつに数えられている。今日この義務の履行は航空機を利用することによって比較的容易に達成できる。ジッダ空港の巡礼者用発着場——数エーカーにわたって広がる天幕のような形をしている——は、世界中のどの空港よりも一度に収容できる人数が多い。ジッダ空港は海外から毎年約百万人の巡礼客を惹きつける。また同じくらいの人数がサウディ・アラビア国内（サウディ人も外国人居住者も）からやってくる。海外からやってくる巡礼者の約半数はアラブ世界からである。35％はアジアから、10％はサハラ以南のアフリカから、そして５％は欧州および西半球からである。

巡礼という儀式の起源は曖昧である。632年の崩御寸前、ムハンマドはメッカおよびその近傍にある残存宗団を襲い、それらを刷新した。その刷新された巡礼は数日間におよぶものとなり、メッカの聖域中心部にある神殿カアバのまわりを廻るタワーフ（歩き廻ること）を含む。サーイすなわちサファーとマルクの丘を儀式的に駆け足で往復することも含まれる。一日をアラファートの平野で過さねばならない。ムズダリファを経る突進——現在では大勢の人や車が混み合う。ミナーで悪魔を表わすジャムラという塔のひとつに石を投げつける。多神教時代の巡礼を刷新する中で、ムハンマドは、黒石を取り囲む一連の太陽の影響を受ける儀式や雨乞いやその他の儀式に違った方向づけを与えたのかもしれない。神秘的な“天の岩”あるいは隕石がカアバ神殿の南東隅に置かれているが、これはアラブ民族の神話上の先祖アブラハム（イブラーヒーム）と彼の息子イシュマエル（イスマアイール）に啓示された唯一神信仰のためのものである。巡礼最後の儀式は、羊の犠牲を捧げることである。羊はアブラハムの息子の代りにアッラーが嘉納された動物である。ムスリム世界全土で祝われるイード・ル・アドハー（犠牲祭）がこれで、これに合わせてムスリム達は、各家庭で動物犠牲を捧げる。ウムラ（小巡礼）の対象はカアバをめぐる聖域だけに限られ、１年のうちいつでもよく、あるいはハッジと連係して行なわれてもよい。

前近代においては、巡礼の旅はすこぶる難儀なものであった。特に遠隔の辺境からの旅は大変だったであろう。イスラームの“五柱”のひとつを完全に遂行するためには、一生のうちの多くの年数を費やさねばならなかった——全生涯をかけてさえ行なわれることもあった。都市のように途方もなく大きい隊商が移動する時はアミール・ル・ハッジ（巡礼司令官）が指揮していたが、シリアやエジプトやイラクから進発した。隊商の指揮者は、戦場における将軍に匹敵する存在だった。実際、彼らの主要な任務は、略奪行為を行なう遊牧民やサウディのワッハービー運動に参加している部族民達の襲撃から巡礼者達を守ることであった。ワッハーブ派の人達は非ワッハーブ派の人間を異教徒とみなしていたのである。1184年に巡礼を果たしたイブン・ジュバイルは、アラファート平原に設営されたイラク人隊商の指揮者の天幕のことを、“城壁都市”か“難攻不落の要塞”になぞらえている。その“要塞”には、“四つの高い門”があって、その門を通って入口の間や狭い通路へと入っていくのである。19世紀に入って、植民地主義の保護のもとで蒸気船航海時代が到来すると、特殊な巡礼貯蓄組合の出現とあいまって、前産業時代にはこの宗教的義務を果すことなど決して望み得なかったベンガル、マラヤやオランダ領東インド等のような僻地に住む何千人もの庶民にも、巡礼が手の届くものとなった。

巡礼者の数が増えたことによる副次的災厄は一連のコレラ発生事件であった。1865年、ジャワとシンガポールで発生した疫病は、巡礼――巡礼月は5月であった――が終る前の9万人の巡礼者のうちの1万5000人を犠牲にしたと数えられている。翌月、病気はアレキサンドリアにまで広がり、ここでは6万人のエジプト人が死亡した。11月までに病気はニューヨークにまで蔓延していた。検疫制限がオスマン政府によって導入され、植民地政府はエジプトと欧州を感染から保護する措置をとった。しかしコレラは依然として東洋やヒジャーズ地方で猛威をふるい続けた。ヒジャーズでは1865年から1892年までの間に8つの流行病があった。最悪だったのは1893年に発生したもので、20万人のうち3万3000人の巡礼者がジッダ、メッカ、メディナで死亡した。流行病は1912年まで続いた。この年までに厳しい検疫規則が最終的に施行されるようになった。19世紀末や20世紀初頭のこの恐怖と比べれば、2000年にアラファートで起った火事で主にインドネシア人の巡礼者が400人以上死んだ事件のような最近の災害は小さなものに見える。

大半ではないが多くの巡礼者が、メディナにある預言者の礼拝堂を訪れて、ハッジを補足する。ここにはムハンマドの家族や妻達や名だたる教友達が埋葬されているのだ。1925年、清教徒的なサウディのワッハーブ派運動のあおりで、墓の目印になる構造物はすべて均《な》らされてしまった。ズィヤーラ（参詣。墓を訪れたり祈ったりすること）は厳格に制限された。ワッハービー派の考え方によれば、ズィヤーラは聖者崇拝やシルク（偶像崇拝）につながるのだという。こういう考え方は他のスンニー派共同体と共有されているわけではない。上記の制限は、ワッハーブ主義の敵意に満ちた反シーア派的傾向の一側面を示すものである。そういう傾

メッカ市街図

1 ジルワール地区
2 門の区域
3 連絡網区域
4 小市場地区
5 駱駝舎区域
6 小巡礼門区域
7 香料供給区域
8 水供給区域
9 厠区域
10 天幕群
11 駱駝乗場
12 洗浄所区域
13 ソロモンの区域
14 王子用区域
15 鍛冶屋区域
16 富者通り
17 貧民区域
18 大シャリーフ、アウヌッラフィーク（1882～1905年）の宮殿。父親のムハマンド・ブン・アウンが建てた。
19 大シャリーフ、アブドゥッラーの宮殿、アウヌッラフィークの兄である。

20 産院区域
21 宝石市場区域
22 告訴者区域
23 マルワ山
24 アル・マーサ
25 石の通り（ズカークル・ハジャル）
26 ファーティマ誕生の地
27 拾得物管理区域
28 サファー山
29 ジアード地区（この区域にはエジプトの神秘主義教団の建物や新政府の建物がある。
30 主な衛兵所
31 ヒジャーズ総督邸、警察署等
32 学院。今日では、スバイダ送水路委員会事務所・招祷者長事務所などとして使われている。
33 聖貯水池。送水路と連結した大きな貯水池である。
34 裁判所と法官宿舎
35 アブー・ターリブ（預言者のおじ）の墓
36 送水路と連結した水場
37 サイイド・アキールの墓
38 聖者シーク・マフムードの墓
39 クキヤーン山
40 礼拝所地区
41 送水路で送られた水の給水所。今では、全ての主要な通りに給水所が設けられている。
A ベドウィンの天幕

向は1801年にサウディ・ワッハーブ派がイラクにあるナジャフのアリー廟やカルバラーのフサイン廟などシーア派・イマームの聖廟を攻撃したことでも明らかである。しかし、イマーム達やその末裔達の聖廟へのズィヤーラ（参詣）は、大衆のシーア主義にとって大事な一側面となっている。こうしたズィヤーラのいくつかは一年中いつ行っても良いものであるが、その他のズィヤーラはムスリムの暦の上で特定の時を選んで行なわれる。たとえばマシュハドにあるイマーム・レザー廟への参詣はズル・カアダ月に行なうのが良いとされている。ズィヤーラは特に女性の間で盛んに行なわれている。たとえば、カイロのザイナブ（イマーム・アリーの娘）廟や、ダマスクスにあるルカイヤ（イマーム・フサインの娘）廟などがその対象となる。カルバラーのフサイン廟は木曜日の夜に訪れる場所である。しかし特にアーシューラー（フ

サイン殉教の日）の祭日に当っては、全世界からやってきた何千というシーア派の人々が、フサインを埋葬した聖廟に集まってくる。その他のムスリム聖者にも、その聖性が国民的ないし地域的アイデンティティと結びついた聖廟がある。それらのうち最も有名なのは、モロッコのフェスにあるムーレイ・イドリース（イドリース朝の創始者）廟とセネガルのアマドゥ・バンバ（1850頃～1927年）廟である。

拡大する諸都市

バグダード

アッバース朝第２代カリフ、アブー・ジャアファル・ル・マンスールによって762年に建設された都市である。バグダード市は最初チグリス河の西岸に建てられた。

新都の公式の名はマディーナトゥッサラーム（平安の都）であったが、バグダードはそれを取り囲む円形の城壁ゆえに、円形都市として知られていた。カリフの宮殿と大礼拝堂が中心に位置し、四つの道路がそこから放射状に伸びていた。宮殿の上には緑色の穹窿が聳え立っており、高さはほぼ50ｍであった。騎馬像がその上に乗っていた。バクダードが元の城壁を越えて徐々に拡大していくと、チグリス河東岸に達し、東西両岸は舟の橋で結ばれた。東岸地区はルサーファと呼ばれた。

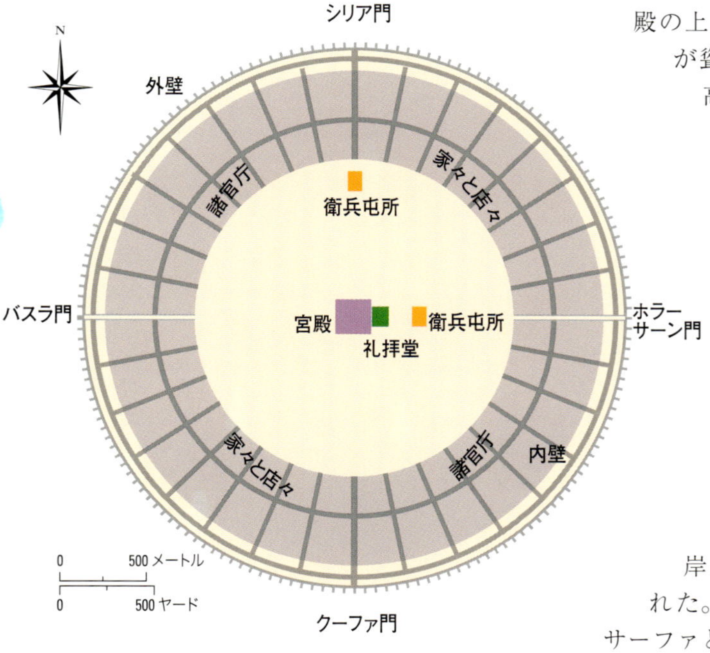

バグダードが経済的繁栄と文化的な力の絶頂を極めたのは８世紀から９世紀にかけてのことである。カリフのアル・マフディーやハールーヌッラシードの御代、バグダードは、アジアと欧州を結ぶ東西交易路の要衝に立っていた。そのみごとな建築物や美麗な庭園群によって、世界で最も富んだ美しい都という評判を得た。

９世紀後半、アッバース朝カリフの権力は内戦に至る内紛によって弱まっていた。13世紀に蒙古軍がバグダードに侵攻してきた時に、時のカリフは何千人もの臣下と共に殺されてしまった。全地区が略奪と火災によって破壊された。市と庭園群が依存していた灌漑網が破壊され、この都の衰微に拍車をかけた。1534年にオスマン帝国の一部に編入されるまで、バグダードは数世紀間、荒れるがままに放置されていた。

適切な規模で改善の兆しが見えるようになったのは、学校や病院の建物が建てられるようになった20世紀初頭のことである。1970年代の石油ブームは累増する富をバクダードにもたらした。それからバグダードはかなりの規模で発展し始め、中産階級の居住区も付け加わった。新しい下水管と水道網が敷設され、地上では高速道路網や新しい空港が建設された。12の橋が東西両岸地区を結びつけていたが、その多くは2003年の米軍爆撃によって破壊された。共和国橋《ジュムフーリーヤ》の一端にある左岸のタフリール広場は現在の市の中心部であり、そこから主要道路が放射状にのびている。

サッダーム・フサインの独裁政権下、多くの大記念建造物が建てられた。それらの中には、サッダーム・フサインの前腕を模した巨大な青銅製の悪名高き“凱旋門”も含まれる。最近の記念碑芸術の中でとても印象的な作品例は、イラン・イラク戦争（1980～1988年）の死者を祀った殉教《シャヒード》者記念碑である。イスマアイール・フッターフの意匠によるもので、垂直に二つに切り分けられた玉葱型の大穹窿《ドーム》から成っており、伝統的な青の陶製タイルで仕上げられている。こうした記念構造物はさておき、バグダードに付け加えられるべき改善は戦争によって停止してしまった。まず1980年代のイランとの戦争、湾岸戦争――イラクのクウェート侵略に続いて起った――とその後国連によって課せられた制裁。衰微に拍車がかけられるという物語の大きな例外は、大統領宮殿である。高い壁や塀に取り囲まれた広大な敷地にいくつも建物が建っており、その中にサッダームの贅美をこらした来賓用の居宅が人工湖の傍らに立っている。2003年の米軍による軍事作戦によってイラクのバアス党政権が排除される前は、国連の兵器査察官がこれらの敷地に入ることが、政権と連合国の間の主たる争いの種であった。

カイロ

カイロはアラビア語のアル・カーヒラが訛ったものである。カーヒル（カーヒラの男性形）は勝利者、征服者という意味で、異彩を放った将軍ジャウハルッシキッリーが建設した都にこの名が冠せられたのである。スラヴ出身のシチリア人奴隷から成り上ったジャウハルは、主のファーティマ朝カリフ、アル・ムイッズの命により、969年エジプトを征服した。以前の征服者同様、彼も彼の軍隊の駐屯地として市の北にあるフスタートを確保した。エジプトを642年に征服したアラブ人によって建てられた軍営都市がフスタートである。ファーティマ朝の都として宮殿や学院や世界最古の大学アル・アズハルを含む礼拝堂があった。カイロはジャウハルによって970年に建設された。マムルーク朝のアミール（司令官）達が何百という礼拝堂や墓廟や旅館、宿泊所、病院やその他の公共建築を建ててカイロを飾った。それらの独特の装飾様式は、ギザのピラミッドと同じくムカッタム（カイロ東方の丘）の石灰石を利用するものであった（場合によってはピラミッドの外壁を使っているものもある）。アイユーブ朝のサラーフッディーン（いわゆるサラディン）は、ファーティマ朝が崩壊するとその後を継ぎ、南方に壮大な城砦を築いた。19世紀の改革派専制君主ムハンマド・アリーがここにオスマン朝様式の大礼拝堂を建立した。この礼拝堂は今も旧市街を臨む位置に立っている。

ナイル河東岸にあってピラミッドに向い合う大事な場所に、最も古く建てられたのはバビロン（現在のミスル・ル・カディーマ）であった。バビロンは、重要なナイル渡河《とか》を守るために、紀元前525年に侵入ペルシャ軍が築いた要塞である。都は徐々に北方へ移

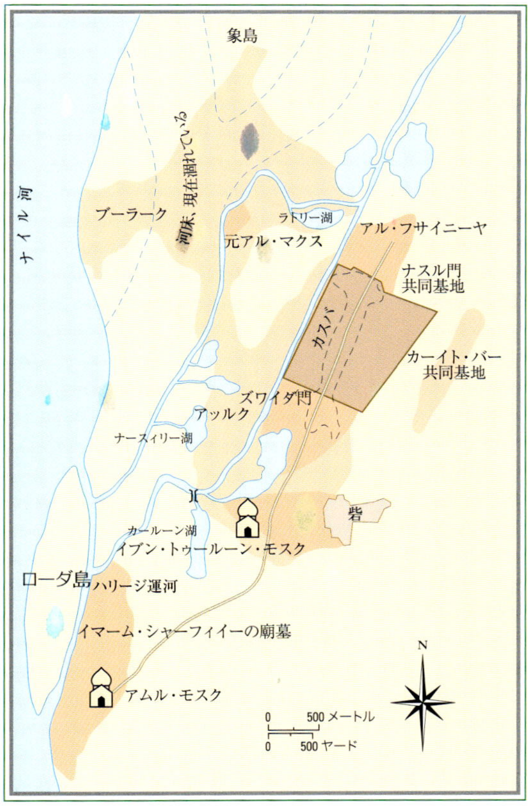

スルターン・アンナースィル時代のカイロ

人口稠密な城壁内都市
城壁外の人口の多い区域
入植用新開地
道路
壁

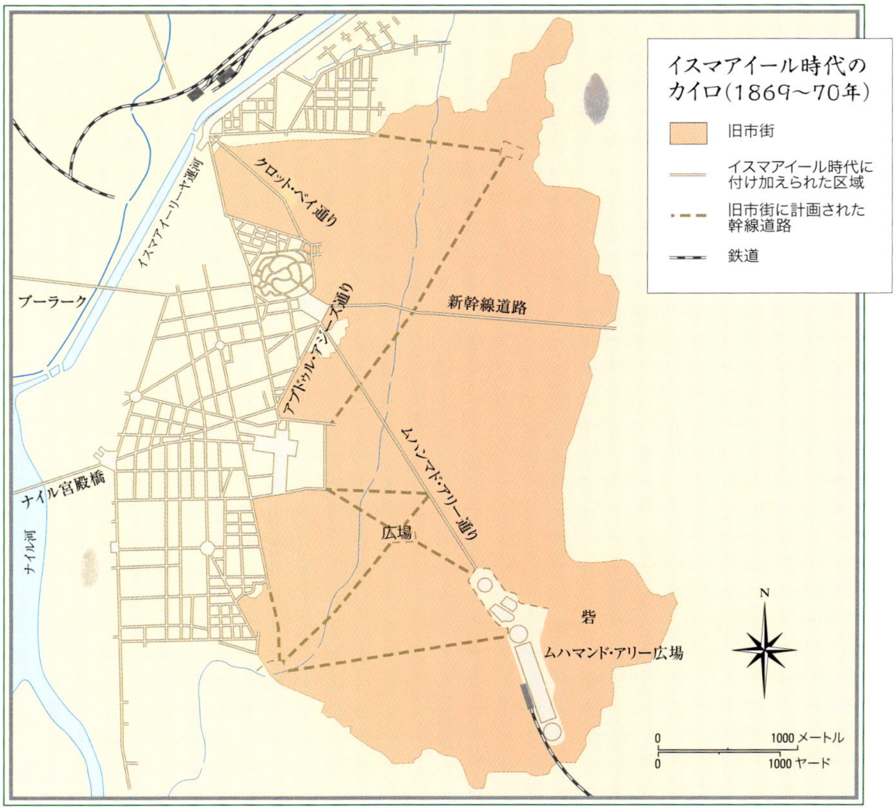

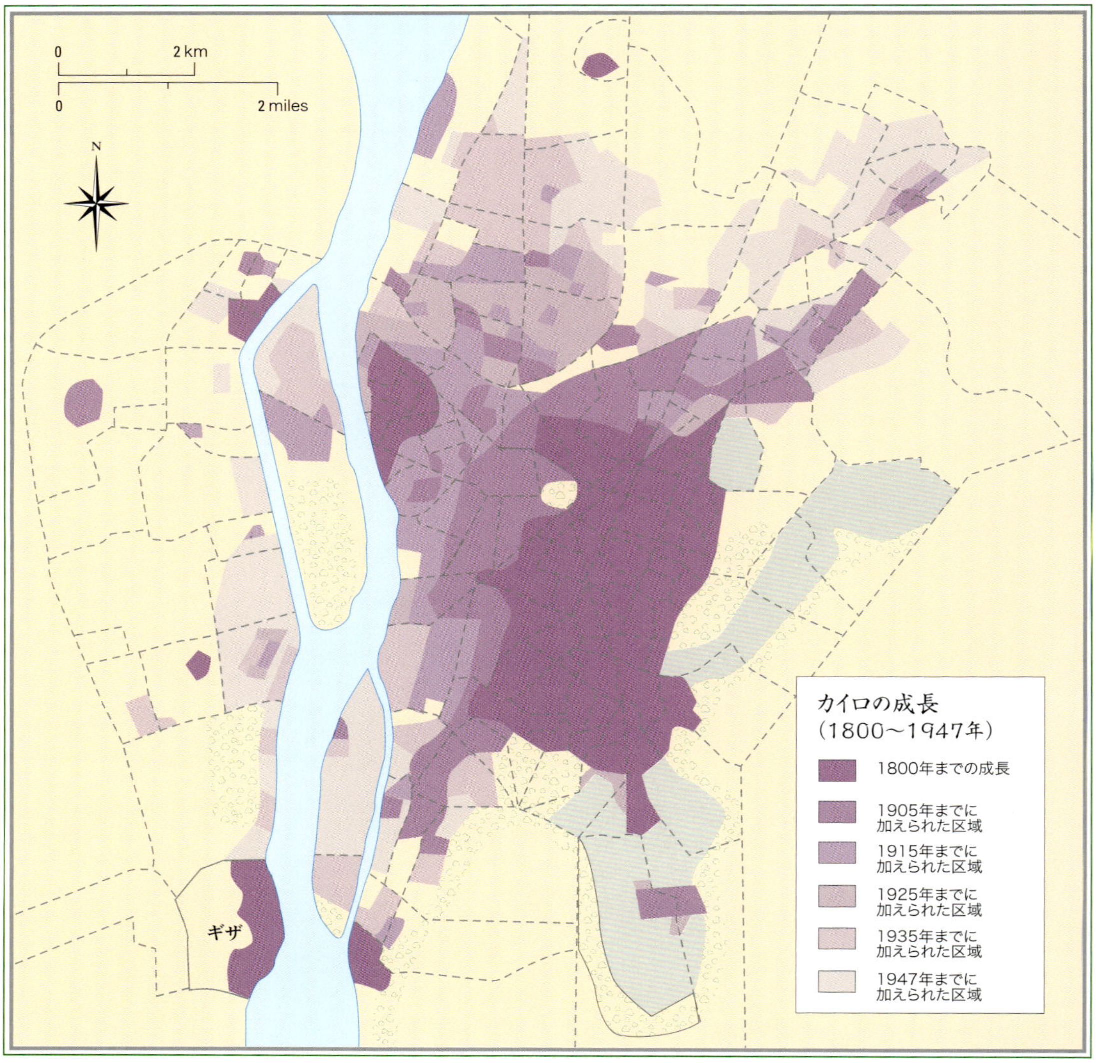

動していった（砂漠の郊外にヘリオポリスを建設することによって、移動は20世紀に入っても続いた）が、優勢な北風の影響もあって、微風に乗って南方の糞の臭いや焼けたごみが運ばれてくるからである。19世紀以前には、都の西方への拡大は、ナイル河の氾濫原によって制限されていた。マムルーク朝のアミール（司令官）達やオスマン朝の王子達が棕櫚の木を植えた広大な庭園を持つ洗練された宮殿を建てていった一方で、庶民の大半は、アル・カーヒラの中世的な城壁の内側に閉じこめられ、迷路のような街路に沿って暮らしていた。素晴らしい大通りと円形広場を持った欧州様式の都市は1860年代に設計され、オスマン男爵により再設計されたパリを意識的に模倣したものである。洪水管理が改善され、河の堤防や二つの大きな島ラウダとゲジーラが安定してくると、都は河を越えてギザやインババの方向へ拡大していけるようになった。このことが近代のカイロ（人口1,800万〜2,000万人）を世界最大の巨大都市のひとつとしている。

タシュケント

1991年にソ連邦が崩壊するまでは、230万人の人口を擁するタシュケントは、モスクワ、レニングラード、キエフに次いで、ソヴィエト第4の大都市であった。その大半は1966年の地震で破壊され、9万5,000軒の家屋が倒壊し、30万人の住民（人口の1/3に相当）が宿無しにさせられたという。市はソヴィエトの模範都市として再建された。広い大通りを有し、水が吹き出す噴水のある公共空間も広く、コンクリート建ての事務所やアパートが立ち並び、国際的な近代都市に生まれ変った。もちろん、伝統的なウズベク風の意匠や屋根付き街路、外に向って開いた露台を持つ画廊や寄せ木細工とか羽目板も見られる。広々とした公園があり、近代的な地下鉄が走っている。ウズベキスタンが 1992 年に独立すると、人口の半分を形成していたロシア人は、週に 700 人の割合で去っていったと報告されている。しかし、ロシア語は今なお少なくともタシュケント市民の半分によって話されている。

再建以前は、運河で隔てられた際立って異なる二つの地区があった。イスラーム風の旧市街と、近代的でロシア的な街の二つである。旧タシュケントの迷路状の街区のいくつかは、快適な葡萄園とともに、地震の後も生き残った。タシュケントという呼称は、旧市街に与えられたいくつかの名前のうちで一番最近のものである。もともとは、シル河の支流チルチク河岸で交易したり遊牧していた人達のためのオアシス植民地であった。751 年にアラブがタラスの戦いで中国軍を打ち破った当時は、この植民都市はシャシと呼ばれていた。アラビア語化するとアッシャーシュ。アラブの史家や地理学者はここを葡萄園や市場がたくさんあり、職人が忙しく立ち働いている繁栄した都市として描き出している。この地方のトルコ語でタシュケントとは「石の都市」という意味で、初めて硬貨に刻まれたのは蒙古帝国の時代である。当市は蒙古軍の劫掠を受けはしたが、ティームールとその後継者の時代に以前の繁栄の幾分かを取り戻した。続いて登場してきたウズベク人、カザフ人、ペルシャ人、蒙古系オイラートやカルムイク人達のような支配者が当市を得んとして争い合ったが、それにもかかわらず一定の自治を維持することができた。18 世紀に当市は４区に分かたれた。時にはお互いに敵対関係に立つこともあったが、各地区とも共同の市場を共有し合っていた。当市は 1865 年にロシア人によって征服されてしまったが、その人口は 1898 年にトランス・カスピ海鉄道がタシュケントに達するまでにほぼ３倍に膨れ上った（５万 6,000 人から 15 万 6,000 人に）。ソヴィエト時代に入ると集中的な工業化が見られた。そしてゆったりとした公園や庭園を持つ住宅地区が拡大していった。礼拝堂やイスラーム学院（マドラサ）やその他の宗教的建築物はあるいは壊され、あるいは工場・倉庫・印刷所等に変えられてしまった。独立以来、全市がそのイスラーム的性格を重ねて主張しつつある。東南アジアから運ばれてきた品物を積み上げた近代的な商店街の傍らに、輝く穹窿《ドーム》を持った礼拝堂が建設されつつある。

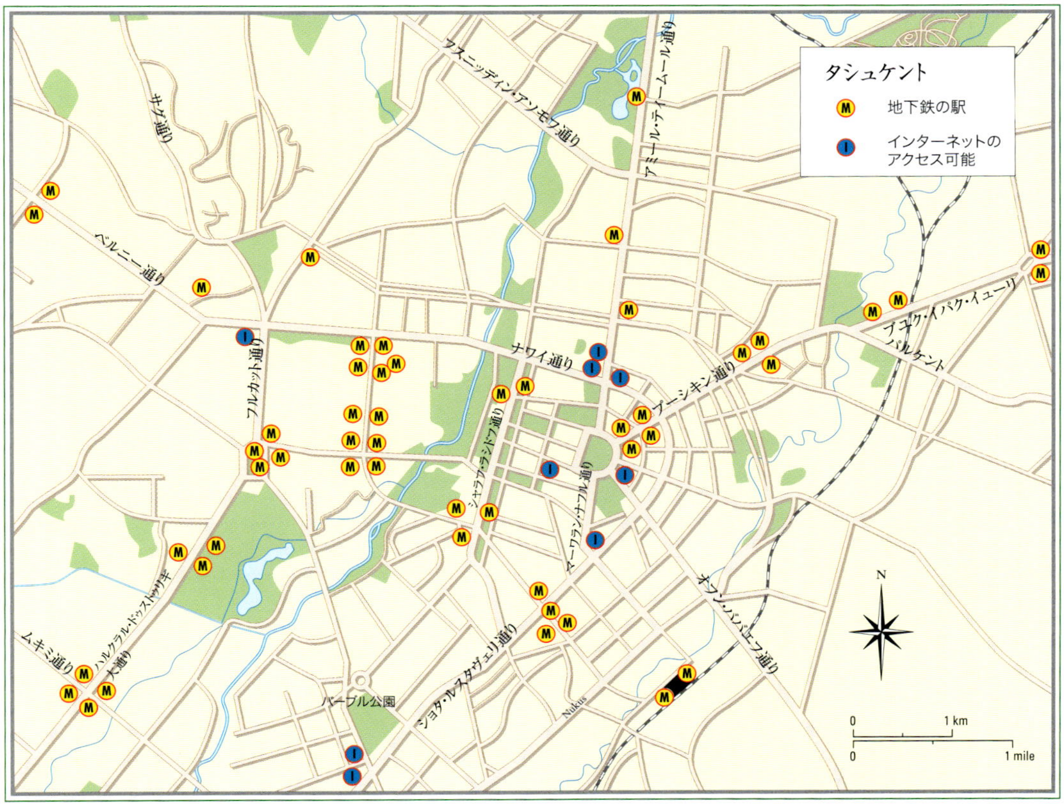

20世紀における石油の効果

石油と天然ガスがもたらした効果は、西アジア、特に湾岸地域（イラクを含む）のムスリム社会にとって二重の幸運であった。そこでは分かっている石油資源の60～65％が生産されているのである。一方それは産油国をして、高層建築、ぴかぴかの商店街、6車線の高速道路、その時点での最高水準の通信施設、その他近代性を誇示できるさまざまなものを備えた堂々たる近代都市の建設を可能にした。石油は、かつて世界中で最も貧しく、最も未開発の国のひとつであったサウディ・アラビアを、全住民（以前は隔離されていた女性も含め）に対して立派な保健制度や教育制度を提供できる国に変えた。また石油は、一方では、部族的な寡頭政治の権力を統合することによって地域の不安定性を高めることになった。彼らは、石油を管理することで、保護と抑圧を組み合わせることによって支配が可能だったのである。

▶サウディ・アラビアの石油精製工場。世界の石油の約95％が産油地帯の5％から生産されている。その2/3は西アジアにあり、サウディ・アラビアは世界最大の石油産出国である。

石油依存の破滅的効果が一番良く分かる例はイラクで見られた。イラクでは、サッダーム・フサインによって統制された縁戚網が、1972年の石油国有化後、社会のありとあらゆる隅々にまで自己の力を伸ばしていった。彼らは、事業（武器輸入も含む）を起すための土地（旧政権下の地主達や政敵から没収したもの）配分許認可や外国為替や労働関係を取り仕切った。その圧政的な権力は、どこにでもいるムハーバラート（情報機関）によって補強されていたが、拷問を加えたり、司法手続によらない殺人をするという恐るべき悪評を得ていた。イラクは極端な例であるが、同様の事情が大半のアラブ大産油国に当てはまるのである。そこでは特定の支配的一族が保護者－被護民の関係網を通して権力を行使し、納税者によって選ばれた組織による拘束も受けないでいる。石油はまた、支配者達を、彼らが依存している産業に選挙権を持たない外国人の従業員や管理者を投入することによって、彼らの社会を民主化する必要性からまぬがれさせている。たとえば1959年以前、クウェート議会の有権者は、居住家族の男性だけに限られていた――その意味するところは、資格があっても良さそうな60万人のクウェート人男性（総労働人口の70～85％を占める外国人は言うまでもなく）のうちのわずかに8万人だけが選挙権を持っていたということなのだ。このような制限された選挙権のあり方であってさえ、支配的一族は時おり議会と折り合いが合わず、1976～81年および1986～92年に議会を解散せしめている。同時に完全なクウェート市民（1998年の時点で1人当りの年収が2万2,000ドルを越えるほどであった）は、揺りかごから墓場までの広範囲な福祉制度を享受でき、国家の公共施設や保健制度や住宅や通信施設を利用することができ、教育は国家による手厚い補助を受けていた。湾岸地域が政治的に移り気であることは、1980年以来の3つの主要な戦争で証明されたが、これは他のムスリム地域を刺激し、石油探索へと向かわせた。特に中央アジアとカスピ海沿岸地域がそうである。アゼルバイジャン、トゥルクメニスタン、ウズベキスタンやカザフスタンなどソ連邦崩壊後独立した諸国は、有望な石油資源を持っている。しかし、彼らは隣接諸国を通過する送油管を通さなければその石油を輸出することができないのである。トゥルクメニスタンやアゼルバイジャンからの最も経済的な経路は、イランの現存送油管網を使って、イランを通って湾岸に至る経路である。しかしこの経路は、政治的な理由から米国の反対を受けている。米国は、トルコの地中海沿岸にあるジェイハンに至る送油管建設計画の方に好意的であるが、費用がずっとかさむ。

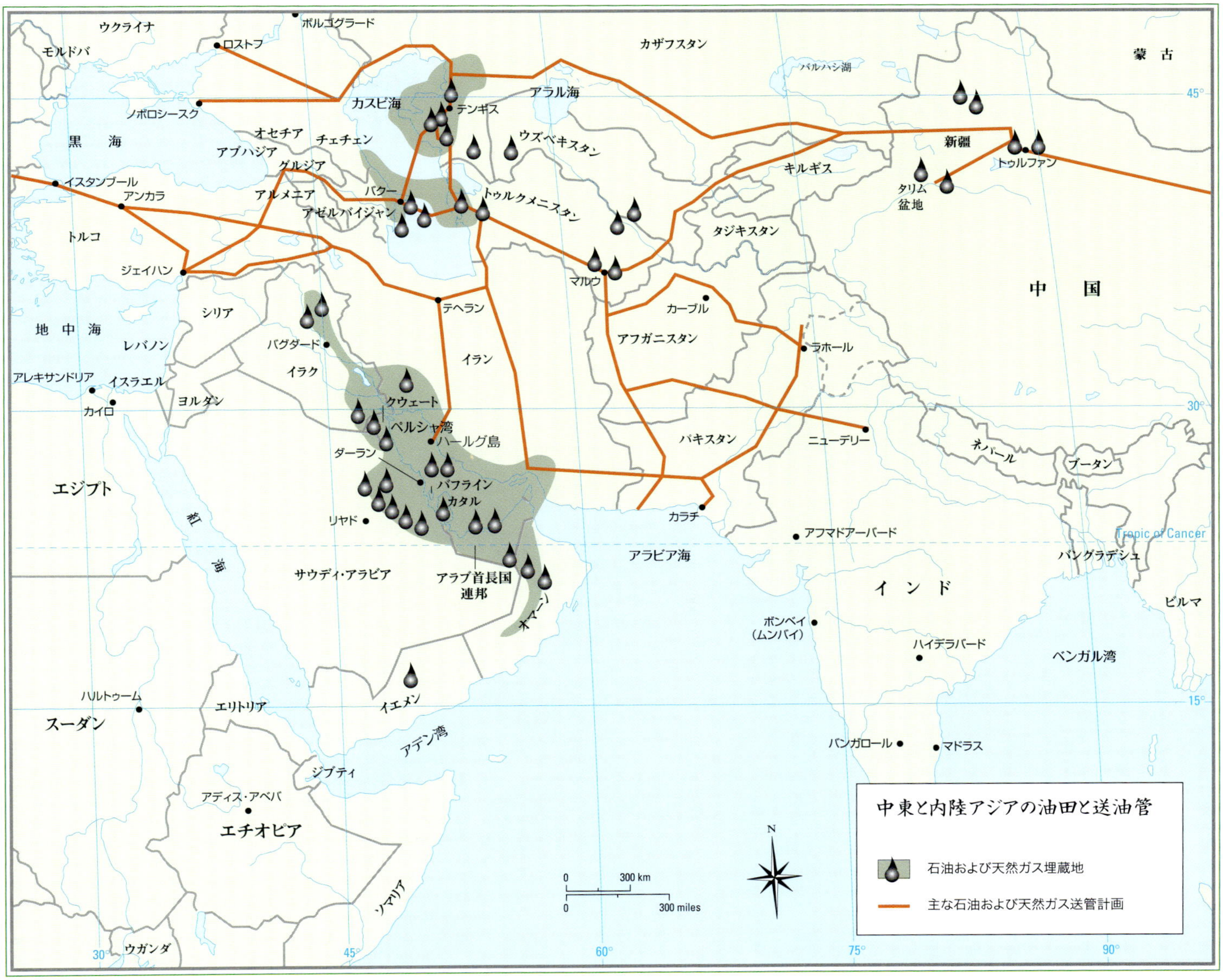

水資源

水と水不足は、イスラーム世界の中核的地域に決定的な影響を与えてきた。古代エジプトでは、みごとに度盛りされたピラミッドの幾何学の背後に、流域灌漑の複雑な仕組を通して、毎年起るナイル河の洪水氾濫を制御してきた人類体験の何世紀にもわたる年月が横たわっていた。エジプト同様メソポタミアでも、権力と統制のための官僚機構を持った国家は、河の恵みによって存立できた。アラビアでは、大地の不毛と水の価値はイスラーム文献の中で、根源的なものとして扱われてきた。コーランの中では、砂漠にたちまち花を咲かせる稀にして貴重な雨は神のアーヤ（兆し）のひとつ、すなわち復活の比喩なのである。曰く、「あれも神兆のひとつだ、大地が萎れかえっている時、我らが上から水を降らせてやると、忽ちぶるっと震えてふくれ始める。このようにして（大地を）蘇らせる（御神）なれば、死んだ者を蘇らせることもおできになろう。いや、どのようなことでもおできになる」（井筒俊彦訳『コーラン』下、岩波書店、85頁）。シャリーア（イスラーム聖法）のもともとの意味は、生命と清らかさの根源である水飲み場に至る道である。18世紀のあるアラビア語辞書では、シャリーアを“水の落下”にたとえている。シャリーアは、断食、祈祷、巡礼や結婚を通して人の渇きをいやし、彼を浄化するからである。水の管理は、過去に存在したイスラームの各政府が成功したか失敗したかを決する根本的な事柄であった。上ユーフラテス河地域では、初期アッバース朝の支配者達は、サーサーン朝がこしらえた地下導水溝網を修復し、拡大して、新しい土地を耕作可能にした。続く世紀には、灌漑を怠ったために、王朝の政治的・経済的衰退が早まった。

水の管理は近代エジプトの開発にとって中心的課題であった。ムハンマド・アリー朝治下、ナイルの氾濫を制禦するための堰堤が築かれた。これによって新しい可耕地が生まれ、カイロとギザの間の氾濫原を、大通りが放射状に広がる円形広場を持った欧州風の近代都市にするべく解き放った。1952年に王政を倒したカリスマ的な民族主義的指導者ジャマール・アブドゥン・ナースィルは、米国がアスワン・ハイ・ダム建設の資金援助を断った後、スエズ運河を国有化することによって、1956年のスエズ危機発生を早めた。アスワン・ハイ・ダムはソ連の援助によって築かれ、ナースィル湖を先頭として、氾濫水を貯めることにより、今や河を制禦している。このダムは現在、世界最大の人工的貯水池である。専門家の中には、ハイ・ダムは長期的には生態系にとって災厄になるとみなしている者もいる。ダムは、河が赤道地帯から運んでくる豊富な栄養物の流れを堰止めてしまい、土壌の塩分を増やす結果となり、東部地中海に生息する魚族の種類を減らしてしまう。ユーフラテス流域にトルコが築いたダムも負けず劣らず論議を捲き起した。ケバン・ダム（1975年）とカラカヤ（1987年）ダムは、それぞれ電力確保と水量規制のために、3,000万km^3の水を貯められるよう設計された。この二つのダムは部分的に世界銀行の融資を受けている。しかし世界銀行はより大きなダムであるアタテュルク・ダムへの融資は断った。4,600万km^3の貯水能力を持つはずだったが、川下の土地所有者であるシリアとイラクが建設計画を承認できなかったからである。ダムとそれに関連づけられた灌漑施設は、ユーフラテス河の水量を約半分に減らした。つまり年間ほぼ3,000万km^3から1,600万km^3以下にまで減らしたのである。トルコは自己弁護するためにこう主張した。すなわち、シリアとイラクが年間に使用する水量は1,500万km^3を越えない、従って誰も困らないはずだと。トルコは一連の建設計画を通じてチグリス河の開発も進めている。この開発により水量が減り、信頼性も向上するであろう。チグリス河の恩恵を主に受けている国はイラクである。トルコ側の工事の結果、ユーフラテス河に水不足が生ずるようなことがあっても、チグリス河を開発することによって補いがつくのだ。ヨルダン河の水をどう分け合うのかは、アラブ＝イスラエル紛争の中心的課題である。議論の中でひどく告発されたが、水の管理問題の重要性がこれほど明白に示された例もない。1994年10月に調印されたイスラエルとヨルダン間の平和条約にひとつの条項が含まれていた。その条項によれば、ヨルダン用にと予定された２億m^3（年間）の水の水源地は一部はイスラエル側にあり、一部は共同開発すると定められていた。オスロ合意（1993年）およびオスロII（1995年）として知られている、イスラエルとパレスチナ人との間の予備交渉の際、水は領土問題、イェルサレム問題、ユダヤ人植民地問題や難民問題と並んで５つの重大問題のひとつとされた。インティファーダ（蜂起）が相次いで起り、米国、国連、欧州連合やロシアなどの後援を得たいわゆる“平和行程表”も挫折したため、問題は依然として未解決のままである。しかしながら、水の配分が交渉の対象となり得たという事実そのものが重要な真実を呈示している。すなわち、現在においても未来においても、イスラエル、パレスチナ、シリアやヨルダン経済のために必要な主要水資源は、地域の外で“仮想水”という形で存在しているのである。

“仮想水”というのは、経済評論家や水文学者によって使われる概念で、北米のように水の豊かな地域から運ばれてくる小麦といった輸入食物を生産するのに必要な水量を示すものである。小麦や類似の食物商品を１トン生産するのに、その容積のほぼ千倍の水が必要とされる。西アジアや北米への穀物輸入の割合から判断すると、それらの地域は1970年代以降、水が“尽きつつある”のである。これは、しかし、飢餓状態をもたらすものではない。土壌に含まれる水分が多い地域の小麦やその他の基本食品を輸入することによって、当該地域の諸国は、彼らが輸入する基本食品の中に埋め込まれた“仮想水”によって生きてきたのである。こういった分析に従えば、地方で生産するよりは、“仮想水”という用語で測られる食物を輸入した方が安上がりであるし、ずっと気がきいている。たとえば、サウディ・アラビアは、相当量の小麦を栽培するために、再生不可能な帯水層から発掘した水を使用している。かの国は今や世界で６番目に大きい穀物輸出国である。だがかかっている経費は、手が出せないほどである。1989年サウディの農民は、世界市場で120ドルで手に入る小麦を生産するために、１トン当たり533ドル支払ってもらった。世界的な穀物貿易体系は、さして苦労した様子も見せず、穀物輸入品に埋め込んだ400億 m^3 の仮想水を提供できる。いかなる技術を使っても、同じ程度の柔軟性をもってその10分の１の成果も挙げられない。

武器貿易

近代的軍隊の主たる要素は、使われている兵器の型、武器の供給源とこれらの武器を使う人々の組織である。多くがイスラーム教徒である諸国家の軍隊は、それをイスラーム的であるとして区別する特色に乏しい。

これら諸国は皆、常勤の兵員や職員を抱える組織化された軍隊を持っている。これらは、18世紀の欧州で開発された軍事組織体系にのっとって編成されており、航空機を含む近代的装備に適合している。たとえば、squadron（隊）という言葉は、歴史的には小艦隊や騎兵大隊の

▶シャーヒーン1号。パキスタンの地対地ミサイル。核弾頭を含めいかなる弾頭も搭載可。700kmまで上昇可。この写真は2003年10月に撮ったものである。時あたかもカシュミール紛争をめぐる和平会談は行きづまっていた。

ことを言う時に使われていたが、その後、飛行中隊のことも指すようになった。制服もひどく欧州的な意匠である。すべての国の軍隊がそれを生み出している文化を注入されており、イスラーム諸国の軍隊とて例外ではない。かくてイスラーム的伝統は称号や部隊の紋章に見出される。いくつかの国、特に湾岸の小さな国では、外国人傭兵を広範囲に利用している。しかしこれはどこでも見られる昔からの文化の違いを越えた風習である。たとえば大英帝国はネパールのグルカ兵を使ったし、フランスにも外人部隊というのがある。同様に、イスラーム諸国の中にも、国家の支配者と密接に結びついた選良的部隊を創設した例がある。たとえば、イランの革命防衛隊（パースダーラーン・エンゲラーブ）やヨルダンの親衛隊がそうであるが、これもまた、文化の違いを越えた事例である。

兵器体系の型には、装甲車、飛行機、艦船やミサイルなどがあるが、稀には化学兵器や核兵器も含まれる。これらあらゆる型の兵器は、第２次世界大戦中、工業国家によって今日認められる形に開発されてきたものである。

全イスラーム諸国が開発途上国家群の一部を

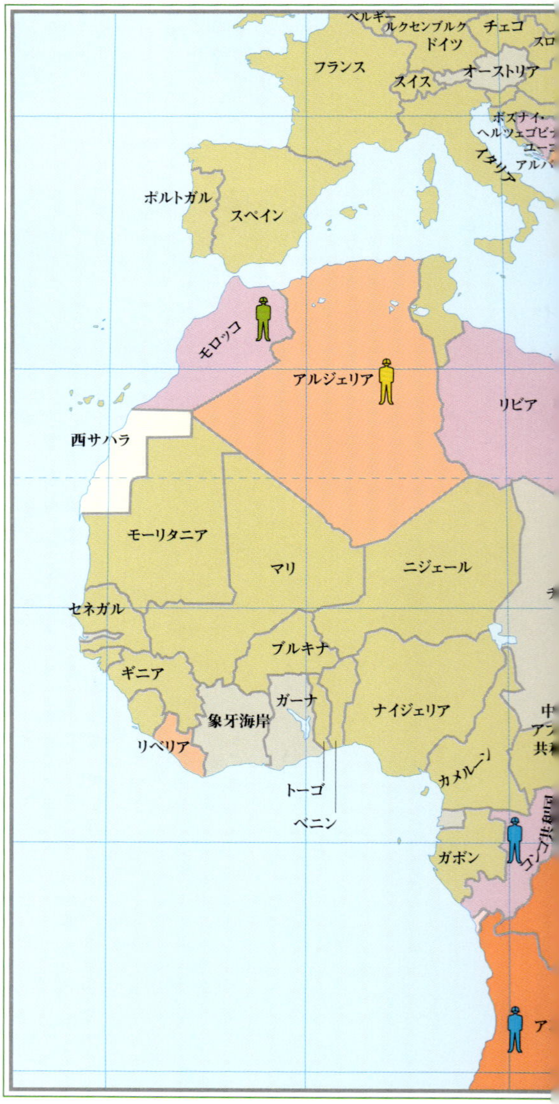

形成している。どこの国も先進的な工業基盤を持っていない。そのことは、彼らの主たる兵器体系は輸入せざるを得ないことを意味する。その例外は二つある。例外第一は、ライフル銃や拳銃とその弾薬、そしてその他の小規模な兵器は豊富に生産されている。例外第二は、強力な同盟国を持つ少数の国家は、特にパキスタン、トルコとエジプトは、兵器産業を開発する上で何がしかの援助を与えられてきたということだ。パキスタンは核兵器開発のために中国から技術援助を得ていたと考えられている。

大多数の国々と同様、モロッコからインドネシアに至るイスラーム諸国は、今日たいてい、米国の勢力圏内にある。このような国々は米国の路線に沿って訓練を積み、組織化を進めていこうという傾向がある。こうした傾向は、シリアやリビアの場合を除いて、初期の大英帝国やフランスやロシアの影響にとって代るために引き続いている。シリアやリビアではソ連邦時代の兵器や組織が非常に目につく。イランは軍事手段の例外的な開発途上国であり、独立した中心地であるが、まだ弱体であり、初期段階にある国家だ。イラン政府の中には、核兵器は非イスラーム的であると宣言した者もいる。キリスト教国でも同様の感想を述べた者がいるが、政府内にそういうことを言う人を見出すのは難しい。

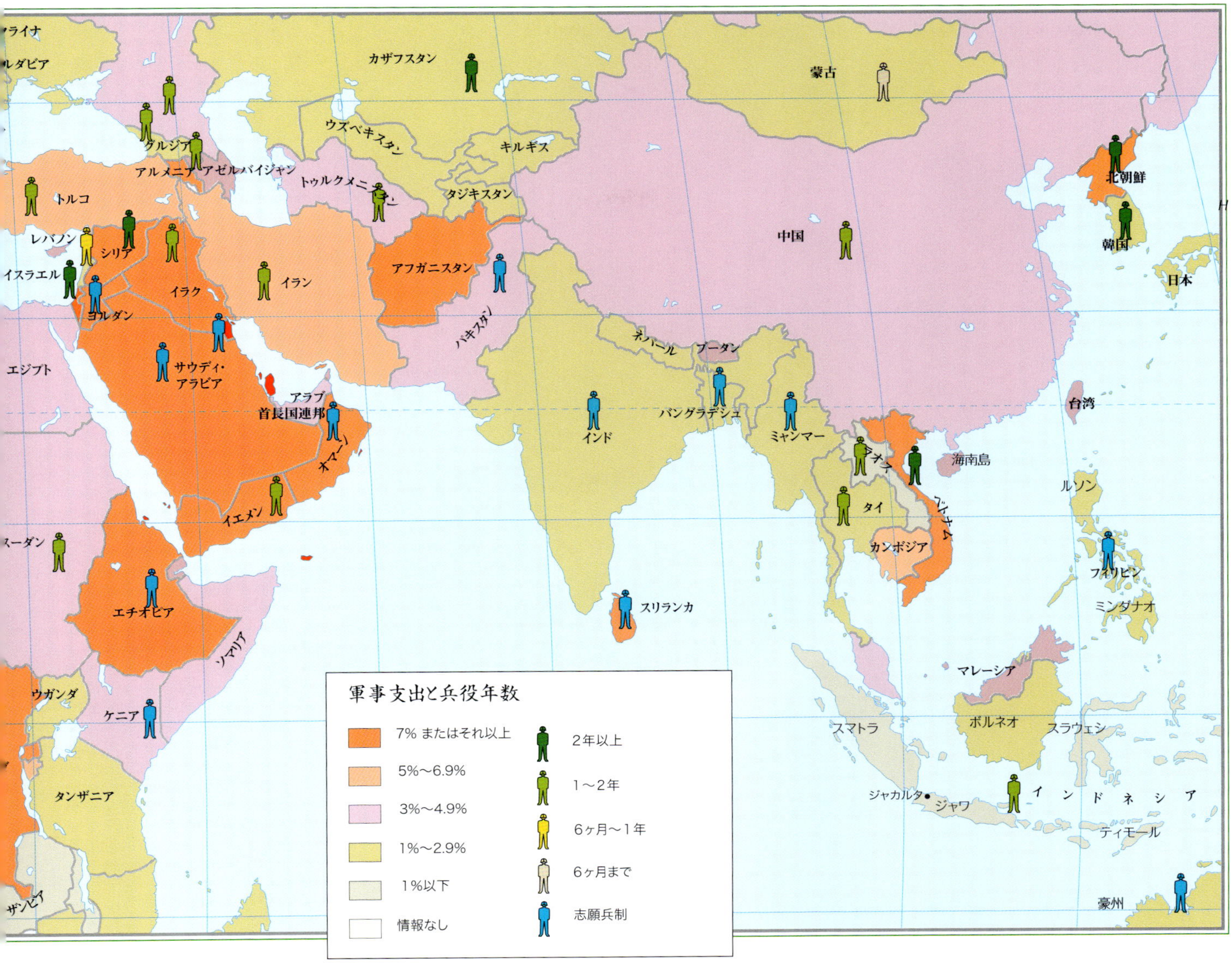

引火点：東南アジア、1950 ～ 2000 年

◆インドネシアのアチェでコーランを学んでいる少女達。アチェは、歴史的に言うと、オランダの植民地支配にムスリムが抵抗した中心地。アチェは、シャリーア（イスラーム聖法）が公法の基礎として再導入された、インドネシア唯一の州。

1940 年代および 50 年代には、東南アジアにさまざまな国家群が出現した。現在、この地域に含まれている国は、インドネシア共和国、マレーシア連邦とブルネイ・スルタン国。ブルネイはムスリムが多数派の国である。それからシンガポール共和国とフィリピン共和国、ミャンマー（ビルマ連邦社会主義共和国）、タイ王国、ラオス人民民主共和国、カンボジア人民共和国とベトナム社会主義共和国が含まれる。ベトナムではムスリムは少数派である。過ぐる 50 年間、これら多くの諸国家が形成され、発展していくなかで、ムスリムがどのように関与したかはさまざまである。それはいろいろな志向や願望を持ったムスリム達を巻き込んだ一連の引火点（発火点）によって幾分注目を浴びた。

1949 ～ 50 年にインドネシア共和国が成立すると、西ジャワや南スラウェシやアチェ（北スマトラ）で多くのムスリムによる反乱（1948 年と 53 年）が起きた。反乱の指導者達は、新しい共和国におけるイスラームの役割を制限するという決定に対して不満だったのである。近年、インドネシアではムスリムを巻き込んだ地方的、地域的、国際的紛争が引き続いて起っている。1999 年から 2000 年にかけて、ムスリムとキリスト教徒との間の紛争が、インドネシア東部のマルク諸島や南スラウェシで勃発した。2002 年 10 月、爆弾（伝えられるところによれば、国際的テロリスト集団のアル・カーイダが仕掛けたものだという）がバリ島のナイトクラブで爆発し、死亡者 202 人、負傷者 300 人が出た。

マレーシアは 1957 年に独立を獲得した。そして、マラヤやシンガポール、サバ、サラワクなどと連邦を組んだ。シンガポールは 1966 年に連邦を脱退した。そして、多民族に対応

した宗教政策によって統治しようという考え方を信奉している。対照的に、イスラームはマレーシアの国教である。国家創立前、マレーシアでは中国系住民とマレー系住民との間には定期的にくり返す緊張があったが、1969 年に民族暴動が勃発した。マレー人がムスリムであり、多数派を構成している限り、自治体相互の紛争は宗教的側面も持つ。しかしマレーシアは、ムスリム達が統治におけるイスラームの役割の本質や拡大について議論し続けようとする自治体内の緊張の目撃者でもある。

フィリピンでは、ムスリム（しばしばモロと呼ばれる）はたいていミンダナオ島かスールー諸島に居住している。1970 年代初頭、ムスリム達はフィリピン国家の分離とフィリピンのムスリム達のための自治権のある故国の樹立を呼びかけた。歴代のフィリピン政府は、地域のムスリムを相手に仲買人による開発を試みた。タイのムスリムは主に、北部タイのサトゥン、南部のパタン県、ヨラやマレーシアと境を接するナリシワットに住んでいる。武闘方式で分離を要求するムスリムのタイ国家に対する抵抗運動が絶頂に達したのは 1990 年代である。ミャンマー（ビルマ）のムスリムは、大半がバングラデシュとの国境地帯にあるアラカンに住んでいて、その地位について、1950 年代以来絶えず紛争を続けて来た。

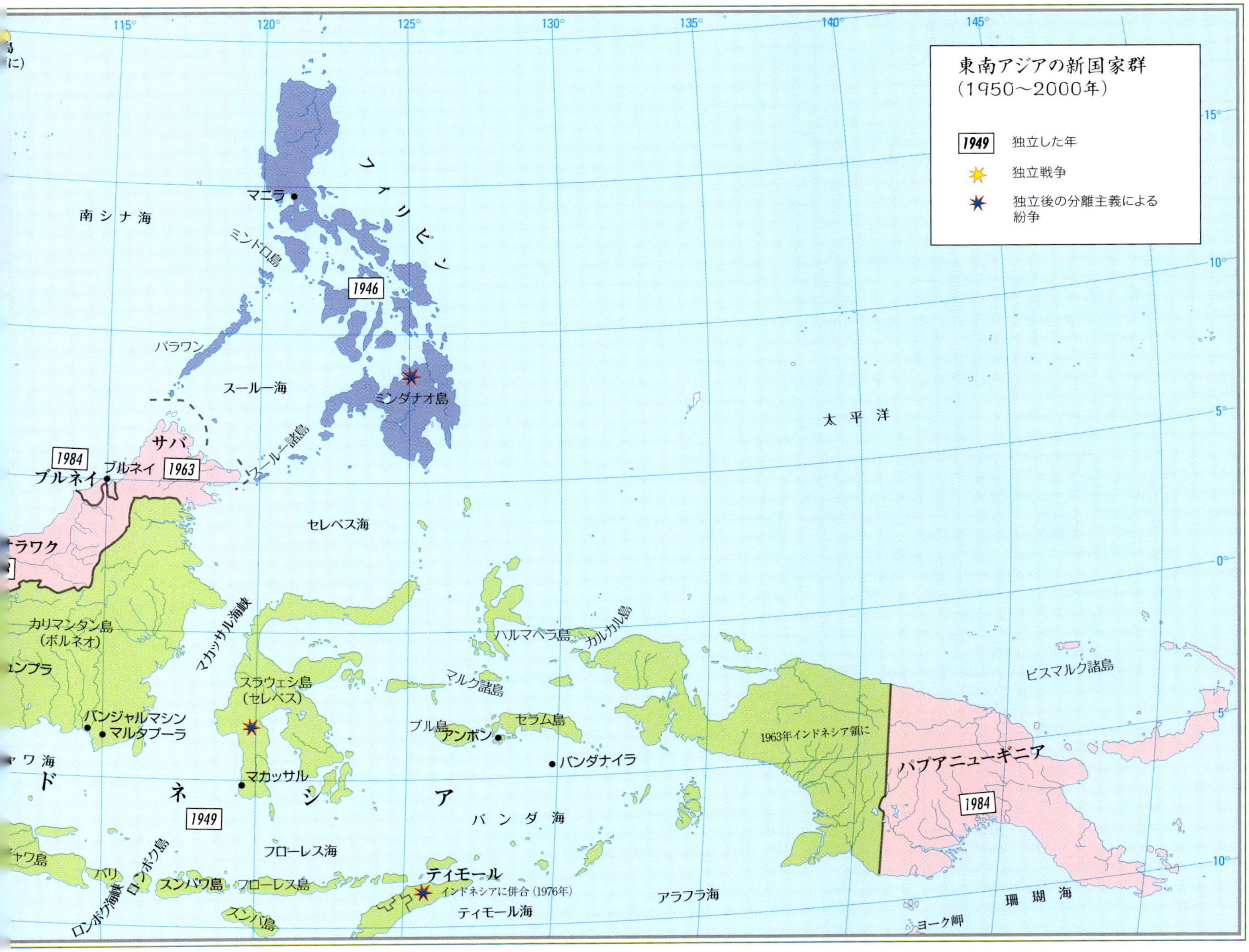

引火点：イラク、1917～2003年

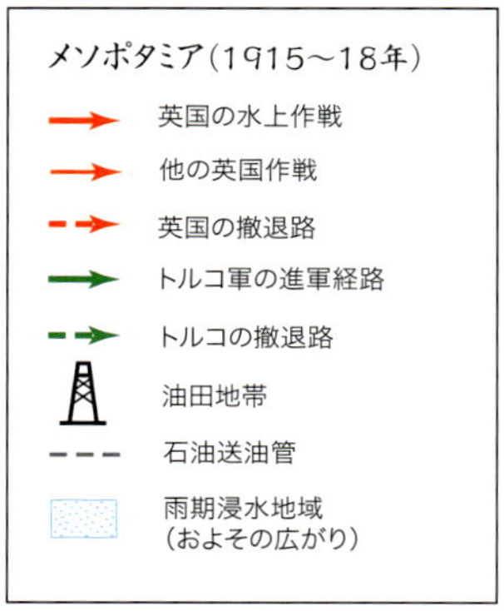

大多数のアラブ国家と同様、イラクは第1次世界大戦末期にオスマン帝国が崩壊したあとで独立国になった。イラクは国民が同じイラク国民であるという国民意識をどうやって作り上げるかという難題に最初から直面した。スンニー派への帰属に固執したオスマン朝の総督に支配されながらも、アラブ人人口（約60％）の大半はシーア派であり、16世紀以来シーア主義が国教となっている隣国イランと強い宗教的・文化的紐帯を有していた。イラク人口の約4分の1（主に北部に本拠を置く）はクルド人であった。オスマン朝支配の末年、アラブ民族主義感情に燃え立った自治要求運動が、オスマン朝将校や都市の名士達の間で展開された。1917年にバグダードを占領して、バスラに基地を置く軍政を布いた大英帝国は、1920年のサン・レモ会議でイラク統治を委任された。しかし、オスマン朝将校、地主階層、部族の族長達、スンニー派・シーア派両派のウラマー達や陸軍将校達による一連の反乱に悩まされることとなった。大英帝国の反応は、ファイサル・ブン・フサインのもとで立憲君主制を確立することであった。ファイサルはメッカのシャリーフの息子であり、フランスがダマスクスの王位から廃した人物である。大英帝国の委任統治は1932年に終った。この年イラクは国際連盟への加入を認められたが、英国はシュアイバとハッバーニーヤの空軍基地を手放さず、1934年に石油を輸出し始めたＩＰＣ（イラク石油会社）の利権を掌握し続けた。イラク人選良達は政府の中に包摂されていたが、異なった部族や党派的利益の間で分裂したままであった。一方ユダヤ人の植民によって引き起された パレスチナ紛争は、民族主義的感情や反英感情に火をつけた。「黄金の四人組」として知られる民族主義的な将校による親枢軸国寄りのクーデターは、1941年の英国によるバグダードおよびバスラの再占領を招くこととなった。

1956年のスエズ危機とイラクが親西欧のバグダード条約（トルコ、イランとパキスタン参加）に固執したことによって惹き起された緊張は、共産主義者の支援を得て1958年に王制を打倒した革命の中で浮上したソ連の力を押えるのが目的であった。しかし新軍事政権は、1963年（1968年に再び）世俗性を志向するバアス党（アラブ復興党）に所属する将校達にとって代られた。サッダーム・フサイヌッティクリティー（ハサヌル・バクリー将軍の副大統領で、彼自身が1979年に大統領の地位

に即くまで、長く強力な“強い人”であった）の指導のもとで、ティクリート出身のアール・ブー・ナースィル部族は、保護と威圧の組み合わせにもとづく恐るべき力の連絡網を築くために、東欧式のバアス党という道具を活用した。この政権は素晴らしく持続性があることを証明した。政権は、アラブ－ムスリムとしての遺産とイスラーム以前のメソポタミアの遺産を土台にして、それに考古学や民俗学や詩文学やイラクの独自性を高めるとみなされた諸芸術を加味して、イラク人の国民的アイデンティティという感覚を創出すべく諸措置を講じた。クルド人は容赦なく弾圧された。何千という村が破壊され、何千人もの住民が化学ガスで殺された。シーア派は、イランとの悲惨な戦争（1980～89年）の間、おおむね政府を支持した。もっとも1960年代に暗殺されたアーヤトッラー・バーキルッサドルによって創設されたダアワ党の反対運動もあった。1991年、多国籍軍がクウェートからイラク軍を追い出した後、バスラやナジャフやカルバラーを含む多くの南部都市でシーア派の叛乱が起ったが、その地域に米軍が存在していたにもかかわらず、容赦なく鎮圧されてしまった。反対運動の痕跡を根絶すべく政府は追いうちをかけるようにして、シーア派の人達が住んでいる南部の湿地帯の水を排水してしまった。しかしクルド人は多国籍軍の航空戦力によって庇護されていた。

期待されたのとは裏腹に、クウェート侵攻後イラクに課せられた国際連合の経済制裁体制は、イラク社会からの上がりを強化するだけで、サッダーム・フサインや彼の息子達が管理する連絡網をより密にするだけだった。彼らは、違法な石油輸出と国連が承認した“食糧のための石油”計画を独占的に管理した。2003年３月における米英軍のイラク攻撃に続いて、政権の崩壊は12月にサッダーム・フサインが逮捕されたことによって完成した。しかし米国が、イラクの全住民が受け容れられるような民主的政府を樹立するという当初の目的を達成できるかどうか、見通しは明るくない。

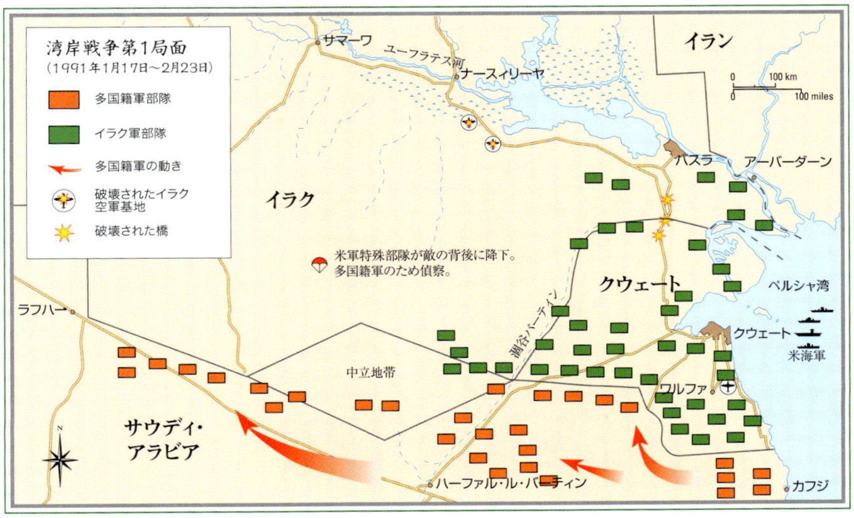

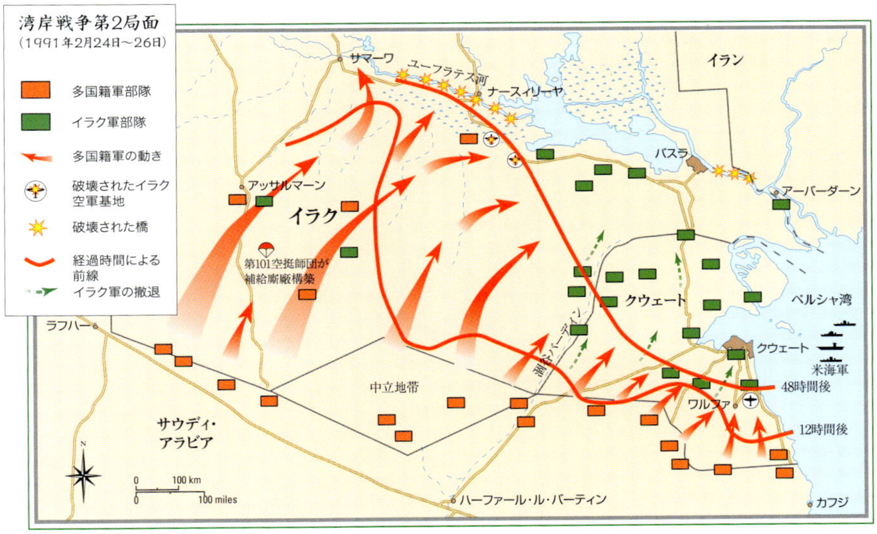

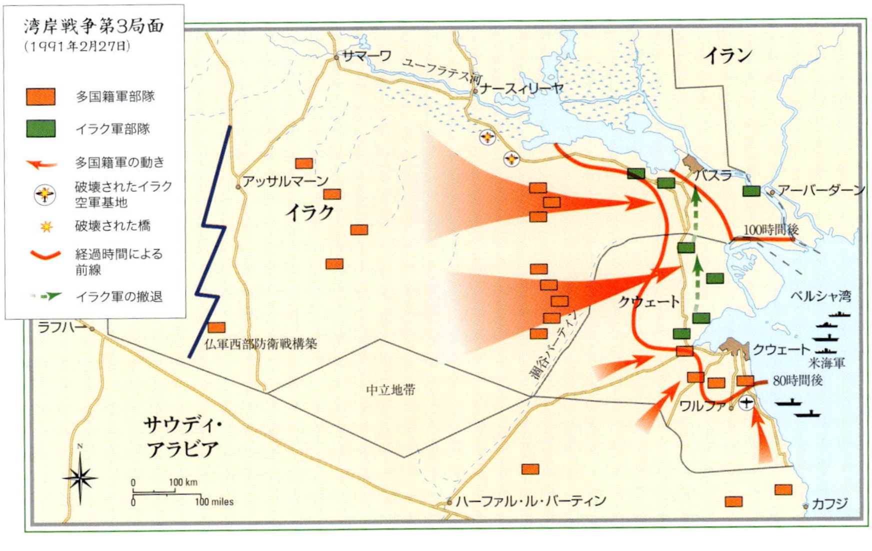

アフガニスタン、1840 ～ 2002 年

▲アフガニスタンのムジャーヒド（兵士）が前線へ弾を運んでいるところ。のちにスティンガー地対空ミサイルを受け取ることになった。これは軽くて携帯可能な武器であるが、洗練された索敵技術が組み込まれている。パキスタンの秘密情報部（ＩＳＩ）を経由してひそかにムジャーヒディーン（ムジャーヒドの複数）に渡された。これはソ連占領軍に破壊的な打撃を与えた。相対的に訓練の行き届かなかった部族民でも武装ヘリコプターを打ち落すことが可能になったからである。

深い渓谷や砂漠、乾燥した台地を持った山岳地帯のアフガニスタンは、その一部がアフマド・シャー・ドゥッラーニー（在位 1747 ～ 72 年）の築いたパシュトゥーン人の帝国に組み込まれた事はあるが、未だかつて政治的に単一の存在であったことがない。住民は実に種々雑多であり、最大の民族言語学的集団はパシュトゥーン人で、約 47％を占める。このグループの分布はパキスタンとの国境にまたがっている南部地帯に集中している。第二の大集団はタジク人（35％）で、ウズベク人やトゥルクメンやキルギス人（８％）やシーア派のハザラ人（７％）と共に、主に北部で暮らしている。

19 世紀になってドゥッラーニー王朝が分裂して同族相食む闘争が始まったことにより、ロシアと英国が進出してくる道が開かれた。自らの帝国を守るためにロシアの南進を阻止したい英国の関心は、1839 年から 42 年までと、1879 年から 80 年までの２度にわたるアフガニスタン侵攻を促した。ロシアに対抗する緩衝国家としてアフガニスタンを統合するためには強力な中央政府が必要だったので、英国は“鉄のアミール”（在位 1880 ～ 1901 年）アブドゥッラフマーン汗を支配者の座に据えた。彼は、シーア派に対するジハードを起し、カフィーリスターンの土着の非ムスリム“異教徒達”を強制改宗させたりして国全体に対する自らの権力基盤を強化した。先例に反し彼は、自分の支配権は部族のジルガでの合意にもとづいてというより、神から与えられたものであると主張した。パシュトゥーン人でない者は冷遇され、圧制的な課税に苦しめられた。

しかしながら近代的国家としての諸要素も取り入れられた。中央集権化された軍隊が叛乱を起した諸部族を鎮圧した。政府は各省に分たれ組織化された。アブドゥッラフマーンの息子ハビーブッラー（在位 1901 ～ 19 年）の時代に、軍隊は職業専門化され、近代的教育も導入された。ハビーブッラーの息子アマーヌッラー（在位 1919 ～ 29 年）は近代化の過程をよりいっそう押し進め、法制を大改革して、奴隷制を廃止した。彼の時代に女性も教育を受けられるようになり、結婚や離婚や相続に際して男とほぼ同等の権利を認められ、女性の地位に大きな変化がもたらされた。彼はまた、宮廷内に洋装を導入した。諸改革は保守的なウラマーやナクシュバンディー教団に属する部族長などによる叛乱を喚び起し、1929 年、アマーヌッラーは追放の憂き目にあう。

パシュトゥーン人の軍事的指導者ナーディル・シャー（在位 1929 ～ 33 年）がアマーヌッラーの後を引き継いだ。彼の後継者ザーヒル・シャー（在位 1933 ～ 73 年）はイスラーム聖法（シャリーア）にもとづく法廷を復活させた。彼は自らが依存していたパシュトゥーン諸部族に報酬を与えるため、政府内の地位を与えたり、資源の配分にあたって非パシュトゥーンを猛烈に差別することを許した。同時に近代化計画も修正された形で再開された。経済開発にあたっては、国家が指導的役割を果した。冷戦の圧力と政権が持っているパシュトゥーン優先の民族主義（これは隣国のパキスタンとの間に緊張を生み出した）の圧力とが戦略上結合して、一部の影響力のあるパシュトゥーン選良達がモスクワとの緊密化へ向って動いた。この過程は、ザーヒル・シャー追放という結果に終る。彼の従兄弟で元首相のムハンマド・ダーウードが、サウディ・アラビアやパキスタンやイランの支援を得て行動した。ダーウードは王政を廃止し、自らアフガニスタンの共和国大統領であると宣言した。ソ連は共産主義者のアフガニスタン人民民主党（ＰＤＰＡ）によるクーデターを資金援助するという形で答えた。この動きは、バブラク・カマルの指揮下にあるＰＤＰＡのパルチャム派（非パシュトゥーン人が構成員）を支持するために、1979 年ソ連が直接介入してくるという結果につながった。その後のジハード――パキスタン、サウディ・アラビア、米国に支援された――は多くのムスリム諸国出身の義勇兵をひきつけた。ウサーマ・ブン・ラーディンもその一人であった。米国が提供したスティンガー・ミサイルの威力も借りて、ム

ジャーヒディーンは1989年、ソ連にアフガニスタンからの撤退を余儀なくさせた。しかしながら、国民的統合の意識を醸成するどころか、国家の中枢機構が崩壊していくにつれ、ソ連に対抗するための闘争が、民族間の争いを激化させるのに役立った。ソ連の撤退に引き続く党派て、イランの軍事介入を招きそうなところまでいった。

2001年9月、ブン・ラーディンのアル・カーイダ連絡網に属していると言われるテロリストによってニューヨークとワシントンが攻撃された後、米国は集中的な空爆によってターリ

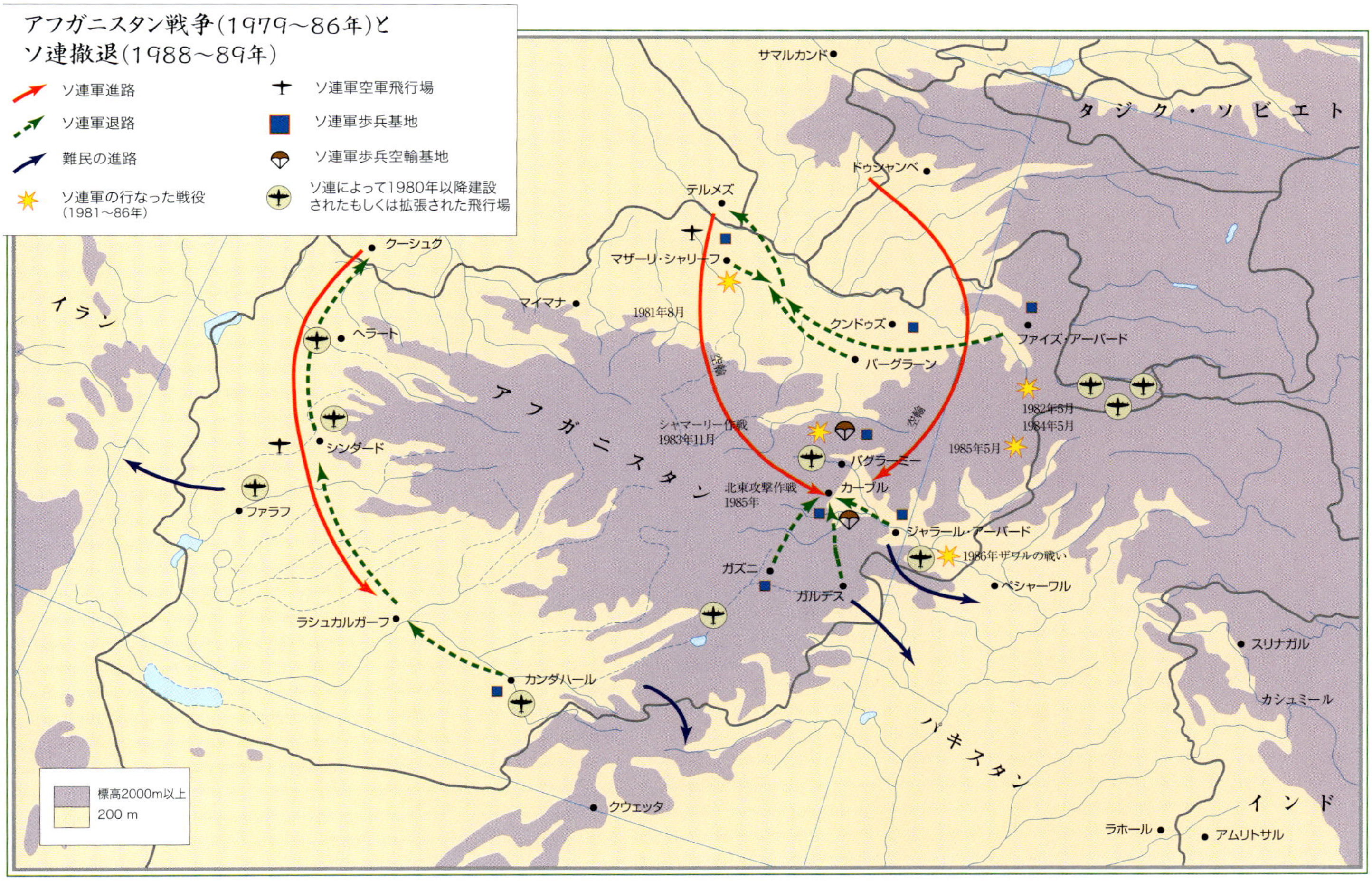

争いと、1992年にナジブッラー将軍の共産政権が崩壊したことは、ブン・ラーディンの緊密な同盟者ムッラー・ムハンマド・ウマルに率いられた過激なパシュトゥーン人支配のターリバーン政権（サウディ・アラビアとパキスタンが支持）の成立に道を開いた。1994年にカーブルを占領すると、ターリバーンは女性が学校や職場に行くのを禁じ、シーア派のハザラ人を虐殺し、7人の外交官を殺害することによっバーン政権を排除した。ベルリンにおける国際会議のあと、米国の手で新指導者の座に据えられたアフマド・カルザーイーは、ザーヒル・シャーの従兄弟である。

アラビアとペルシャ湾、1839〜1950年

アラビアとペルシャ湾の近代史は、ごく地方的な勢力と全地球的・広域的な勢力との間の相互作用が織り成す複雑な模様である。石油の存在と、西欧経済（日本経済も含む）がその安定的な供給にますます依存しつつあることにより、利害関係がおびただしく増大した。石油が発見されるまでこの地域の大部分（クウェートとバフラインの真珠採取地とマスカットの貿易港は除く）は貧しく、外の世界と大きな利害関係を持っていなかった。しかし大英帝国は潜在的な敵手や競争者からインド帝国を守る必要があった。潜在的な敵とは帝政ロシアであり、オスマン帝国でありそしてイランであった。1839年、英国はアデンを占領した。アデンはインドに至る経路上の重要な石炭補給港となり、のちには石油補給港となった。

アデンの開発は、南部アラビア沿岸地方とその後背地のすべて――ラヘジ高原やワーディ・ハドラマウトの争い合っていた都市国家群も含まれる――が1930年代に、究極的な制裁として英国空軍を使って平定される過程の始まりとなった。南アラビア保護領（1991年にイエメンに統合する前、南イエメンと改称された）は、23のスルターン国や首長国や部族政権を英国が全体的に統轄していた。スルターンは諸都市を支配し、預言者の末裔であることを主張する世襲のサイイド階級は土地を所有したり、より劣位にある氏族間の仲裁役をつとめたりしていた。

さらに東方にはオマーンのアブー・サアイード朝が、その指導者サイイド・サアイード・ブン・スルターン（1807〜56年）のもとで、広大なインド洋帝国を築いた。この国は、ザンジバルのスルターン領から象牙や香料を輸出したり、奴隷貿易を行なって富裕になった。1838年から1856年までに結ばれた一連の条約のもとで、サイイド・サアイードは、奴隷制を制限せよという英国の要求に屈した――奴隷制は英国の干渉に口実を提供するものであった。1856年に彼が死ぬと、英国は彼の息子達であるマジードとスワイニーの間の争いを解決した。つまり彼らの間で帝国を分割することによってこうむる損害額を、マジードが相続したザンジバルがスワイニーが相続したマスカットに支払うようにと英国が命令したのである。マスカットの北のペルシャ湾地域に対する英国の干渉は、奴隷制同様、海賊の鎮圧を口実としてさらに促進された。1835年から1853年にかけて調印された一連の条約のもとで、船積み（英国同様アラブの）品を略奪することによって生活していた船乗部族の族長達は、すべての海賊行為を停止する休戦に同意した（一方で奴隷貿易をやめさせることにも同意）。順守の状況は英印海軍によって監視された。休戦条約に縛られた体制は、真珠採取業を保護し、アラブ人の航海に恩恵をもたらした。彼らの航海がもっとも海賊の危険性に苦しめられてきたのである。この地方の商人達により良い装備をもって武装された英国船によって物資を送ることもできた。休戦条約締結国家群（現在のアラブ首長国連邦）は、英国が官吏を供給し、外交政策を掌握するという形で、1971年まで英国の保護領であった。

英国は1896年にクウェートを保護下に置くべく影響力を拡大していった。英国は、トルコの直接占領から保護下にあったシャイフ・ムバーラクを守るべく非公式の保護領を確立した。当該地域における主要勢力として英国は多くの地域紛争に介入し、争いの対象となっている国境線を画定し、首長位継承権の継続性を保障せんと努めた。最も有名な事例の中には、ブライミー・オアシスの所属をめぐってのアブダビ、オマーンとサウディ・アラビア間の紛争がある。この紛争は1955年に、英国人将校に率いられた休戦《トルーシャル》オマーン土侯国軍団がサウディ軍を追い払うという結果になった。また、イラクがクウェート領有を主張するようになった。（シャイフが公式にオスマン帝国の宗主権を認めていたオスマン朝時代にさかのぼる）この主張に英国が反発し、軍隊を派遣して、1961年にその独立を保障した。

アラビアとペルシャ湾
（1900年頃）
スバイ人 主要部族
英国管轄下の地域
イタリア管轄下の地域
オスマン帝国領（1900年頃）
オスマン帝国
シリア
イラク
ペルシャ
パレスチナ
クウェート
英国保護領
（1899年）
ハサー
ペルシャ湾
バフライン
英保護下（1861年）
カタル
英保護領（1916年）
海賊海岸
トルーシャル・オマーン
英保護領（1853年）
オマーン
英保護領（1891年）
オマーン湾
ハドラマウト
英保護領（1888年）
アデン
英保護領（1903年）
アデン 英占領（1839年）
アラビア海
紅海
英・エジプト領
スーダン
エリトリア
（伊領に）
アビシニア
ナジド
ヒジャーズ地方
アスィール地方
イエメン
ルブ・ウル・ハーリー
ルワラ人
アナザ人
バニー・サフル
バニー・アティヤ
フワイタト人
ビッリ人
ジュハイナ人
フタイム人
ハルブ人
ウタイバ人
スバイ人
ダフィール人
シャンマール人
ウジマーン人
アワージム人
カフターン人
ムッラ人
ザフラーン人
フダイル人
ガミド人
ダワシル人
ヤム人
ユーフラテス河
チグリス河
ケゼル・オウザン河
涸谷サフバー
涸谷バラカ
アトバラ河
涸谷タッカゼ
マラシュ
ディヤルバキール
チェレメリク（ハカーリ）
タブリーズ
アダナ
イスケンデルン
アンタキア
アレッポ
ラタキア
マウスィル
ハマー
ホムス
トリポリ
ベイルート
ダマスクス
ハイファ
ガザ
イェルサレム
アンマン
キルクーク
ハッバーニーヤ
バグダード
カルバラー
ヒッラ
ナジャフ
バスラ
アーバーダーン
ラシュト
ラーヒージャーン
ガズヴィーン
テヘラン
サナンダジ
ハマダーン
コム
ケルマーンシャー
カーシャーン
ボルージェルド
ホッラムアーバード
エスファハーン
デズフール
ヤズド
アフヴァーズ
ケルマーン
シーラーズ
スイールジャーン
フィールズアーバード
アッバース港
レンゲ港
ジャースク
シャルジャー
アブ・ダビ
ハブーラ
マスカット
ジャウフ
サカーカ
タブーク
タイマー
ハーイル
ブライダ
ウナイザ
カティーフ
ダーラン
フフーフ
リヤド
ワジフ
メディナ
ヤンブル・バフル
ジッダ
メッカ
ターイフ
スアキン
アブハー
カッサラ
マッサワ
アスマラ
アドゥワ
サンアー
フダイダ
ザビード
タイッズ
モハー
シャクラ
ムカラー
0
100 km
100 miles
N

サウディ国家の勃興

▲アブドゥル・アジーズ・ブン・サウード（下左に座っている人物）はイフワーン（同胞）をベドウィン部族民から募って育てた。極端な禁欲主義とシャリーア遵守の生活を送った。彼の最高の野心は、自身の清教徒的なイスラーム基準を広めるために死闘することであった。1932年、彼が建てた国はサウディ・アラビアとなった。

サウディ・アラビア王国が20世紀に樹立された模様は、ムハンマドのイスラーム草創期の運動やアラブの偉大な歴史哲学者イブン・ハルドゥーン（1332～1406年）が分析したような北アフリカの聖戦（ジハード）運動の特色の多くを再現している。18世紀に建設された最初のサウディ国家は、ハンバル派の宗教改革者ムハンマド・ブン・アブドゥル・ワッハーブとアナザ人の首長ムハンマド・アッサウードとの同盟の上に築かれたものである。イラクとヒジャーズで恨みを晴らすための蹂躙が行なわれた後、サウード家の領地は1818年のエジプト軍による干渉で大幅に減殺された。そして権力が親オスマン朝のラシード家に渡ってしまった1890年代には、サウード家はしばらく排除されていた。1902年にリヤドにあるラシード家の要塞を襲撃して、父祖伝来の国家を再生するにあたって、ムハンマド・アッサウードの末裔アブドゥル・アジーズ（イブン・サウードとして知られている）は、諸部族の軍事力と宗教的復興という道義力とを結び付けるという古典的なやり方に従った。ワッハーブ派の教えに従うことができない者はすべて迫害を受けた。イブン・サウードの軍隊の兵士達は、簡単にイフワーン（同胞）と呼ばれているが、ヒジュラと称する農業を営む定住地へ組織的に送り込まれた。これは622年に預言者ムハンマドがメディナで営んだ共同体にヒントを得たものである。ここで元遊牧民達は軍事教練をほどこされ、厳格なワッハーブ主義を教え込まれた。ヒジュラ定住地はナジド高原のあらゆる戦略的要衝に散在していたので、イフワーンは迅速に動員することができた。その一方で、イブン・サウードは常備軍を維持する費用を節約できた。

しかしながらイスラーム草創期の場合とは異なり、サウディ国家の国外への勢いは、アラビア周辺を支配していた欧州勢力によって阻止された。英国は、アル・ハサーやヒジャーズ、そして（イタリアが見て見ぬふりをしている）イエメン国境のアシール地方にサウディが勢力を伸張させていくのに協力する一方で、トランス・ヨルダンやイラクをイフワーンが襲撃した時は、トランス・ヨルダン国境守備軍と英国空軍の火力によって手痛い打撃を加えた。なぜなら、英国はヒジャーズの元支配者メッカのシャリーフ・フサインの息子達に与えられたハーシム家王国の領土保全を保障していたからである。

国際社会の列強の承認を獲ち得たのち、イブン・サウードは、西欧の影響や化学技術に憤慨したイフワーンの不満分子による国内叛乱に直面した。彼は1929年、ザビーラの戦いにおいて彼らを打ち負かした。

サウディ国家の領土的発展（1902～26年）

■	イブン・サウド王治下の領域（1912年頃）
■	1920年までに追加された領域
■	1926年までに追加された領域
➚	主な襲撃や戦役
スバイ人	主要部族
■	英国の領土
▨	英国の勢力圏
■	フランスの領土
▧	ロシア勢力圏
■	イタリア勢力圏

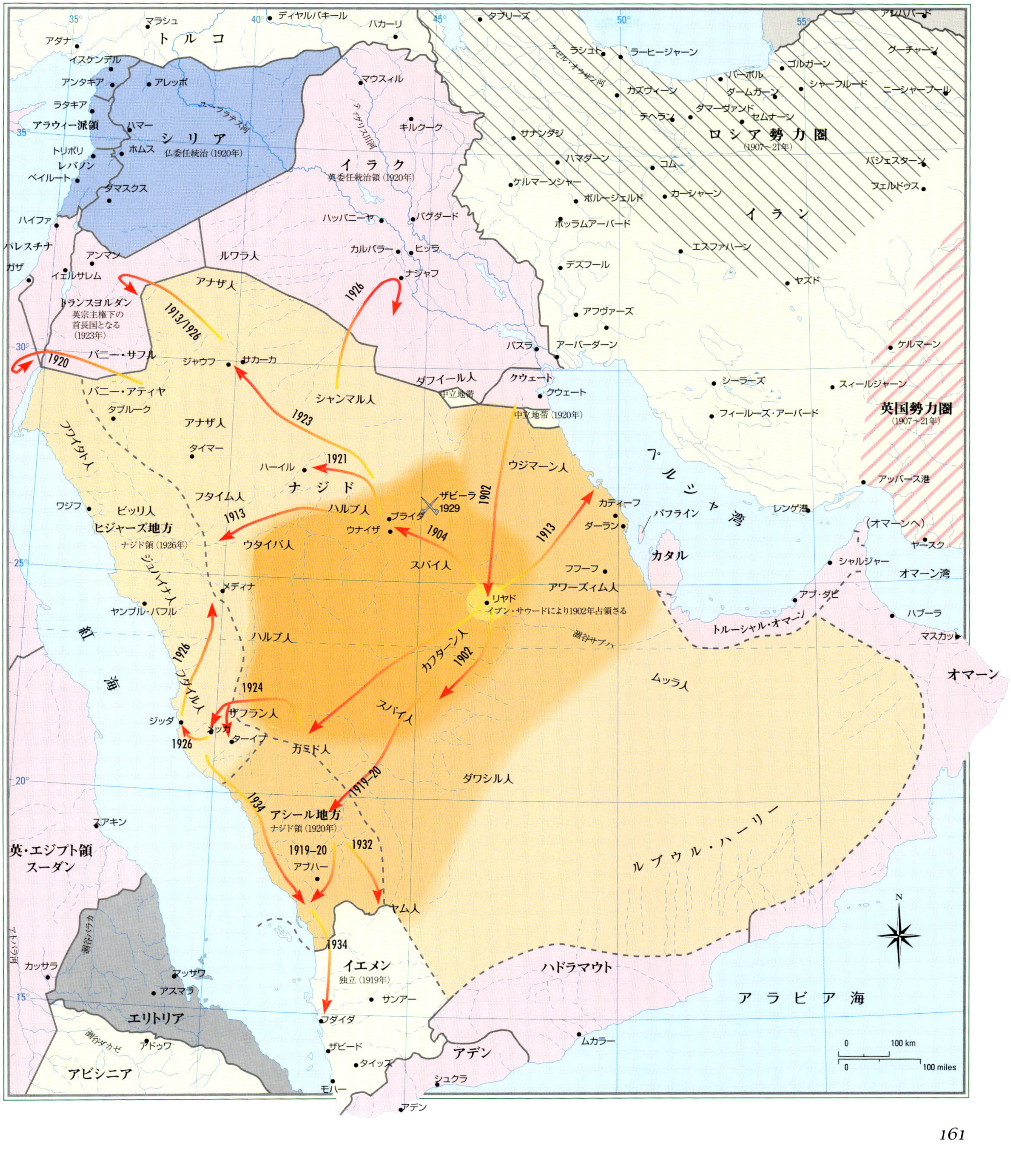

トルコ
シリア
仏委任統治（1920年）
イラク
英委任統治領（1920年）
ロシア勢力圏
（1907〜21年）
イラン
英国勢力圏
（1907〜21年）
トランスヨルダン
英宗主権下の
首長国となる
（1923年）
パレスチナ
レバノン
アラウィー派領
ナジド
ヒジャーズ地方
ナジド領（1926年）
アシール地方
ナジド領（1920年）
イエメン
独立（1919年）
アデン
ハドラマウト
オマーン
トルーシャル・オマーン
カタル
クウェート
中立地帯（1920年）
中立地帯
ルブウル・ハーリー
プルシャ湾
紅海
アラビア海
オマーン湾
英・エジプト領
スーダン
エリトリア
アビシニア
リヤド
イブン・サウードにより1902年占領さる
ザビーラ
1929
メッカ
メディナ
ジッダ
ターイフ
ハーイル
ブライダ
ウナイザ
ジャウフ
サカーカ
タブーク
タイマー
ワジフ
ヤンブル・バフル
アブハー
フダイダ
ザビード
タイッズ
モハー
サンアー
ムカラー
シュクラ
アデン
カティーフ
ダーラン
フフーフ
バフライン
アブ・ダビ
シャルジャー
ハブーラ
マスカット
ヤースク
（オマーンへ）
バスラ
アーバーダーン
ナジャフ
カルバラー
ヒッラ
バグダード
ハッバニーヤ
マウスィル
キルクーク
アレッポ
ハマー
ホムス
トリポリ
ベイルート
ダマスクス
ハイファ
アンマン
イエルサレム
ガザ
アダナ
イスケンデル
アンタキア
ラタキア
マラシュ
ディヤルバキール
バカーリ
タブリーズ
ラシュト
ラーヒージャーン
ガズヴィーン
テヘラン
ダマーヴァンド
セムナーン
バーボル
ダームガーン
ゴルガーン
シャーフルード
グーチャーン
ニーシャープール
サナンダジ
ハマダーン
コム
ケルマーンシャー
ボルージェルド
カーシャーン
ホッラムアーバード
エスファハーン
デズフール
ヤズド
アフヴァーズ
ケルマーン
シーラーズ
フィールーズ・アーバード
スィールジャーン
アッバース港
レンゲ港
バジェスターン
フェルドウス
アルハバード
ユーフラテス河
ティグリス川河
クズル・オウザン河
涸谷サフバ
涸谷バラカ
涸谷ダガゼ
アトバラ河
スアキン
カッサラ
マッサワ
アスマラ
アドウワ
ルワラ人
アナザ人
バニー・サフル
バニー・アティヤ
シャンマル人
ダフィール人
フワイタト人
フタイム人
ビッリ人
ハルブ人
ウタイバ人
スバイ人
ジュハイナ人
ウジマーン人
アワーズィム人
カフターン人
ムッラ人
ザフラン人
ガミド人
フダイル人
ダワシル人
ヤム人
1902
1904
1913
1913/1926
1919–20
1920
1921
1923
1924
1926
1932
1934
N
0
100 km
100 miles
35°
40°
45°
50°
55°
30°
25°
20°
15°

引火点：イスラエル–パレスチナ

アラブ－イスラエル紛争の淵源をたずねてみると、神が預言者アブラハムに約束したと言われている土地エレツ・イスラエルに帰還したいという古来からのユダヤ人の憧憬が背景にあることが分かる。近代のシオニズムはこの伝承の上に構築されており、ユダヤ人の主権国家が創生される地を獲得することに、迫害からの救済を見ている。1878年、最初のユダヤ人植民地がペター・ティクバに建設された。第1次世界大戦中、英国はアラブ人とユダヤ人に対して矛盾した関与の仕方をした。彼らは、メッカのシャリーフには独立国家を作らせてやると約束した。そしてシャリーフの息子達のファイサルとアブドゥッラーがオスマン・トルコに対するアラブの叛乱を指導した。そうする一方で英国は、ユダヤ人に対してはパレスチナに民族的郷土を樹立することを認めた。——ドイツにおいてナチが政権を掌握すると、欧州のユダヤ人共同体の中で、この民族的郷土建設計画はますます多くの支持を集めるようになった。パレスチナをアラブの国とユダヤ人の国の二つに分けるという計画である。このあとにパレスチナ・アラブ人が始めた蜂起が1936年に起り、1939年の敵対行為勃発により計画は中断した。第2次世界大戦で連合軍が勝つと、ナチによる大量虐殺の恐怖が明らかとなり、ユダヤ人の大量殖民に対する圧力が圧倒的なものとなった。ある一人の官僚の言い方によると“仲の悪い者同士が戦う蛇の如く抱き合って絡まっている状態”のアラブ人とユダヤ人に国家を提供する1947年の国連のパレスチナ分割決議案は、ユダヤ人指導層によって受理され、アラブ人によって拒否された。1948年5月14日、英国は撤退した。その翌日、イスラエルの独立が列強によって承認された。新国家は同時に周辺のアラブ諸国の軍隊によって、統合度の低い攻撃を受けたが、それに耐えて生き残り、停戦が成立した時には、国連決議をはるかに上回る領土をイスラエルは確保していた。トランス・ヨルダン——のちのヨルダン——は、東イェルサレムを含むパレスチナの一部の管理権を獲得した。東イェルサレムにはユダヤ人にもキリスト教徒にもムスリムにとっても聖なる存在である寺院があった。1948年にディール・ヤシーン村で起ったパレスチナ人村民虐殺事件のような、ユダヤ人不正規兵による攻撃は、何千人ものパレスチナ人の避難を促し、難民問題を生ぜしめ

た。その結果、1956年、67年、73年と82年に戦争が起った。

1967年6月の第3次中東戦争後、イスラエルはシナイ半島、ガザ地区、ヨルダン河西岸地方とゴラン高原を奪い取っていた。続いてイスラエルはアラブの東イェルサレムを併合し、占領地にユダヤ人の植民地を作っていった。1973年10月の第4次中東戦争で、エジプトは部分的に軍事的成功を収めることができたので、エジプトのアンワール・サーダート大統領はこれに勇気づけられ、1977年に歴史的なイェルサレム訪問を敢行した。これを手始めに事態が進行し、1979年には、キャンプ＝デーヴィッド合意にもとづき、イスラエル・エジプト平和条約が調印されることとなった。続いてシリアとの間に停戦協定が結ばれ、1994年にはイスラエルとヨルダンの間に条約が結ばれた。しかしパレスチナ問題は今もなお未解決のままである。パレスチナ解放機構が、ヤセル・アラファト議長の指導下、1988年にイスラエルの生存権を認め、1993年のオスロ合意にもとづいて、ガザやイェリコやその他西岸地帯で限定的にだが自治を達成したが、ハマースやイスラーム聖戦機構を含むイスラーム主義者の組織は和平交渉を拒否した。継続中のユダヤ人植民・市民に対するテロリストの攻撃（自爆テロも含め）、そしてイスラエルと西岸地帯との間にベルリンの壁に似たような障壁を構築しようとするイスラエル側の対処法、さらにパレスチナ人指導者を標的にする暗殺などは、和平への見通しをますます困難なものにしている。

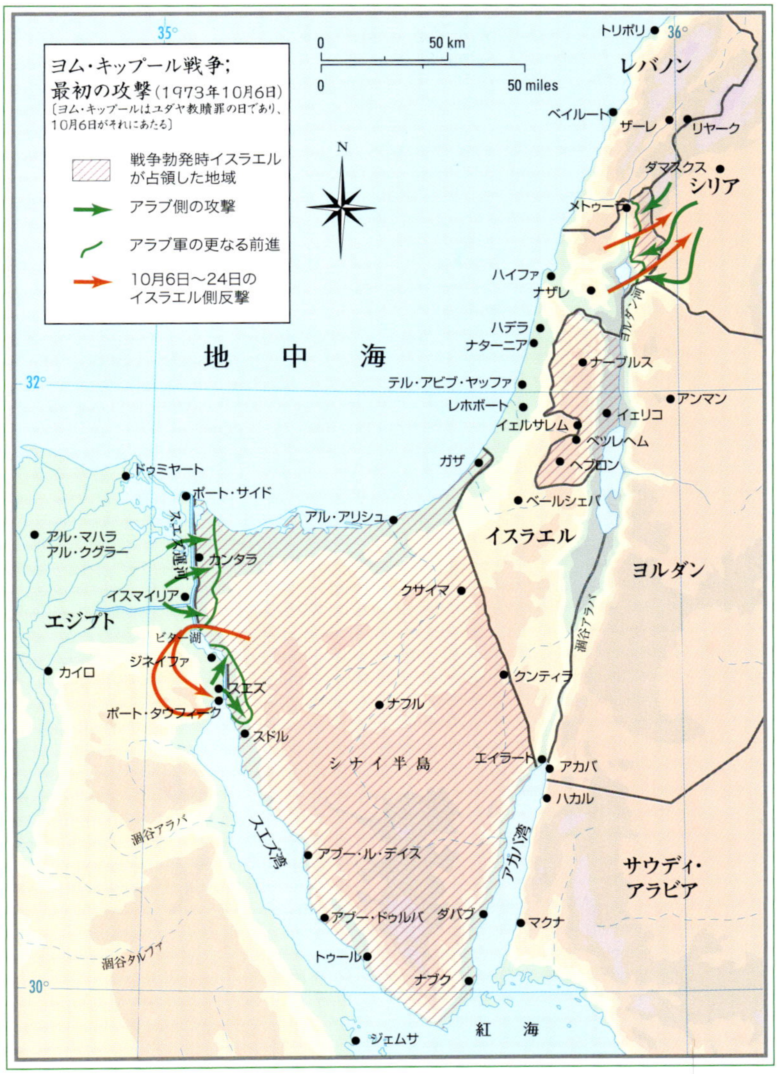

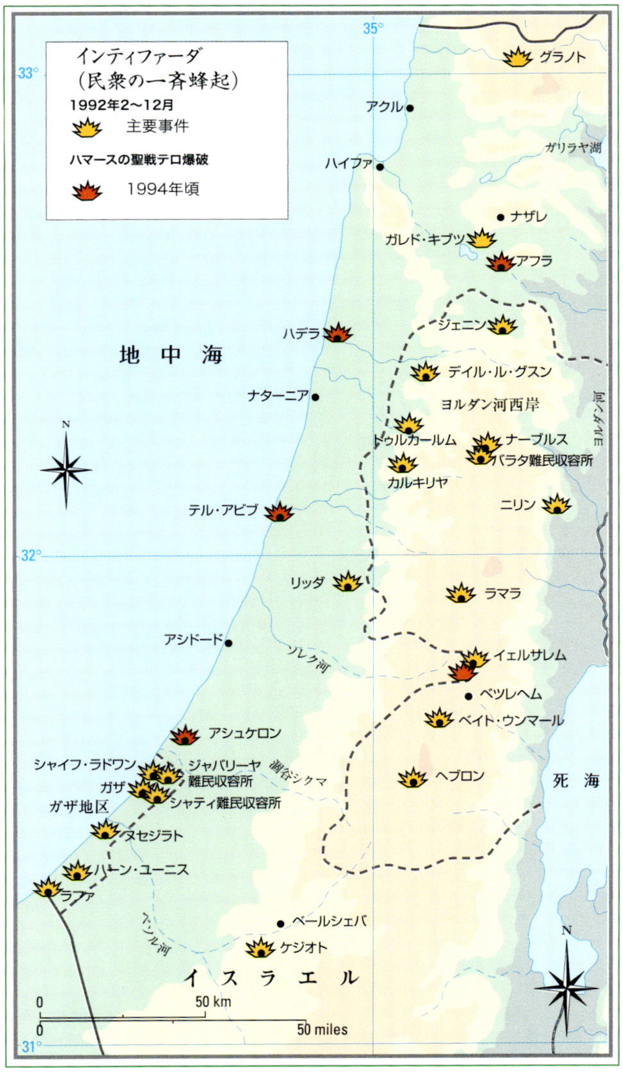

引火点：湾岸、1950～2003年

20世紀後半に湾岸地域で戦われた戦争はいくつかある。主なものは3つである。第1は1979～89年のイラン・イラク戦争。第2は1990～91年の湾岸戦争で、イラクがクウェートに侵攻し、結局駆逐された。第3が2003年に始まった米軍主導のイラク戦争である。

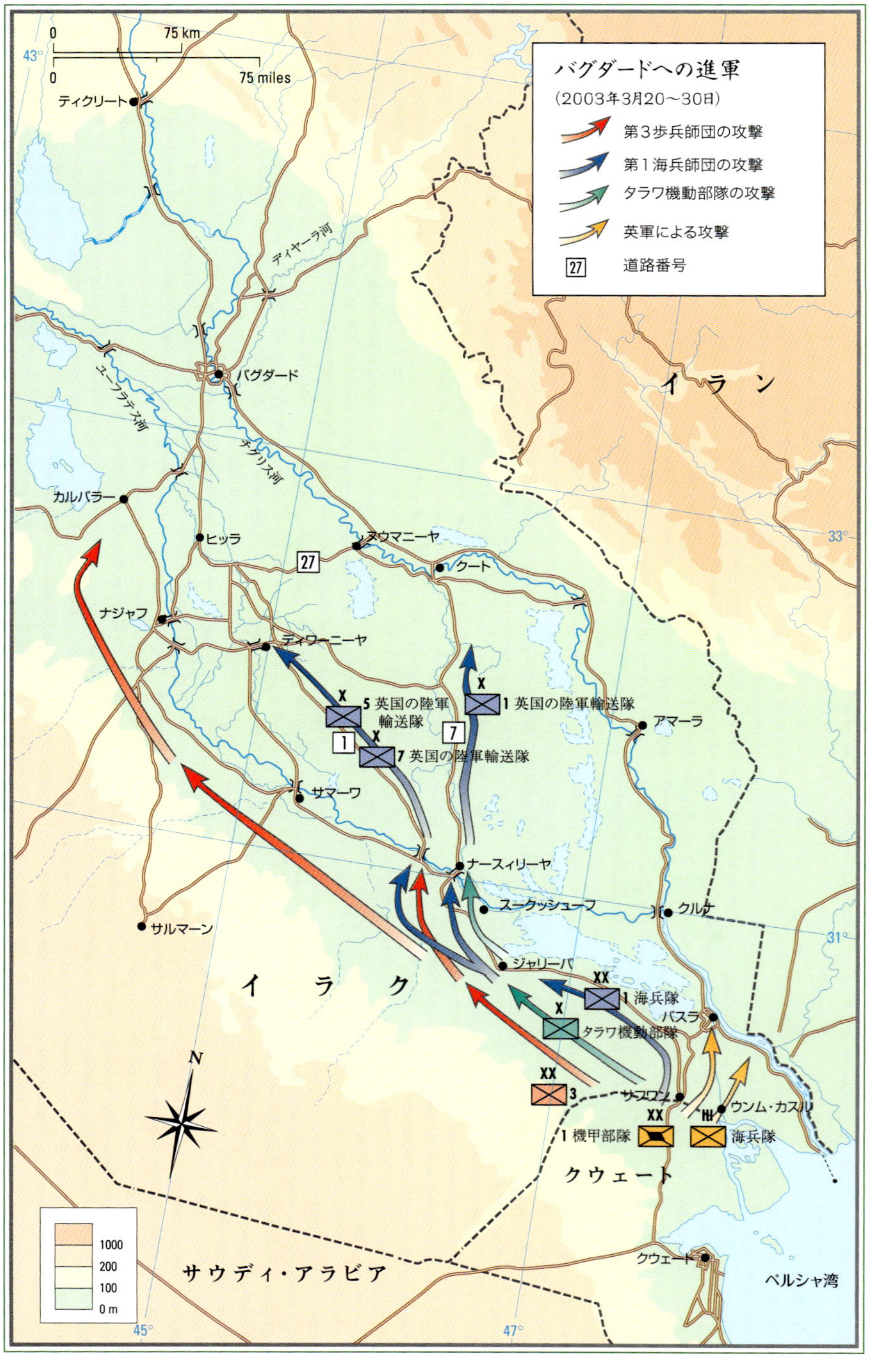

これらの戦争はいずれにおいても戦争を始めた当事者の動機は何か、いまだに論争中である。戦争が勃発するにあずかって力があった重要な要素が石油であったことは、それを裏書きするかなりの証拠がある。石油発見以前の諸世紀において、この地域は欧州列強と地方的国家との間の主要な戦争の焦点ではなかった。それと対比的だが、砂糖を豊富に生産するカリブ海諸島は18世紀にも19世紀初頭にも何度も戦いの場とされた。20世紀後半、石油は当該地域の諸国家に大変な数量の武器を獲得する資金を提供した。そしてこの事が、また更に大規模な戦争を可能にした。サッダーム・フサインがなぜ最初にイランを攻撃したのか、そして10年後、またクウェートに侵攻したのはなぜか、その正確な動機は決して知り得ないであろう。しかしながらこの二つの事例では、すみやかに勝利を収め石油生産地を獲得する結果になるであろうという見通しが一定の役割を果していたように見える。最近のイラン革命を抑制する手段として、米国が積極的にイランを攻撃するよう勧めたのだと主張する者もいる。二つの国家は、戦争の緊張があるにもかかわらず素晴らしく弾力性があることを証明した。そしてイラン人の期待に反し、イラクのシーア派住民は、イランの同宗派に対する忠誠よりも、自らのアラブ人としての、あるいはイラク人としてのアイデンティティを優先させた。

イラン・イラク戦争は双方に何十万という死傷者を出し、ほぼ10年続いた。それは、第1次・第2次世界大戦中に発達した、工業化された戦闘の特色をすべて包含している戦争であった。歩兵による大攻撃、塹壕戦、戦車や航空機や大砲やミサイルに毒ガスなどを組み合わせた戦闘、それらがすべて含まれていた。イラン人は、イラクによる化学兵器の違法な使用に抗議したが、国際社会はこの件に関し沈黙したままだった。この問題は、大量破壊兵器（WMD）に関する西洋の二重基準とイランがみなしているものに対するイラン人の態度に影響を与え続けている。

1991 年 8 月にイラクがクウェートに侵攻したのは、おそらくイラクの財政状況が苦しかったことと、国際社会がどう反応するかを見誤ったことが引き金をひかせることになったのではあるまいか。国連に加盟した国（そしてアラブ連盟の一員でもある）に対する攻撃というだけでなく、この侵攻はあくどい国際法侵犯であった。もし反撃がなかったならば、世界の石油資源のうち以前より多くの割合がイラクの統制下に落ちていたであろう。イラク人の観点からすると、植民地支配者から引き渡され、歴史的根拠を欠いた国境線や国家は尊重するに価しないと論ずることは可能である。しかしながら、イラクは 1963 年に現在の国境内におけるクウェートの主権を公式に認めていたのである。いずれにしても、国連に指示された多国籍軍が、エジプトやシリアから来た大軍も含めて編成され、1991 年初頭にクウェートからイラクを追い出した。

2003 年、米国と英国はイラクを攻撃した。米英は、国連自身が実行することができなかった国連決議を履行しているのであり、イラクは地域的にも地球大でも大量破壊兵器（核兵器、生物化学兵器を含む）による脅威となっていると主張した。世界の大半の国は、この攻撃を、攻撃的戦争を違法化しようという国連が構築中の原則を破るものとみなした。米国はメキシコの支持もカナダの支持も得られなかった。両国は経済的に米国に依存する国家であるにもかかわらずだ。

作戦可能な態勢にある兵器はイラク軍の中には見つからなかったし、2003 年末になっても大量破壊兵器の製造計画は見つからなかった。米軍機甲軍団がバグダードとその他の主要都市に殺到して占領してしまうと、戦争の初期局面は数週間で完了してしまった。起った戦闘の正確な性格と、イラク正規軍が圧倒的な差に対してどの程度の戦闘をしたのかは不明のままである。米国人は 2003 年 12 月、サッダーム・フサインを拘束することに成功したが、多国籍軍は散発的なゲリラ攻撃を受け続けている。

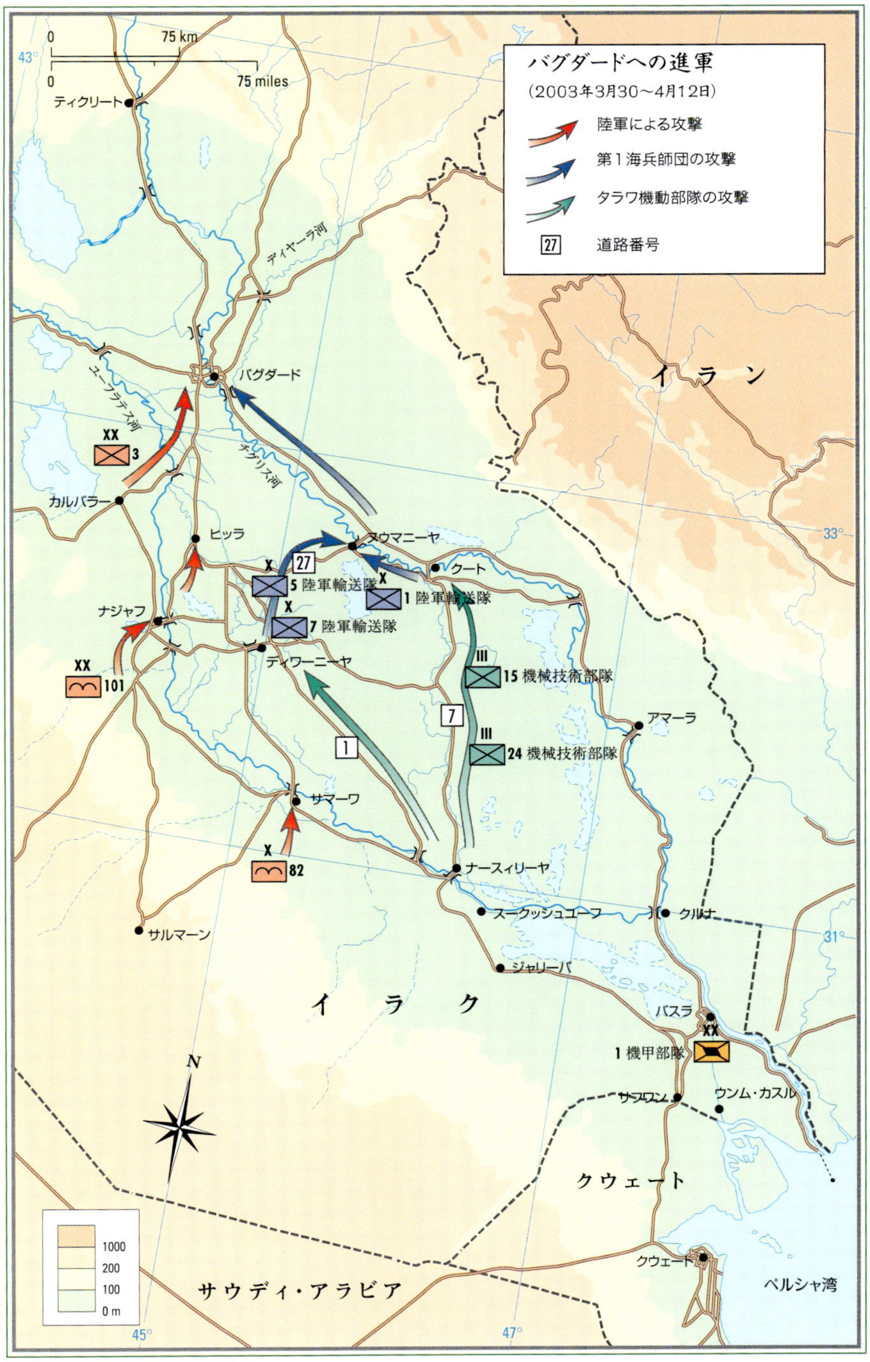

西欧におけるムスリム

フランス（パリ）

ムスリム諸国からフランスに移住してくる人の大部分は、1960年代以前はアルジェリア出身者だった。その後モロッコやチュニジアのムスリム達も西アフリカ出身者同様、引きも切らずにやってきて当地に落ち着いている。最初は男性の逗留者が大半で、彼らは故国の家族に送金していた。1980年代以降、家族が定住するようになるにつれ、男女の比率も一定化した。マルセイユやリヨンやリールにも重要なムスリム共同体があるのであるが、パリが最大の移住先である。パリで最も重要なモスクは1926年に建立されたが、市内の主要なムスリム居住地は1950年代以降に人口が増えた。フランスにいるムスリムは、多くのモスクが出身地の違いを象徴しているので、今でも彼らの出身国別に焦点を当てられる傾向がある。特にスーフィー集団はパリで活発に活動している。とりわけダルカーウィー教団やアラウィー教団のような北アフリカ系の集団が活動している。これらの集団はいくばくかのフランス人をイスラームの方に惹きつけている。

ドイツ（ハンブルク、ミュンヘン、フランクフルト）

ドイツへのムスリム移住者はトルコ人が圧倒的に多い。1950年代、ドイツはトルコからやってきた労働者の移住を積極的に奨励した。提供された雇用機会の大半は単純労働か半単純労働であった。1970年代、ドイツに向かうトルコ人労働者の数が増加する動きがあって、特に焦点を当てられた共同体へと発展していった。この期間中に元の移住者が家族を呼び寄せたのである。大部分の労働者が“客人労働者”の地位を甘受せねばならなかった。当局が定住は一時的でなければならないと公式に表明し、強調していたからである。1980年代、ムスリム共同体は、モスクを建立したり、トルコに本拠を置く集団と結びついていることが多い宗教的集会所を設立することによって、社会的・宗教的設備を用意し始めた。同様に、ナクシュバンディー教団のようなスーフィー集団は大変積極的で、こうした集団を通じてイスラームに改宗した者達は、ムスリム共同体の中でしばしば重要な役割を果した。

英国（ロンドン、グラスゴー、マンチェスター、バーミンガム、ブラッドフォード）

英国へのムスリムの移住は19世紀中葉に始まった。イエメン出身の船乗り達が、カーディフ港、サウス・シールズ港、リバプール港やロンドン、ついにはバーミンガムにまで住み着くようになった。しかしながら、英国への最大の移住者は南アジア（パキスタンとバングラデシュ）出身の人達であった。1950年代と60年代初頭に南アジアから多くの移住者が、招待に応じ就職するためにやってきた。1960年代に移住者の家族が到来するようになると、宗教的・文化的な奉仕をするさまざまな設備が作られるようになった。欧州のたいていの移住社会で起ったことと同じである。特にロンドンは多様な共同体を惹きつけてきた。このことが英国内の他のムスリム共同体におけるよりもより自由な文化的・宗教的全体像をもたらした。パキスタン人やバングラデシュ人と同様、かなりの数のアラブ人が、より最近になって来たムスリム難民やムスリムの海外留学者に入りまじって入ってくるようになった。ブラッドフォードはパキスタン出身者から成るはるかに同民族的な社会である。それゆえ宗教的観点からは多様性に乏しい。それに対してバーミンガムは、圧倒的にパキスタン出身者が多い社会であるにもかかわらず、はるかに多様なムスリム社会を形成しており、アフロ・カリブ海出身の改宗者も相当数かかえている。英国のムスリム青年は、自らの個人的なアイデンティティの一部として、イスラームを再発見しつつある者が増えてきている。若いイスラーム教の女性達は、先行世代の宗教的仮説や慣行を受け容れるというよりは、むしろ自己探究にもとづいて自らのアイデンティティを主張する手段としてヒジャーブ（ヴェール）をかぶろうとしている。他の欧州の環境におけると同じく、スーフィズムが宗教運動として、特に改宗者を惹きつける上で重要な役割を果している。

オランダ（アムステルダム、ロッテルダム、ハーグ、ユトレヒト）

オランダは、トルコ人や北アフリカ人のほか元オランダ東インド出身のモルッカ人などから成る多様なムスリム社会をかかえている。共同体が自己を確立するにつれ、1980年代以来モスクの数も増えてきている。モスクの多くは出身国との結びつきがある。特にトルコ系のモスクはそうであり、礼拝導師はトルコから派遣されてきている。オランダ国家は学校で母語を学べるよう便宜を計っているが、欧州の他の地域同様、宗教教育はモスクで行なわれている。

イタリア（ローマ、ミラノ、トリノ）

イタリアも多様なムスリム社会を擁している。圧倒的にモロッコ人とチュニジア人が多く、元ユーゴスラビア出身のムスリムも数を増やしつつある。1980年代から90年代にかけて、特にモロッコ人社会がモスクや宗教教育をほどこすための施設を建てた。

スペイン

ムスリムとしての歴史を持つスペインは、特に南部でイスラームとの関与を復活させつつある欧州国家として重要である。スペインに移住したムスリムの大部分が北アフリカ、それもモロッコ出身者であった。また、サハラ以南のアフリカや中東からやってきたムスリムの共同体もある。建てられたモスクや宗教教育用施設の数も増えた。一般的に言うと、イスラームに対するスペイン人の態度はとても同情的であり、特にアンダルシアではスペイン人の重要な改宗運動が存在している。ここでは、地方自治の主張やイスラームへの改宗は、何世紀もの間抑圧されてきたアイデンティティの再発見として体験されているのかも知れない。

▲シュヴェチンゲン宮殿の庭にある礼拝堂。1750年頃建立。多くのイスラーム風建築様式がみて取れる一方、欧州の影響もある。

北米のムスリム

ムスリムが米国に居住するようになったのは初期時代にさかのぼる。最初のムスリムがスペイン人探険者と共に到来したのは16世紀のことであると言える証拠がある。しかし最初の本体をなす共同体ができたのは、1860年代にシリアやレバノンから移民がやってきた結果であり、その後の数十年でさらなる流入があったからである。第2次世界大戦後、相当数の移住者が流入してきた時期があった。これは、欧州を含め、南西アジア、東アフリカ、インドやパキスタンなどの彼らの出身地において経済的・政治的に窮屈さがあったことに対する反応であった。

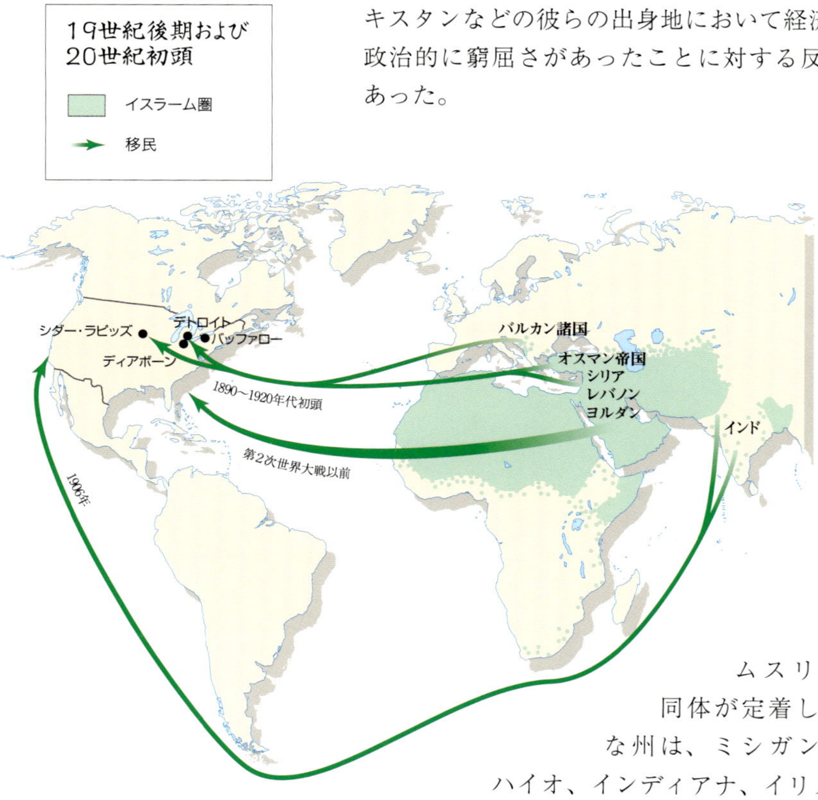

ムスリム共同体が定着した主な州は、ミシガン、オハイオ、インディアナ、イリノイ、マサチューセッツ、アイオワ、ルイジアナ、ニューヨークとペンシルベニアである。カナダではムスリム社会はそれほど特定の地域に集中しておらず、地理的にはもっとあちこちを移動している。出身国も米国の場合と対照的で、カナダにやってくるムスリム移住者の大半は、アラブ諸国、北アフリカ、サハラ以南のアフリカ、南東欧、トルコ、イラン、アフガニスタン、極東と東アフリカ出身者である。英連邦出身者もいる。米国でもカナダでも、改宗がムスリム社会出現を喚ぶ決定的要素であった。特に米国においてはアフリカ系アメリカ人の改宗者がたいへん意義深い。

アフリカ系米国人の間で行なわれている分離主義者の運動である「イスラームの国家（ＮＯＩ）」は、ムスリムの大半によってイスラームの一部であるとはみなされてこなかった。今なお相当の勢力を持っているが、ＮＯＩの創始者エライジャ・ムハンマドの息子ワリス・ディーン・ムハンマドが運動を引き継いだ1976年以降は、ますます多くのアフリカ系米国人ムスリムが正統的スンニー派の教義と慣行に歩調を合わせるようになっている。アフリカ系米国人ムスリムは、米国におけるムスリム共同体の中で相当の比率を占めるようになっている。刑務所で黒人の囚人の中で改宗することは、特に人種差別と組織ぐるみの蛮行に対する反発として重要であり、多くのアフリカ系米国人の先祖がムスリムであった事実を引き出している。白人改宗者は数の上では大したことはないが、それにもかかわらず、欧州と同様に、声に出して信仰を説明する人はスーフィー運動に関係している人間である。北米における初期のムスリム組織はやがて同化吸収の時代に入り、その過程で、アフリカ系米国人という例外を除いて、宗教的アイデンティティの問題は文化的統合の中に包摂されてしまった。ムスリムの海外留学者がやってきたり、また最近の移住者で、たとえばパキスタンからやってきたムスリムのように、イスラームの勤行を遵守している者がやってくると、宗教的アイデンティティを主張する者の数は増えていく。一般的に言って北米の共同体においては、宗教的慣行に広範囲なスペクトルがある。多くのムスリム協会やモスクが民族単位で組織されているが、民族単位を超えたムスリムの組織もある。

イリノイ・アーバナ大学のムスリム学生によって1963年に設立されたムスリム学生協会は、特に、民族的アイデンティティと区別対照させて、ムスリムとしてのアイデンティティを主張している点で重要である。米国における他

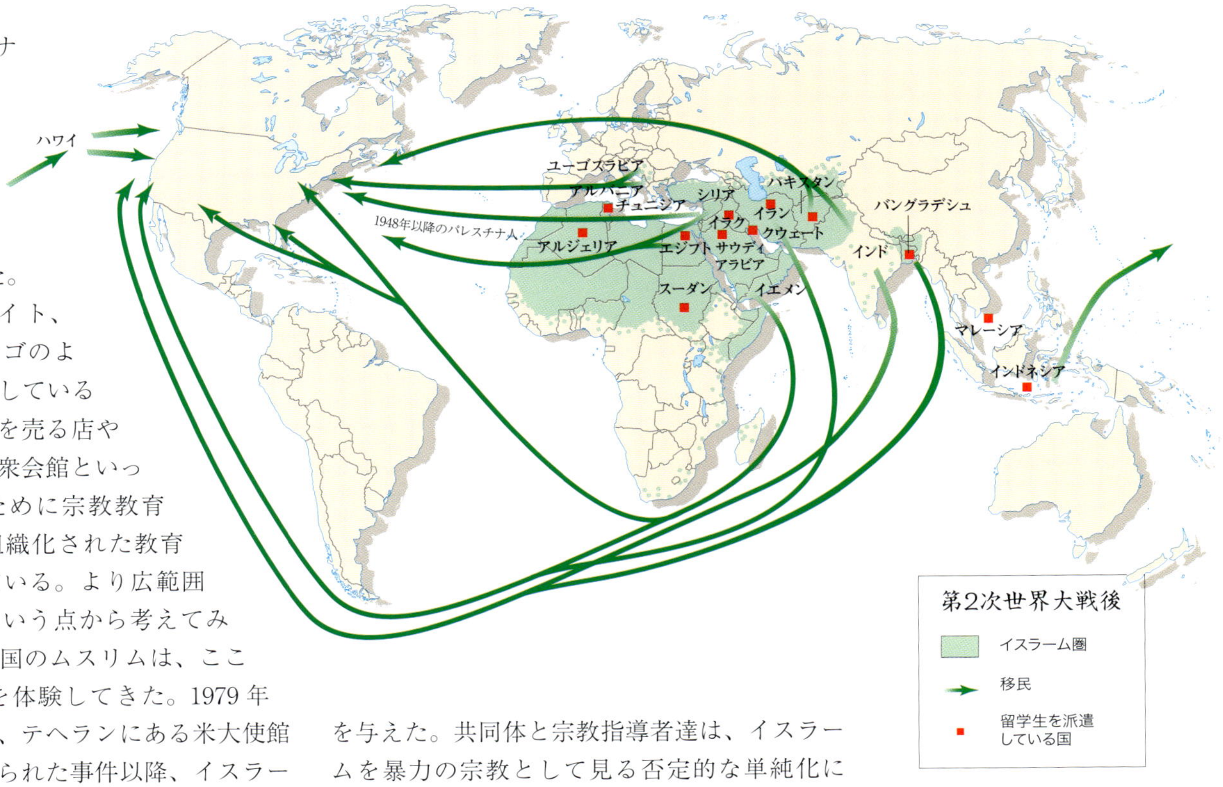

の包括的組織とカナダ・ムスリム社会協議会は、集団的ムスリム・アイデンティティの方向への転換に大きな貢献をした。地方でも、デトロイト、ニューヨークやシカゴのようなムスリムが集中している都会には、如法の肉を売る店や葬儀場やモスクや公衆会館といった施設が、子供のために宗教教育をほどこすために組織化された教育施設と共に作られている。より広範囲な共同体との関係という点から考えてみると、北米、特に米国のムスリムは、ここ25年間重要な挑戦を体験してきた。1979年のイラン革命ののち、テヘランにある米大使館で米国人が人質にとられた事件以降、イスラームとムスリムに対する大衆の見方は否定的な方向へ転換し始めた。2001年9月11日、米国人がふたたび襲われ、複数のイスラエル市民（ユダヤ人のみならず福音派のキリスト教徒もこのことを強調する）が殺された事件は、西洋にある、特に米国にあるムスリム社会に甚大な衝撃を与えた。共同体と宗教指導者達は、イスラームを暴力の宗教として見る否定的な単純化に対抗せねばならなくなった。その一方で、彼ら自身の共同体の中では、イスラームに政治色を帯びさせることに力を注いだ。

◀黒人のムスリム指導者マルコムXは分離主義者の運動である「イスラームの国家」（NOI）に入る前は、取るに足らない犯罪者として人生の経歴を始めた。しかし、1964年にメッカ巡礼を行なって、彼は考えを改めた――分離主義は間違いであり、真のイスラームはすべての民族を包摂するものであると。1965年2月に彼が暗殺されると、NOIの3人の構成員が殺人罪で有罪宣告を受けた。

北米におけるモスクと礼拝場所

▶北米イスラーム協会本部の礼拝堂。インディアナ州のインディアナポリス近く。ゴルザール・ヘイダルとモフタール・ハリール設計。1981年完成。米国とカナダの800万人の信者を代表する進歩的で近代的な外観。礼拝室のほか、図書館と事務室がある。

米国にムスリムの共同体ができるようになって、1920年代に入ると、ムスリム達の宗教的・社会的需要に応ずるべく、モスクの建物が初めて姿を現わすようになった。欧州の場合と同じく、最初は普通の家がモスクとして機能していた。それに続いて、現に使っている家をモスク用に改変するようになった。特に礼拝用にと建てられたモスクの建設は、もっとあとの局面になって実現した。大半のモスクは、最初は民族別がはっきりした共同体のために建てられ、それ自体では宗派的なものではなく、建物は社会的目的にも宗教目的にも使われた。イード（イスラームの二大祭。断食明けの祭と犠牲祭を指す）のような大きな催物のためには、しばしば公共の、あるいは私設の会館が礼拝者を収容するために借りられた。トロントやモントリオールやエドモントンといったカナダの都市ではそうだった。最初のアフリカ系米国人用モスクは、「イスラームの国家」の手で、1950年にハーレムに建てられた。

しかしながら、1960年代に入るまでは、増えていくムスリム社会の需要を満たすにはモスクの数が足りなかった。代りに個人の礼拝室や空間が宗教的義務を果たすために使われた。今では1,000以上もの公式モスクが米国にはある。

米国に建てられた最も大きいモスクのひとつは、デトロイト・イスラミック・センターである。これは1962年から68年にかけて建てられた。その建設資金は会衆を形成したデトロイトのムスリム社会が提供した。エジプトやサウディ・アラビアやイランやレバノン政府などから援助金が送られてくるようになると、会衆の民族的区別があまり重視されない方向へ変化していった。米国では、礼拝堂会議《カウンシル・オブ・マスジド》がムスリム社会に奉仕するためのモスク建設を容易にするために設置された。2001年のある報告書が示すところによると、民族別のモスクへの出席率は、東南アジア人33%、アフリカ系米国人30%、アラブ人25%の割合であった。礼拝導師《イマーム》は、エジプトやトルコやパキスタンを含む諸国で募集して連れてくることが今でも多い。しかし礼拝導師の訓練施設ができてくるのに従い、米国仕込みの礼拝導師も増えてきている。礼拝導師の中には、資金を海外から提供してもらっている者もいる。しかし大半の者は、地方の共同体によって給料を支給してもらっている。礼拝導師協議会《カウンシル・オヴ・イマームズ》は1972年に設立された。モスクは、たいてい、地方の諮問協議によって管理維持されている。十二イマーム派《イスナー・アシャリー・フサイニーヤ》殉教儀式場やイスマアイール派会堂《ジャマーアト・ハーナ》やイスラームの国家寺院などを含む、北米でムスリムに使用されているモスクやその他の建物は、礼拝場所としての機能以上に役立っている。それらは教育目的に使用されている。たとえば、週末学校、子供学校、講演や成人教育に使われている。それらは図書館や本屋やイスラーム関係の資料を出版する小施設を提供すると同時に、結婚や葬式といった社会的行事のための施設としても機能している。決定的なのは、彼らが非ムスリム達に、イスラームについて学んだり、ムスリムと会う場所を提供していることである——2001年にニューヨークとワシントンが攻撃された後は、死活的な重要性を持つ問題となった。北米のムスリム社会が発展していくにつれ、モスクやその他の会堂が共同体の独創性にとって焦点となりつつある。

礼拝場所への出席は、より広い見方をすれば、ムスリム米国人社会の発展と必ずしも同一視すべきではない。1987年のある報告書から分かることは、ムスリム米国人の10～20%しか定期的にモスクに出席していない（キリスト教徒住民は40％が教会に出席するのと対照的）。宗教的儀式や勤行を見ることによって、若い世代のムスリムの中には自らのイスラーム的アイデンティティを再確認しつつあるのかも知れないが、一方では、南アジアや中央アジアからやってきた最近の移民の大半は、主流の米国社会に自らを統合させることに、より大きな関心を寄せているのかも知れない。

◀イスラーム文化センター。1984年建設。アリゾナ州テンペ。

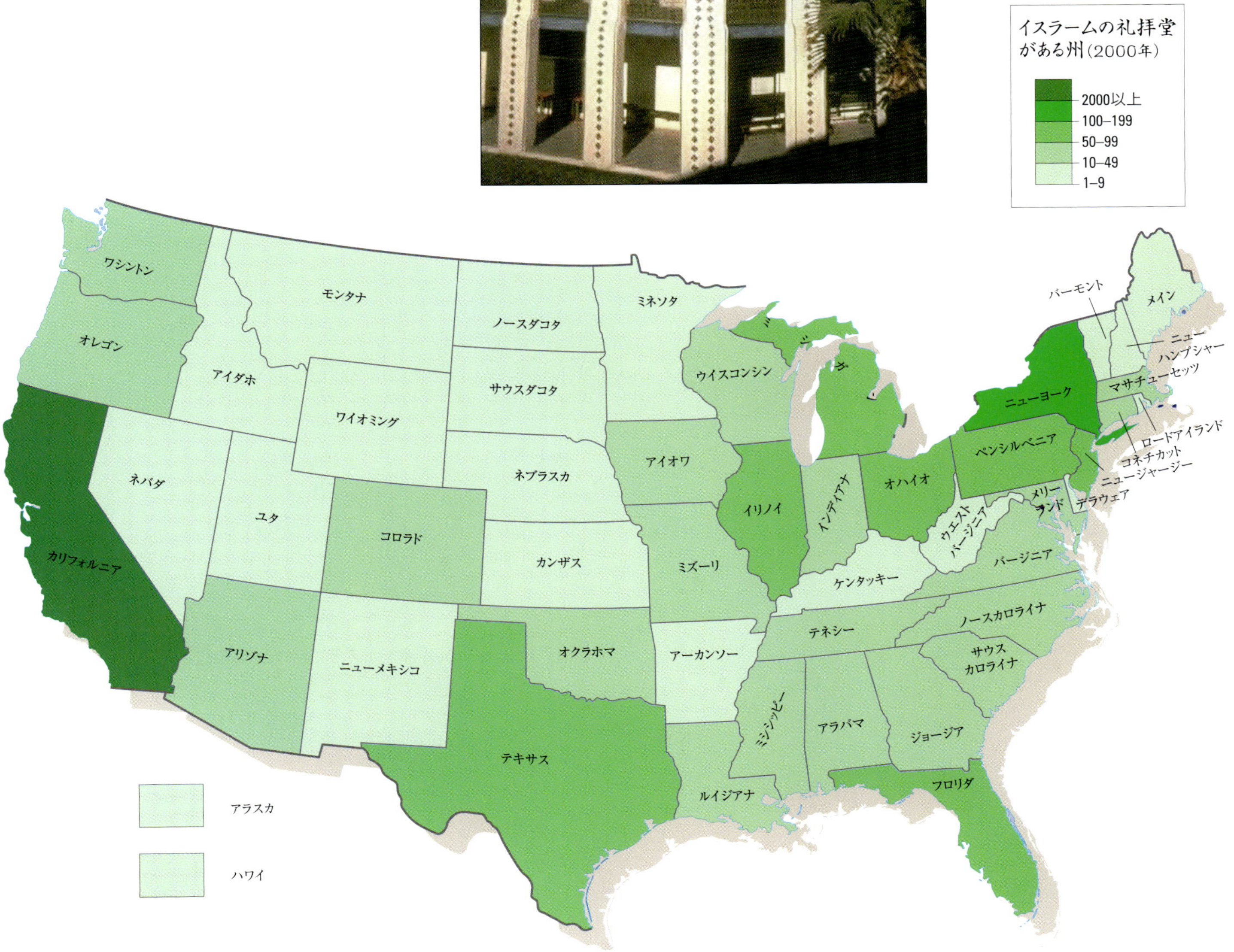

イスラーム芸術

芸術の生き生きした伝統がイスラーム圏では盛んであった。ほかの地域の芸術的伝統と比べると、イスラーム圏における最も重要な芸術

▶中国の磁器はイスラーム世界では大変評価が高い。その影響はセルジューク朝時代の陶製水差しにも見出される。

は、他の伝統では“装飾的な”、“小さい”、あるいは“手で持てる”ものとみなされるものである。たとえば織物、書道や製本術、陶器、金属細工、硝子器などなどである。それらの大部分が、つつましい材料からの変形を含んでいた。たとえば、植物や動物の繊維や砂や粘土とか鉱石が至高の芸術作品に仕上げられ、光り輝く色を放ったり複雑な意匠を持ったものとなる。洗練をきわめた作品の多くは、最終的には実用に供せられるものである。たとえば風呂桶や盆などは、日常生活の中で使用されるものである。

イスラームは芸術における形像描写を禁止したとよく言われた。しかしそれはそうではないのである。むしろイスラームは、おそらく他の宗教が早い時代に格闘したのと同じ偶像崇拝を懸念して、すべての宗教的文脈の中での描写を思いとどまらせたのである。他の文脈、特に個人的なあるいは宮廷の環境においては、生き生きした絵画芸術の伝統が発達した。宮殿の壁には、たとえば、しばしば形像的な場面が描かれた。モスクには描かれない。寺院建築では、幾何学的模様や植物文様や碑銘的装飾を土台にした非表象的な装飾が君臨している。イスラーム圏で製作されたすべての形像芸術が定義上宗教的なものではない一方、逆は必ずしも真ならずなのである。非表象的芸術は、世俗的な文脈だろうと宗教的な文脈だろうと、いかなる背景にも適合したし、尊重された。

織物は、中世イスラーム時代における経済生活にとって頼みの綱であった。羊毛や亜麻や絹や木綿から織られた織物には、蜘蛛糸状薄綿布（organdy は中央アジアのウルゲンチに由来）や綿モスリン（イラクのマウスィルに由来）から、丈夫な敷物やフェルトや、遊牧民が天幕用に使う布まである。布地はただ単に個人を飾るためだけに使われるのではなく、この樹木の少ない乾燥地において、空間をくっきりと浮かびあがらせ、家具を備え付けるために使われる。そうして人々は通常、絨緞の上に座り、長枕にもたれるのである。社会のあらゆる階層の人々が織物を用いた。大多数の庶民は簡素な織物を使用したが、カリフから商人に至るまでの富裕層は、異郷趣味をそそる、輝く色合いの丹念に飾られた布地を欲しがった。生の繊維は、広く売買されているさまざまな原料から作られた鮮やかな染料によって引き立てられた。職人達は、彼らの織物を美しく飾るために、刺繍やつづれ織から空引機による織物とか絣《かすり》の染物に至るまで、驚くほど多種多様な技術を開発した。

イスラームにおける文字崇拝は、本や著作物が至るところで高く評価されることを意味した。8世紀に中央アジアから製紙法が導入されたことは、書籍や机上の学問や製本術の爆発をもたらした。それと関連して、書道や写本の色飾りや装丁や挿絵の技術も大いに発達した。最も意匠をこらした稿本がコーランの写本であ

り、最初は羊皮紙に書かれ、のちになって紙が使われるようになった。それらにはしばしば至高の非形像的装飾がほどこされたが、挿絵が付せられることは決してなかった。絵をつけた本、特にペルシャの叙事詩や叙情詩文学の写本が、14 世紀からペルシャ文化圏で盛んになった。当時はイランやトルコやインドのペルシャ語を解する支配者達が、工房を造って、かつて作られた本の中でも最も華麗な写本をいくつか作らせた。

イスラーム圏に関連のあるその他の芸術の多くは、火を使って土からとられた原料を変形せしめるものである。ムスリム達は、古代の陶器技術を近東から受け継いだ。しかし彼らは、新胎土や釉薬《うわぐすり》かけ技術や装飾目録の開発によって、それに改良の手を加えた。9 世紀イラクで発達した上釉《うわゆう》ラスター彩や、12 世紀のエジプトやイランで発達した人造練り土（フリット陶）や、12 世紀イランで発達した釉下彩画陶器などに見られるようなこうした特色は、18 世紀に英国が登場するまで、並ぶもののなかった独創的陶芸活動の奔流となって表現された。製作されたものの大部分は、毎日の生活の中で水や食料をためたり運んだりするための釉薬をかけていない陶器であったが、イスラーム圏で作られた極上の皿や鉢や水差しや瓶や取手付き水差しは、中国からスペインに至るまでの各地で熱心に蒐集され模倣された。硝子《ガラス》吹《すい》製法はイスラーム以前にシリアで発明された技術であるが、今なおレヴァント地方の特産技術である。硝子製造業者達は、神の言葉を広めるために建てられた多くのモスクや学院を照らすために使われた何千という金ぴかのほうろう引きランプを製造した。

預言者ムハンマドは金銀製の容器の使用をさし控えるようにと言ったといわれる。そこでムスリムの職人達は、真鍮や青銅のような銅との合金から什器をこしらえる技術を新たな高みへと向上させた。こうして出来上った盆や水盤、鉢、手桶、取手付き水差し、香炉、ランプ、ろうそく立て台とか多枝燭台などは、外面を引き立たせるために貴金属のはめ込み細工がほどこされて飾られた。宗教的な場所で使われた金属細工は、家庭的背景の中で使われた金属細工と装飾が異なっているだけだった。それらは形像的であるよりも、碑銘的、幾何学的、植物的な文様が使われる傾向があった。

▲セリム３世肖像画。こうした個人を描いた画像にも欧州の影響がうかがわれる。

イスラーム芸術
絨毯
陶器
織物
金属細工
ガラス製品
象牙細工
翡翠細工
製本・装幀
ベルギー
ルクセンブルク
ドイツ
チェコ
ウクライナ
パリ
フランス
スイス
オーストリア
ハンガリー
モルダビア
ルーマニア
ベオグラード
ボズナイ・ヘルツェゴビナ
ユーゴスラビア
ブルガリア
イタリア
ローマ
アルバニア
イズニク
ブルサ
ギリシャ
アテネ
スペイン
トレド
ポルトガル
リスボン
コルドバ
グラナダ
マラガ
パレルモ
チュニス
カイラワーン
チュニジア
ガフサ
スファックス
地中海
ラバト
フェス
大西洋
モロッコ
アルジェリア
リビア
西サハラ
モーリタニア
マリ
ニジェール
チャド
ダカール
セネガル
ブルキナ
ギニア
コナクリ
ナイジェリア
ベニン
トーゴ
象牙海岸
ガーナ
ラゴス
リベリア
アビジャン
アクラ
中央アフリカ共和国
カメルーン
コンゴ共和国
コンゴ
ガボン

カザフスタン
海
グルジア
カスピ海
ウルゲンチ
（14世紀）
ウズベキスタン
キルギス
アマシア
アルメニア
アゼルバイジャン
ルコ
ブハーラー
サマルカンド
トゥルクメニスタン
タジキスタン
カイセリ
ディヤルバキール
タブリーズ
中　国
マシュハド
マルブ
（8〜12世紀）
ニーシャープール
（9〜13世）
マウスィル
ラッカ
レッポ
カーブル
カーシャーン
ヘラート
カシュミール
ダマスクス
バグダード
エスファハーン
イラク
イラン
ヤズド
アフガニスタン
ラホール
サーマッラー
バスラ
ケルマーン
シーラーズ
デリー
パキスタン
ネパール
ブータン
アグラ
ジャイプール
ペルシャ湾
サウディ・アラビア
カラチ
リヤド
アラブ
首長国連邦
イ　ン　ド
アフマド・アーバード
カルカッタ
メッカ
紅海
アラビア海
バングラデシュ
ボンベイ
（ムンバイ）
オマーン
ハイデラバード
イエメン
ゥーム
サンアー
バンガロール
マドラス
アディス・アベバ
エチオピア
スリランカ
ソマリア
イ　ン　ド　洋
ケニア

イスラーム建築の主な遺跡

▼浮き彫をほどこした飾り板。アル・マアムーンの宮殿の一部。アル・マアムーンはトレドで最も有力な部族長であった。

一定の場所でイスラームの存在を感じさせるものは輪郭のはっきりしたその建築型式であるが、一番良く知られているのが金曜礼拝堂である。モスクは各地方の建材や建築技術によって多くの様式があり得るけれども、常にメッカの方向に向いていなければならず、ムスリム男性住民を収容するのに充分な大きさでなければならない。モスクは通常煉瓦と石で築かれており、穹窿ないし天蓋《ドーム》で覆われている。材木は本当にかわききった地域では、屋根ふきに使用することはできないか、高価すぎる。アナトリアや東南アジアのように鬱蒼とした森林を持った地域では使われていたが。それ以外の地域では、良材はモスク内の調度のために取っておかれた。たとえば、ミンバル（説教壇）や書見台といった調度があり、しばしば他の木や骨や象牙や真珠層がはめ込まれた。モスクは釉薬をかけられたタイルや彫刻をほどこされた化粧漆喰で丹念に飾られ、けば織りの、あるいは派手でない絨緞が敷きつめられていた。形像描写は宗教的文脈においては避けられ、世俗的背景においてのみ見かけられた。ほとんどすべてのモスクが、メッカの方角に向いている壁にミフラーブ（聖龕）を備えている。そして多くのモスクに、ひとつまたはそれ以上のミナーレット（光塔）が付属している。この塔から祈祷の招びが呼びかけられるのである。通常モスクは、利用できる最高品質の材料を使って建てられており、何世紀もの間きちんと管理されてきたので、どの場所でも最高の状態に保存されてきた建物であるのが普通だ。

支配者達は富や権威の象徴としてしばしば贅沢な宮殿を建てた。しかしながら、これらはモスクほど長く生き残ることができなかった。それらの意匠や建設がより実験的であったからである。それに後継者達はしばしば競争相手の素晴らしい業績を維持することに気乗りがしなかった。イスラーム圏における考古学的調査は、イェリコ近くにあるウマイヤ朝の隠れ家であったヒルバトゥル・マフジャルや、イラクにおける９世紀アッバース朝の首都であったサーマッラーのような見捨てられた場所に焦点を当てた。イスラーム風宮殿はほんのわずかしか地上に残らなかった。残った例としては、グラナダのアルハンブラ宮殿、イスタンブールのトプカプサライ、そしてデリーの赤い砦がある。イスラーム圏の宮殿は派手だけれども、建て方としては堅牢ではない。外観と見映えが形と構造より優先されている。ベルサイユ宮殿やエルミタージュ宮殿と違って、イスラーム圏の宮殿は典型的な加法構造を持っていて、中庭や壮麗な庭園のまわりに小翼が付せられている。

預言者ムハンマドは故人の墓の上に記念碑的な廟墓を建設することには眉をひそめたと伝えられているが、イスラーム圏の多くの場所では、廟墓建設に支配者の保護・援助があった。廟墓は、定かならぬ世界で自分のことを覚えていてくれることを切望する支配者達と同様、特に敬虔な人物の墓の上に建てられた。多くの廟墓が、正方形や八角形か円形の天蓋《ドーム》構造をしていて、質素な北アフリカのマラブーから雄大なタージ・マハルまで、さまざまである。故人を崇拝するためにやってきた信者に、祈祷方向を指し示すミフラーブ（聖龕）を持っている廟墓が多い。隣りに参拝客を収容できる構造を持ち、コーラン学級からスープ招待所に至るまでの公共奉仕活動を提供できる建物がある廟墓もある。このようにして、庇護者達は、廟墓建設を正当化するために慈善施設を使用することができた。

ムスリム達は直接地中に埋葬された。身にまとうものは白い経帷子《きょうかたびら》のみである。かくて考古学者達が他の文化的伝統を理解するために依拠している埋葬品は、イスラームの地には存在しない。しかしこの地域は相対的に乾燥地であり、特にエジプトや中央アジアはそうなので、もし乾燥地でなければ埋葬中に消失したかも知れないような脆い有機的成分が保存されるのに役立った。そうしたものの中で一番重要なのは、中世イスラーム経済において中心的役割を果していた織物である。これらの多くの外観は好感を与えないので、博物館でもめったに展示されない。一見矛盾しているようだが、イスラーム圏から出土した最も有名な織物は、その多くがアラビア語の祝辞が書かれたものであり、欧州の教会で保存されている。キリスト教徒聖者の遺骨を包むのに用いられたからである。

考古学上の発見物は、中国、インドや熱帯アフリカを欧州と結びつけるように、イスラーム圏を縦横に交差する交易路の連絡網が広範囲に存在していたことを立証している。イスラーム勃興以前に駱駝が家畜化されていたおかげで、たいていの交易は陸路をとって行なわれた。しばしば旅人や駄獣や物資を収容できるような隊商宿が、ほぼ24kmごとに建設された。海路をとった交易もあったが、地中海沿岸沿いに行なわれたり、インド洋の季節風を利用するものであった。最近の水中考古学の発達は、難破船の残骸を調査することを可能にした。たとえばトルコ沿岸のセルチェ・リマニで発見された例は12世紀のものであった。この遺跡からはおびただしい分量の溶かし直し用硝子《ガラス》屑が出ており、再生利用に供せられた。

◀カイロのカンスフル・グーリー隊商宿の中庭。

建築と考古学の遺跡
宮殿
礼拝堂ないし宗教建築
廟墓
住居
城砦
橋
難破船
大西洋
地中海
黒海
カスピ海
紅海
英国
オランダ
ドイツ
ポーランド
ベラルーシ
ベルギー
ルクセンブルク
フランス
スイス
チェコスロバキア
オーストリア
ハンガリー
ウクライナ
モルダビア
ルーマニア
ボズナイ・ヘルツェゴビナ
ユーゴスラビア
ブルガリア
アルバニア
ギリシャ
イタリア
スペイン
ポルトガル
トルコ
グルジア
アゼルバイジャン
アルメニア
シリア
レバノン
イスラエル
ヨルダン
イラク
サウディ・アラビア
エジプト
リビア
チュニジア
アルジェリア
モロッコ
西サハラ
モーリタニア
マリ
ニジェール
チャド
スーダン
セネガル
ギニア
ブルキナ
象牙海岸
リベリア
ガーナ
トーゴ
ベニン
ナイジェリア
カメルーン
中央アフリカ共和国
エチオピア
ソマリア
ケニア
ウガンダ
ガボン
コンゴ共和国
コンゴ
タンザニア
イエメン
ロッテルダム
ロンドン
ベルリン
ワルシャワ
パリ
ベオグラード
モスタル
ローマ
パレルモ
シューメン
プロブディフ
エディルネ
イスタンブール
イズニク
ブルサ
アマスィア
エルズルム
ドグバヤズィト
カイセリ
マラティア
コニヤ
ディヤルバキール
タブリーズ
アルダビール
14～17世紀
アテネ
ボドルム
アレッポ
ラッカ
マウスィル
ソルターニーイエ
14世紀
コム
トリポリ
ハマー
ダマスクス
ブスラ
ウハイディル
8世紀
バグダード
クーファ
7世紀
ワーシト
8世紀
スーサ
8～9世紀
エスファハーン
イェリコ
(湧泉跡)
アンマン
イェルサレム
サッマーラ
9～10世紀
バスラ
8～10世紀
アレキサンドリア
ガザ
カイロ
アジェダビア
10世紀
クサイル
14世紀まで
クース
アスワン
メディナ
メッカ
ジッダ
ターイフ
リヤド
スアキン
ハルトゥーム
サンア
ザビード
タイッズ
アディス・アベバ
モガディシオ
ナイロビ
ラーム
ゲディ
ザンジバル
ダールッサラーム
キルワ
キンシャサ
ルアンダ
サラゴサ
11世紀
トレド
リスボン
コルドバ
グラナダ
13～15世紀
アルジェ
トレムセン
ラバト
フェス
メクネス
マッラークシュ
チュニス
カイラワン
スース
スファックス
ジェルバ島
トリポリ
シンゲッチ
トンブクトゥ
ガオ
ジェンネ
アガデス
ダウラ
カノ
マスカ
ザリア
ボボ・ディウラッスー
ララバンガ
コナクリ
アビジャン
アクラ
ラゴス
Tropic of Cancer
Equator
0°
15°
30°
45°

75°
90°
105°
120°
カザフスタン
蒙　古
ハルビン
アラル海
ウズベキスタン
トゥルケスタン市
14～15世紀
キルギス
瀋陽
9世紀
ブハーラー
サマルカンド
タジキスタン
北京
天津
北朝鮮
京城
韓国
テルメズ
10～14世紀
バルフ
マルヴ
8～12世紀
ニーシャープール
～13世紀
中　国
西安
ヘラート
カーブル
カシュミール
ガズニ
ラホール
アフガニスタン
揚州
上海
成都
武漢
重慶
ムルターン
デリー
ファテプール・
スィークリー
16世紀
ファテプール
アグラ
ネパール
ブータン
バム
9～13世紀
パキスタン
アジュメール
ジャウンプール
パンドゥア
ササラム
カラチ
タッタ
台湾
広州
アフマドアーバード
マーンドゥー
カルカッタ
香港
ミャンマー
イ　ン　ド
バングラデシュ
ラオス
海南島
ボンベイ
（ムンバイ）
ビジャプール
ベトナム
アラビア海
グルバルガ
ハイデラバード
ヤンゴン
ルソン島
タ　イ
マニラ
バンコック
バンガロール
マドラス
カンボジア
ホーチミン
フィリピン
スリランカ
ミンダナオ島
マ　レ　ー　シ　ア
マラッカ
インド洋
ボルネオ島
スマトラ島
スラウェシ島
イ　ン　ド　ネ　シ　ア
ジャカルタ
デマク
クードゥス
ジャワ島
ティモール島

ムスリムの世界分布、2000 年

❤信者に祈祷を呼びかけている。多様なムスリム世界に響いている声。

現在の世界には、およそ 12 億人ほどのムスリムがいる。ほぼ人類の５分の１を占める。そのうちの圧倒的多数が、北アフリカの大西洋海岸線からインドネシアへ延びる領域の中心地帯に住んでいる。イスラームは歴史上、南の熱帯地方や東南アジアへ拡大していったので、ムスリムの数がもっとも多い国はインドネシアである（１億 8,200 万人）。東南アジアの集約栽培が、高い人口密度を可能にしたのだ。インドネシアは、イスラームが生み出された西南アジアの母体からは遙かに切り離された地にある国である。次に人口規模の大きいムスリム国はパキスタン（１億 3,400 万人）である。その次がインド（１億 2,100 万人）で、バングラデシュ（１億 1,400 万人）、エジプト（6,100 万人）、ナイジェリア（6,100 万人）と続く。上位の６ヶ国で世界のムスリムの半分以上が含まれる。ただひとつ、エジプトはアラビア語話者の国であり、イスラーム草創期に近い時点からイスラーム世界の一部であった。これらの諸国のうちのひとつインドではムスリムが幅広く暮らしているが、今でも攻撃を受けやすく、少数派である。人口統計学上から言えば、アラブ征服の過程で存在するようになった“古い”イスラームは、主に熱帯の外縁部にあるより新しくより若いイスラームによって追い越されてしまった。

法学派や宗派がどうであったかと言えば、世界中のムスリムのほぼ 85％が主流たるスンニー派に所属しており、必ずしも常にそうだとは限らないのだが、スンニー派の４つのマズハブ（法学派）のいずれかに同意している。オスマン帝国の欽定学派であったハナフィー派は、元のオスマン領で優勢であった。アナトリアやバルカンは、もちろんカフカス、アフガニスタン、パキスタン、インドや中央アジアの諸共和国と中国に分布していた。マーリク派はマグリブや西アフリカで優勢であった。シャーフィイー派はエジプト、パレスチナ、ヨルダンとイエメン沿岸地方、そしてパキスタンやインドやインドネシアのムスリム達の中で代表的であった。ハンバル派はサウディ・アラビアで優勢だった。しかしながら、別々の学派が一定の地域で長く共存していたこともあったし、エジプトのような国々ではかなりの程度の重複もあった。エジプトでは、法学上の近代主義が別々の法学派から寄せられた決定のタルフィーク（継ぎ合わせ）を可能とした。スンニー派ではないムスリムは、世界中に分布しているムスリム人口の 15％である。660 年にイスラームの本隊を二つに割ったハーリジュ派は、オマーンやザンジバルや南アルジェリアのタヘルトなどで修正された形で生き残り、イバード派と呼ばれている。シーア派はイラン、南イラク、クウェートやバフラインに集中しており、かなりの人数が少数派としてアフガニスタン（380 万人または 15％）、インド（３％または 3,000 万人）、レバノン（34％または 120 万人）、パキスタン（20％または 2,800 万人）、シリア（12％または 200 万人）、トルコ（20％または 300 万人）、アラブ首長国連邦（16％または約 50 万人）とイエメン（40％または 700 万人）に居住している。シーア派の大半――およそ 85％――は十二イマーム派に属している。十二イマーム派の信者の多くは、イスラーム法を解釈する資格のある者として振舞うマルジャ（「源泉」の意。模範の源泉、法判断の源泉）として知られる大アーヤトッラーか上位の宗教指導者の１人に忠実に従っている。ほかのシーア派共同体には、イエメンのザイド派やイスマアイール派（七イマーム派）がある。後者の生き残りには２派がある。２派はファーティマ朝に由来し、ムスタアリー派（東南アジアや東アフリカではボホラの名で知られている）は、イマーム＝カリフのムスタアリー（1101 年歿）のダーイー・ムトラク（主席宣教者）に従った人達である。もうひとつのニザール派は、生けるイマームと目されたムハンマド・ブン・イスマアイールの血を引いたペルシャ系の貴族アーガー汗の指導に従う人達である。19 世紀にアフリカや西洋への移住が始まるまでは、ニザール派の人達は、シリアやペルシャや内陸アジアや北西インドの小さな共同体の中で暮していた。

スンニー派でもシーア派でも、熱心なムスリムの多くは上記に概説した法学派のうちのどれかひとつの派を信奉していた。しかし、ムスリムが多数派の多くの国々で、イスラーム法の諸要素（特に、結婚や離婚や相続などのような個人の地位の問題を含む法）は、国家の司法制度の中に組み入れられている。大多数のイスラーム国家において、近代国家――イスラームの機構を進歩的な国家管理のもとに置いたオスマン朝のタンズィマーティ・ハイエリ（恩恵的改革）で始まった――は、過去ずっとシャリーア（イスラーム聖法）を解釈し、広めたり、あるいは司ってきたウラマーの自治を浸食している。同時に、書物への排他的接近にもとづいていた彼らの宗教的権威も、中等教育の勃興と識字能力の普及によって揺らいできつつある。イスラーム主義運動の多くは、近代技術教育の恩恵を受けた人達によって指導され、支援されている。彼らは、伝統的な学問の仲立ちを通してではなく、直接一次資料ないし二次資料（コーラン、ハディース、近代の思想家や学者の著作）を通してイスラームの教えに触れた人達だ。

一目見れば分かることだが、イスラームにおける宗教的権威の世俗化ないし民主化とも呼べるような方向への趨勢は、サウディに本拠を置くムスリム世界連盟のような組織によって推進されるもっと正統的で標準化されたあり方へと導かれ得る。しかしながら、改革主義者による非難や、富裕だが文化的には保守的な産油地帯から発出している宗教的帝国主義にもかかわらず、スーフィズムの神秘主義的伝統は非常に弾力的で適応性がある。サハラ以南のアフリカやアジアの多くの地域（元ソ連領を含む）では、礼拝や断食や喜捨や巡礼などの正式の宗教的義務を補足する（しかし必ずしも取り替えるのではない）訓練を受けたカリスマ的な指導者を通じて折り合いをつけさせたイスラームの改良版が進化中であり、長い間口頭で伝えられたり個人間の人間関係を通じて伝えられてきた伝承を構築中である。テキストの中に埋め込まれたり“凍結された”イスラームの信仰や勤行の多様性は、その豊かな象徴的用語や意味の宝庫の一部であるにすぎない。宗教的権威の古い型が衰えたり、近代の挑戦に本格的に取り組むには不充分であることが立証されてくるにつれ、精神的権威や社会勢力の別の型が立ち現れてくる。

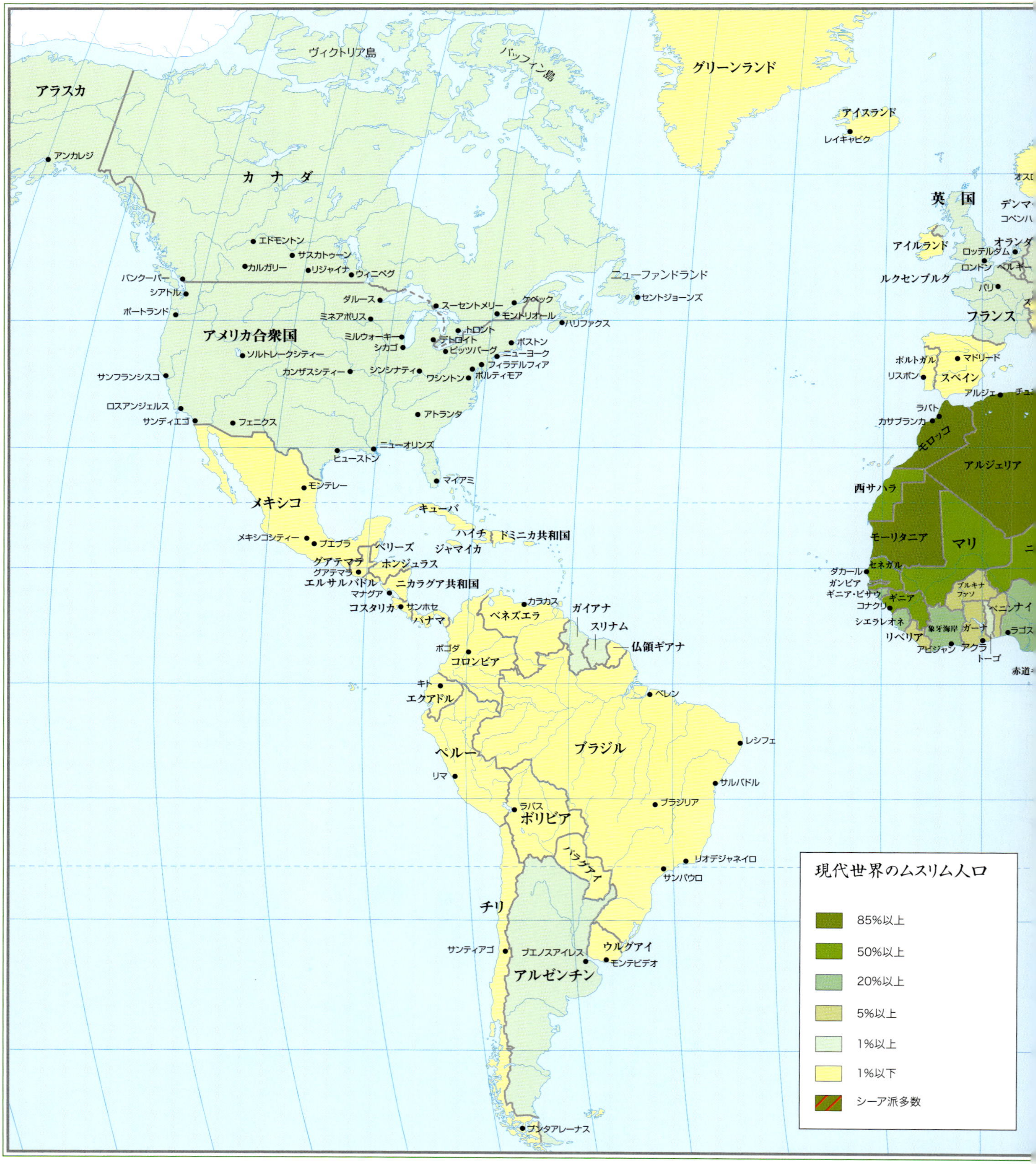
ヴィクトリア島
バッフィン島
グリーンランド
アラスカ
アンカレジ
カナダ
アイスランド
レイキャビク
英国
アイルランド
デンマ
コペンハ
オスロ
オランダ
ロッテルダム
ロンドン
ベルギー
ルクセンブルク
パリ
フランス
ポルトガル
マドリード
リスボン
スペイン
アルジェ
エドモントン
サスカトゥーン
カルガリー
リジャイナ
ウィニペグ
バンクーバー
シアトル
ポートランド
ダルース
スーセントメリー
ケベック
モントリオール
ミネアポリス
ニューファンドランド
セントジョーンズ
ハリファクス
アメリカ合衆国
トロント
ミルウォーキー
ボストン
シカゴ
デトロイト
ピッツバーグ
ニューヨーク
ソルトレークシティー
フィラデルフィア
サンフランシスコ
カンザスシティー
シンシナティ
ワシントン
ボルティモア
ロスアンジェルス
アトランタ
サンディエゴ
フェニクス
ニューオリンズ
ヒューストン
マイアミ
モンテレー
メキシコ
キューバ
ハイチ
ドミニカ共和国
ジャマイカ
メキシコシティー
プエブラ
ベリーズ
グアテマラ
ホンジュラス
エルサルバドル
ニカラグア共和国
マナグア
コスタリカ
サンホセ
パナマ
カラカス
ベネズエラ
ガイアナ
スリナム
仏領ギアナ
ボゴダ
コロンビア
キト
エクアドル
ベレン
ブラジル
レシフェ
ペルー
リマ
サルバドル
ラパス
ボリビア
ブラジリア
パラグアイ
リオデジャネイロ
サンパウロ
チリ
ウルグアイ
サンティアゴ
ブエノスアイレス
モンテビデオ
アルゼンチン
プンタアレーナス
ラバト
カサブランカ
モロッコ
アルジェリア
西サハラ
モーリタニア
マリ
ダカール
セネガル
ガンビア
ギニア・ビサウ
ギニア
ブルキナファソ
コナクリ
シエラレオネ
象牙海岸
ガーナ
ベニン
ナイ
ラゴス
リベリア
アビジャン
アクラ
トーゴ
赤道
現代世界のムスリム人口
85%以上
50%以上
20%以上
5%以上
1%以上
1%以下
シーア派多数

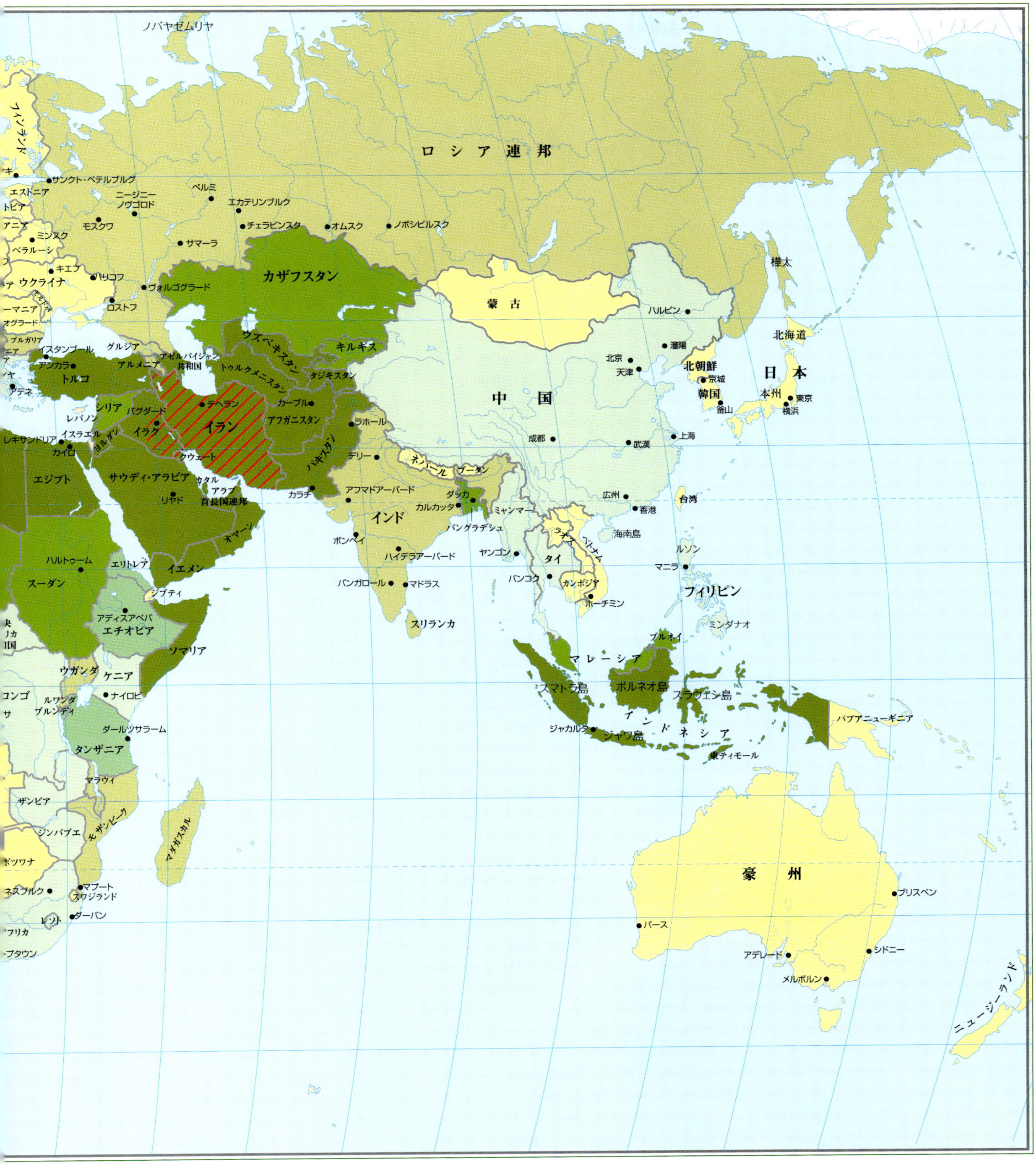

ノバヤゼムリヤ
フィンランド
ロシア連邦
サンクト・ペテルブルグ
エストニア
ニージニー
ノヴゴロド
ペルミ
エカテリンブルク
モスクワ
チェラビンスク
オムスク
ノボシビルスク
ミンスク
ベラルーシ
サマーラ
キエフ
ハリコフ
ウクライナ
ヴォルゴグラード
ロストフ
カザフスタン
蒙古
ハルビン
樺太
北海道
ブルガリア
イスタンブール
グルジア
アゼルバイジャン共和国
アルメニア
ウズベキスタン
キルギス
トゥルクメニスタン
タジキスタン
アンカラ
トルコ
アテネ
瀋陽
北京
天津
北朝鮮
京城
韓国
釜山
日本
本州
東京
横浜
中国
シリア
バグダード
テヘラン
カーブル
アフガニスタン
レバノン
イスラエル
イラク
イラン
ラホール
ヨルダン
カイロ
クウェート
パキスタン
デリー
ネパール
ブータン
成都
武漢
上海
エジプト
サウディ・アラビア
カタル
アラブ首長国連邦
リヤド
カラチ
アフマドアーバード
ダッカ
カルカッタ
インド
ミャンマー
広州
香港
台湾
海南島
オマーン
バングラデシュ
ボンベイ
ラオス
ベトナム
ハルトゥーム
エリトレア
イエメン
ハイデラアーバード
ヤンゴン
タイ
ルソン
マニラ
バンコク
カンボジア
スーダン
ジブティ
バンガロール
マドラス
ホーチミン
フィリピン
アディスアベバ
エチオピア
スリランカ
ブルネイ
ミンダナオ
ソマリア
マレーシア
ウガンダ
ケニア
スマトラ島
ボルネオ島
スラウェシ島
ナイロビ
コンゴ
ルワンダ
ブルンディ
インドネシア
パプアニューギニア
ダールツサラーム
ジャカルタ
ジャワ島
タンザニア
東ティモール
マラウィ
ザンビア
ジンバブエ
モザンビーク
マダガスカル
ボツワナ
豪州
ネスプルク
マプート
スワジランド
ブリスベン
レソト
ダーバン
パース
アデレード
シドニー
メルボルン
ニュージーランド

世界のテロリズム、2003 年

テロリズムという言葉には非常に多くの定義がある。しかし一般にはこの言葉は、ひそかに国家の支援を受けているか、あるいは全く無所属のゲリラ組織が作戦を展開しているかどうかにかかわりなく、“国家以下の集団”または“非国家的なやっかい者”による違法な軍事行動を指して使われている。またこの言葉は方法や目的という観点から定義されることもある。たとえば、米国はテロリズムを“政府や社会を威圧したり脅すことを意図して、恐怖を教えこむために暴力を計算して使用すること、またはその脅威”と定義している。暗殺や誘拐や飛行機乗っ取りなどのようなある種の行動は、世界のたいていの地で武装した反乱を連想させる一方で、爆発装置を使って市民を殺戮することは非国家的なやっかい者だけに限られるとは言い難い。使われた打撃の加え方は、政府によるものと“テロリスト”によるものでは違うかも知れないが、出てきた結果は両方とも等しく非人間的である。たとえば、空から投下される集束爆弾は、市民を標的にする無差別的なやり方において自爆テロに類似している。諸政府によって“テロリスト”と呼ばれている運動はレッテルを争う代表例であり、通常はそれを使う側の正当性を争っているのだ。ある型の活動を呼ぶ言い方であるよりは、テロリズムは罵詈雑言として使われる傾きがある。どこの政府も暴力の使用に対して“テロリスト”と呼ぶ独占権に挑戦してくる武装した相手を非難する。一方では、反乱者やその味方をしている者達は、諸政府によって使われる方法を“国家テロ”と呼んで非難している。たとえば、“標的とされた殺戮”とか、裁判のない拘束とか拷問とか、反乱者の容疑をかけられた者やその家族の家を破壊することが非難の対象となっている。

2001 年９月 11 日、イスラーム主義者の叛徒がニューヨークとワシントンを攻撃した。彼らは４機の民間航空機を乗っ取った。４機中の２機はマンハッタンにある世界貿易センターに突っ込んでいった。その結果 3,000 人ほどの死者が出た。必然的にテロリズムとイスラームの好戦性とは同義語であるという思いこみが生じた。この攻撃の劇的性格——世界中のテレビで生中継された——は、諸政府と武装叛徒達の間の他の闘争を影の薄いものにした。しかし 2001 年から 2003 年にかけて、これらの闘争の多くはイスラーム世界の外側で起きていた。ネパールの毛沢東主義派、スリランカのタミール人、スペインのバスク人、コルシカの分離主義者、リベリアのリベリア人和解民主主義連合（ＬＵＲＤ）に所属する叛徒、そしてコロンビア政府とコロンビア革命軍（ＦＡＲＣ）の間で何十年も続いている闘争は言うに及ばず、コンゴとルワンダの間の紛争のような中央アフリカにおけるいくつかの紛争等の、それぞれの政府に対する血ぬられた戦闘がそれらに含められる。しかし、９月 11 日の事件のあとでジョージ・ブッシュ大統領が宣言した“テロとの戦い”は、特にイスラーム集団を標的にしていたように見える。併せて彼らを支援していると言われているムスリム政府（とりわけシリアとイランとイラク）も標的になったようだ。アル・カーイダはサウディの不満分子ウサーマ・ブン・ラーディンによって主宰されるイスラーム主義者の軍事的連絡網であり、９月 11 日の事件に責任を負う者と考えられた。また、1998 年における東アフリカの米大使館攻撃や、９月 11 日以後のいくつかの残虐行為（ほとんどが豪州人だが、200 人を越える人が殺されたバリ島ディスコテクの爆弾テロを含む）もアル・カーイダの仕業と考えられた。米国は軍事行動をもってこれに答え、二つの国——アフガニスタンとイラク——の政権転覆を狙った。両国がアル・カーイダを支援していると言って非難した。米軍による大量爆撃ののち、2002 年夏に排除されたターリバーン政権がブン・ラーディンとアル・カーイダ要員をもてなしていたことは間違いないが、2003 年３月、米英軍のイラク侵攻後権力の座から失墜したイラクの指導者サッダーム・フサインの場合はずっと不確かである。政権崩壊後もイラクが大量破壊兵器を保有していた（公式に戦争の口実とされた理由）という証拠は出てこなかったし、米政府高官が表明していたような9月11日攻撃にイラク政権が連座していた証拠も出てこなかった。

アル・カーイダはいくつかのムスリム諸国のイスラーム主義運動と連携する全地球規模の連絡網である。そういうわけで、米国とその同盟国による全地球規模の反応を刺激したのである。英国と豪州、イタリア、スペインやポーランドを含むいくつかの国が軍事派遣団をイラクに送りこんだ。米国連邦捜査局（ＦＢＩ）は多くの国で地元の保安機関を援助してきた。米国の特殊部隊と軍事顧問達は、グルジアのチェチェン叛徒と戦う（バクー－トビリシ－ジェイハーン間の送油管を守るために）政府軍やフィリピン政府軍を手助けするために派遣された。フィリピンでは、モロ・イスラーム解放戦線のイスラーム分離主義者達がミンダナオ南部の島で武装叛乱を行なっていた（アル・カーイダとつながりがあるアブー・サイヤーフ集団の支援を得て）。米国はパレスチナ人イスラーム主義者の反乱に反対するイスラエルを支持して、深く紛争にかかわってきた。米国はこれまでのところ、米国内における有力なロビー（ユダヤ人とキリスト教原理主義者のロビー）の反対をおそれて、占領地における違法なユダヤ人植民地を放棄するようイスラエルに圧力をかけることに失敗している。ウズベキスタンでは、米国はイスラーム・カリモフ大統領の圧政的な政権を無条件で支持した。カリモフはこれを方便として、政治上の反対者をイスラーム主義の“テロリスト”と指定した。反対にスーダンでは、ムスリム政府が、非ムスリムの南部人による25年間に及んだ反乱に直面していた。米国は、ムスリム政府を妥協に追い込むため、スーダン人民解放軍（ＳＰＬＡ）の叛徒を支持することに重要性を置いてきた。

概して言えば、米国に率いられる西洋諸国は、植民地主義列強が画定したアフリカやアジアの国境線にもとづく現存の国家を支持するために優秀な軍事能力を展開しつつある。その国境線の多くが武装した叛乱によって挑戦を受けているのである。こうした挑戦の大きな部分がムスリム集団からくる挑戦なので、“テロとの戦い”は、ムスリム世界の多くの人々によって明白に反ムスリム的な偏見を持っているとみなされるのである。

▲ニューヨークにあった世界貿易センターのトゥイン・タワーが2001年9月11日、崩壊する寸前に燃え上っているところ。この時乗っ取られた飛行機は80階と95階にぶつかった。100ヶ国以上からやってきたほぼ3,000人の犠牲者は上階に閉じこめられた。

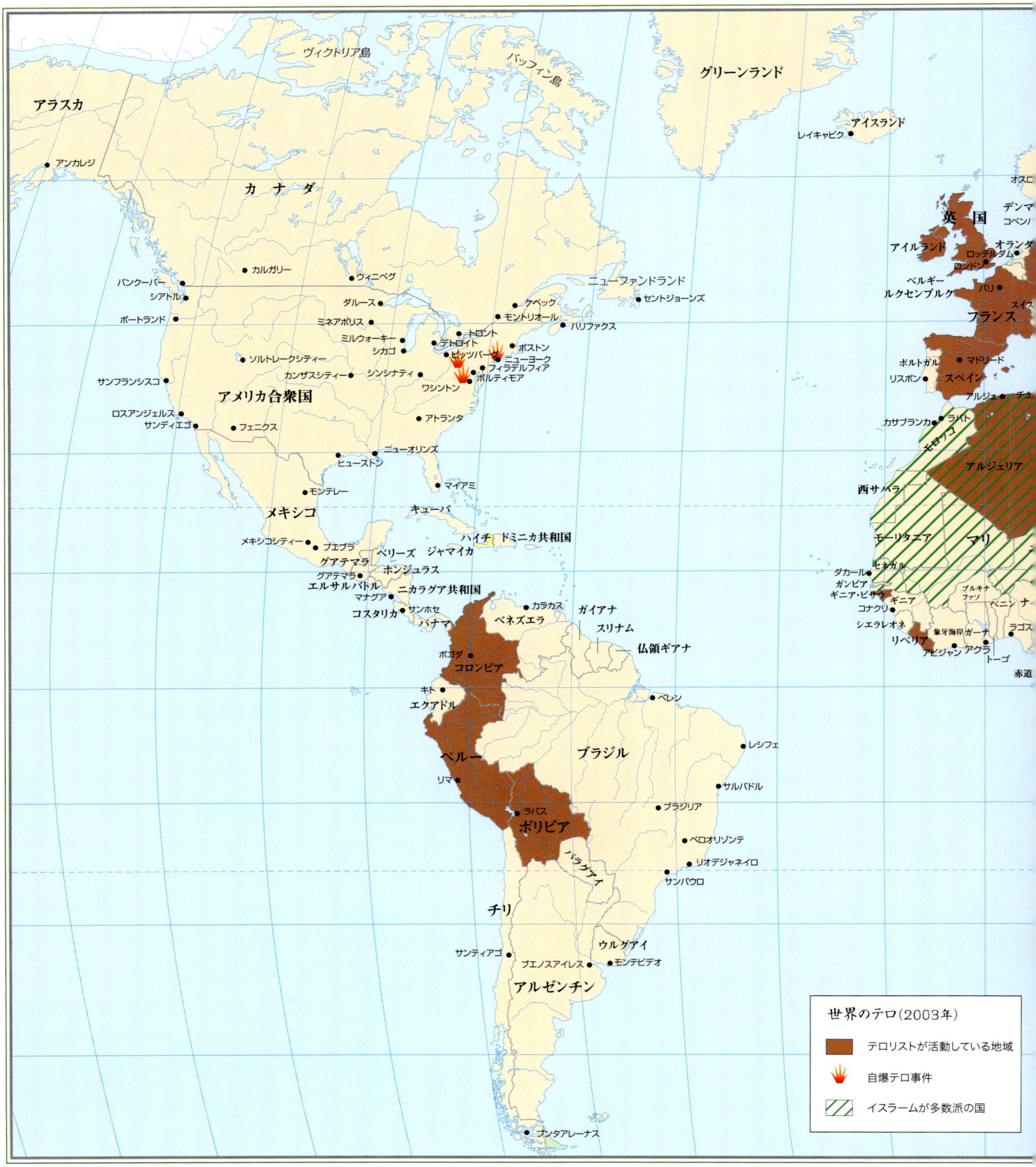

ヴィクトリア島
バッフィン島
グリーンランド
アイスランド
レイキャビク
アラスカ
アンカレジ
カ　ナ　ダ
カルガリー
ウィニペグ
バンクーバー
シアトル
ポートランド
ダルース
ミネアポリス
ミルウォーキー
シカゴ
デトロイト
トロント
ケベック
モントリオール
ニューファンドランド
セントジョーンズ
ハリファクス
ボストン
ピッツバーグ
ニューヨーク
フィラデルフィア
ボルティモア
ワシントン
ソルトレークシティー
カンザスシティー
シンシナティ
サンフランシスコ
アメリカ合衆国
ロスアンジェルス
サンディエゴ
フェニクス
アトランタ
ニューオリンズ
ヒューストン
マイアミ
モンテレー
メキシコ
キューバ
ハイチ
ドミニカ共和国
メキシコシティー
プエブラ
グアテマラ
ベリーズ
ジャマイカ
ホンジュラス
グアテマラ
エルサルバドル
ニカラグア共和国
マナグア
コスタリカ
サンホセ
パナマ
カラカス
ベネズエラ
ガイアナ
スリナム
仏領ギアナ
ボゴタ
コロンビア
キト
エクアドル
ベレン
レシフェ
ブラジル
ペルー
リマ
サルバドル
ブラジリア
ラパス
ボリビア
ベロオリゾンテ
パラグアイ
リオデジャネイロ
サンパウロ
チリ
ウルグアイ
サンティアゴ
ブエノスアイレス
モンテビデオ
アルゼンチン
プンタアレーナス
英　国
アイルランド
オスロ
デンマ
コペン
オランダ
ロッテルダム
ロンドン
ベルギー
ルクセンブルク
パリ
スイス
フランス
ポルトガル
マドリード
リスボン
スペイン
アルジェ
チュ
ラバト
カサブランカ
モロッコ
アルジェリア
西サハラ
モーリタニア
マリ
ダカール
セネガル
ガンビア
ギニア・ビサウ
ギニア
ブルキナファソ
コナクリ
ベニン
シエラレオネ
象牙海岸
ガーナ
ラゴス
リベリア
アビジャン
アクラ
トーゴ
赤道
世界のテロ(2003年)
テロリストが活動している地域
自爆テロ事件
イスラームが多数派の国

ノバヤゼムリヤ
フィンランド
ロシア連邦
サンクトペテルブルク
ニージニー
ノヴゴロド
ペルミ
エカテリンブルク
モスクワ
チェラビンスク
オムスク
ノボシビルスク
ミンスク
サマーラ
ベラルーシ
キエフ
ハリコフ
ウクライナ
ヴォルゴグラード
カザフスタン
ロストフ
蒙古
ハルビン
樺太
北海道
グルジア
アゼルバイジャン共和国
アルメニア
ウズベキスタン
キルギス
トゥルクメニスタン
タジキスタン
イスタンブール
アンカラ
トルコ
アテネ
北京
天津
瀋陽
北朝鮮
京城
韓国
釜山
日本
本州
東京
横浜
シリア
テヘラン
カーブル
中国
レバノン
バグダード
イラン
アフガニスタン
ラホール
イスラエル
ヨルダン
イラク
パキスタン
成都
武漢
上海
カイロ
クウェート
デリー
ネパール
ブータン
エジプト
サウディ・アラビア
カタル
カラチ
リヤド
アラブ首長国連邦
アフマドアーバード
ダッカ
広州
香港
台湾
カルカッタ
インド
ミャンマー
バングラデシュ
オマーン
ラオス
海南島
ボンベイ
ハイデラアーバード
ヤンゴン
タイ
ベトナム
ルソン
イエメン
エリトリア
ハルトゥーム
スーダン
マニラ
バンコク
カンボジア
バンガロール
マドラス
ホーチミン
フィリピン
ジブティ
アディスアベバ
エチオピア
スリランカ
ミンダナオ島
ソマリア
ブルネイ
マレーシア
ウガンダ
ケニア
スマトラ島
ボルネオ島
スラウェシ島
ナイロビ
ルワンダ
ブルンディ
インドネシア
パプアニューギニア
ジャカルタ
ジャワ島
東ティモール
ダールツサラーム
タンザニア
マラウィ
ザンビア
ジンバブエ
モザンビーク
マダガスカル
豪州
マプート
スワジランド
ブリスベン
レソト
ダーバン
パース
アデレード
シドニー
メルボルン
ニュージーランド

ムスリムの映画

ムスリム社会に活動写真が入ったのは、それが西洋に出現して間もなくのことであった。そして最初はえり抜きの視聴者に紹介された。欧州で1896年に初登場して数ヶ月たたぬうちに、ルミエール兄弟の映画は、アラブ世界でも圧倒的な選良の視聴者に向って上映された。たとえばエジプトでは、アレキサンドリアのトゥソン株式取引所で上映された。モロッコでは、フェスの王宮で上映された。トルコでも私的な上映会がスルターンの宮廷で催された。イスタンブールのユルドゥズ宮殿である。1900年、イランの国王モザッファロッディーン・シャーが、“映写機”と“幻燈”を見るためにフランスへ旅している。同年、彼の写真師であるミールザー・エブラーヒーム汗がベルギーで“花の儀式”を撮影して、イラン最初の映画を製作した。

▲2003年第56回カンヌ映画祭閉会式の際、「午後5時」で審査員賞を受賞したイラン人監督サミーラ・マフマルバーフが写真家達に向ってポーズをとっているところ。賞讃を浴びている監督モホセン・マフマルバーフの娘。彼女が初めての映画「林檎」（1998年）を作ったのはわずか18歳の時であった。イラン・イラク国境のクルド人難民を扱った「黒板」（2000年）もカンヌで審査員賞を受賞している。

これらの国々における地元の映画産業は、外国人や少数の個人の努力によって出現した。たとえば、イスタンブールのガラタサライ広場のビア・ホールで公開の映画上映を始めたのは、ポーランド系ルーマニア人のジークムント・ヴァインベルクであった。イランでは、アルメニア系イラン人のオヴェネス・オガニアンスが1905年に映画を公開する建物を建て、29年には初めての映画学校を創立した。そして30年には最初の長編映画を製作した。

アフリカやアジアの大半は、植民地体験の一部として映画を体験した。かくてアラブ世界は西欧映画のために大いに異国情緒のある背景を提供した。そういうわけでフランスの観客達は、聖なる土地として大きな関心を惹きつけた北アフリカやパレスチナに魅惑された。そしてエジプトはその古代史によって魅力的であった。植民地主義産業は北アフリカで200本の映画を製作したが、主役にアラブ人俳優がなれたのはたったの6本である。

地元の言語による音声を導入したことは、各地の映画製作をあと押しした。たとえば、エジプト映画はウンム・クルスームのようなエジプト人歌手や音楽家を含めることによって、投資家と観客の双方を魅了した。エジプト映画は、アラブ諸国において主導的な地位を占めるようになったのみならず、他国の映画の影響も受けた。たとえば革命以前のイランのペルシャ語映画からも影響を受けた。しかしながら他のアラブ諸国では、国産映画産業は発達しなかった。なぜなら、財政に制約があり、植民地宗主国の圧力もあったからである。これらの諸国の大半は、独立後、映画産業に参入した（レバノンとシリアは1940年代、北アフリカは1950年代から60年代初頭にかけて）。

植民地時代にはアラブ諸国に輸入された映画は、しばしば植民地宗主国の利益を増進させる道具として使われた。日本人でさえ、インドネシア占領時（1942～45年）、自らの戦争努力を支えるために、急成長しつつあったインドネシアの映画産業を利用した。同時に、映画は国語としてインドネシア語を標準語化するのに役立った。アラブ世界では、映画製作は独立後ますます民族主義的・社会主義的傾向を強めた。シリアやアルジェリアやチュニジアのような国々は、映画産業を利用して、銀幕上で国民的アイデンティティを増進せしめた。イランでは、ダーリユーシュ・メフルジューイーが「牛」という映画で賞をとり、マスウード・キーミヤーイーが「ゲイサル」を監督した。両者とも1969年に製作された映画だが、イラン映画芸術における新思潮の開始を告げる画期的な作品であった。その後もイラン映画はますます国際的な賞讃を獲得した。同じ頃、1970年にユルマズ・ギュネイが受賞した「希望」(Umut)が、トルコ映画の転換点となり、トルコ映画の新思潮時代を画した。

1978年から82年にかけてのイランでは、映画製作者達が不安な将来に直面していた。それは何よりも過渡期ゆえに財政的に不安定であったし、政府が映画に関心がなかったからである。少数の例外を除いて、この時期には品質の良い映画は製作されていない。革命以前、大半のウラマーは映画を拒否するか無視していた。ところが革命後になって、イスラーム主義者達もその力を認識するようになり、映画産業を自らの統制下に置くことを決定した。ホメイニーにとっては、映画の採用が、パフラヴィー朝政権の親西欧的・帝国主義的文化と闘うための思想的武器となった。ホメイニーが死んだ1989年までに、ベイザーイーの「バシュー——小さな異邦人」のようなイラン映画が再び国際的な賞讃を受けるようになった。社会の内部で進行中の対話のための場所を提供することにより、イラン映画はイランがどう変化すべきかについての議論における重要な媒体となっていた。

1980年代、アラブ諸国は映画製作から撤退し始めた。アルジェリアの映画産業は破産した。一方、エジプトの映画産業は大きな経済的危機に見舞われた。テレビとビデオの大量生産は、両者が相まって、どの地域においても映画製作を衰退させた。北アフリカやシリアや特にレバノンの映画は西洋との合作になった。1980年トルコにおける映画の本数が突然低下した。1980年代末になると、ふたたび上向きに転じたけれども。

この地域の諸国の大半は、映画産業をがっちり統制下に置いていた。変化に向う力および異議申し立ての表現手段としての重要性を認識していたからである。たとえばトルコでは、この厳格な検閲が二つの段階で効果を発揮した。脚本の段階と出来上った映画の段階である。同様の経過がインドネシアでも見られた。ここでは、撮影前と編集中の2回にわたって検閲が行なわれた。イラン映画界では、すべての最終作品の上映に国家の承認が必要である。例外がないことはないが、この承認は、終りの解説段階でも必要とされる。たいていのアラブ諸国では、映画の企画は、商業的にやっていけるかどうかを確認するために、情報省または他の同様の検閲当局から他の許可を得る前に、まず撮影許可を得なければならない。

ボリウッドのことも語っておかねばならない。ムンバイ(ボンベイ)にあるインドの映画産業である。多くのムスリム諸国で、特に初期の何十年間かボリウッドは非常に模倣されたばかりでなく、ムスリムが脚本家や製作者や音楽家や俳優として大活躍しているのだ。シャーハンシャー(王の中の王)として知られる分野もある。これはムガール朝時代の皇帝ジャハーンギールを扱った映画「プカル」(1939年)にさかのぼる。これは最初の有名な“ムスリムの社会映画”とみなされている。後者は「偉大なるムガール」のような他の作品の中で姿を見せ続けるが、のちの作品では、ムスリムの社会に対する態度に帝王的性格が薄くなり、主に北インドのムスリム中産階級を取り扱うようになる。シャーハンシャーという分野は1970年代以降衰退した。最後はアフガニスタンの話である。40本の長編と短編があるだけで、長く国際場裡から隠れていたが、アフガニスタンは、アフガニスタン、日本、アイルランドの合作作品「ウサーマ」(2003年)をもって映画の国際舞台に再登場した。脱ターリバーン後のアフガニスタンから出品された長編物として、カンヌやロンドンを含むさまざまな映画祭で上映された。

インターネットの使用

デジタル時代以前、イスラームに関する質問はしばしば各地方のウラマーに向けて発せられた。ウラマーは伝承の公認された解釈者であり、宗教的権威の第一の代行者としてふるまっていた。スンニー派の世界では、識字率の高まりと中等教育の普及によって、包世界通信網の出現以前から、この優越的地位はむしばまれつつあった。インターネットはこの過程を加速させた。イジュティハード（コーランやハディースなどの第一等の典拠にもとづいて独自の判断を行なうこと）の個人的な行使がより容易になったからである。ひとたび排他的な人が資格のある学者達を保護するようになったら、この過程の発達は伝統的な学問の階層秩序を浸食していく。

ムスリムの通信網探索者《ウエブ・サーファー》は、判断に到達するために、コーランの用語索引や分厚い法学書を見たりする必要はない。鍵になる言葉《キーワード》を使って、コーランやハディース（預言者ムハンマドの言行録）集を入念に調べることによって、画像として伝送された資料を閲覧するだけでよい。代りに彼らは、何百とあって、社会的、道徳的、宗教的、場合によっては政治的指導も行なっている通信網拠点《ウエブサイト》に質問を電子メールで送ることもできる。サウディ・アラビアや湾岸諸国に本拠を置くウエブサイトは多くは最高に資金を供給されているので、返事はしばしば保守的な性格を持つ。また、質問者の社会的・経済的環境に必ずしも敏感ではない。たとえば、北米に住む若い女性からの質問で、口ぎたない両親に対してどう対処すればよいかについて、返事では、市民としての権利よりも子としての義務の方が強調されるかもしれない。

シーア派の十二イマーム派にとっては、経典などよりも聖職者が権威の授与者である。ウエブは生きているマルジャによる決定に接することを可能にする。マルジャとは模倣／模範の源泉という意味で、たとえばイラクには指導的なマルジャである大アーヤトッラー・スィースターニー師がいる。このサイトのウエブページは、クレジット・カードや保険や著作権や死体解剖や臓器移植などの現代的関心事を宗教的義務に関する助言などと共に取り上げている。いくつかのスーフィー教団はウエブサイトを維持しており、彼らのシャイフの霊的系譜や特別な祈祷やジクル（唱名の儀礼）の勤行の写しを詳述している。しかしながら、スーフィーの多くの勤行は外部者には閉ざされたものなので、より正統的な教団のみがサイトを維持している。政治的イスラームは、イスラーム主義者の政党も含め、たいて

いの政党と共に広く表示されているので、彼らのウエブサイトを通じて接近可能である。反対勢力も表示されている。場合によっては禁止された集団への接近《アクセス》は政府の統制で制約があることもある。イスラームの女性集団は通信網空間《サイバー・スペイス》で積極的である。彼女達は、“真の”イスラームの教えの名において、アフガニスタンの元ターリバーン政権によって広められたような族長的慣行に反対しているのである。ムスリム世界に急速に普及しつつあるインターネットに接近《アクセス》できても、その長期的効果ははっきりしない。一方では、カイロのアズハル大学のような機関に代表される主流の伝統をも包含しつつ、地方の伝統を超えるような“普遍的な”イスラーム論が現われてきている。他方では、出現しつつある論考は多様性や意見の相違を調整せざるを得ない。少数派や分裂集団は、宗教的・政治的多元主義がしばしば抑圧されてきた文化の中では主流の意見に挑戦できるからである。

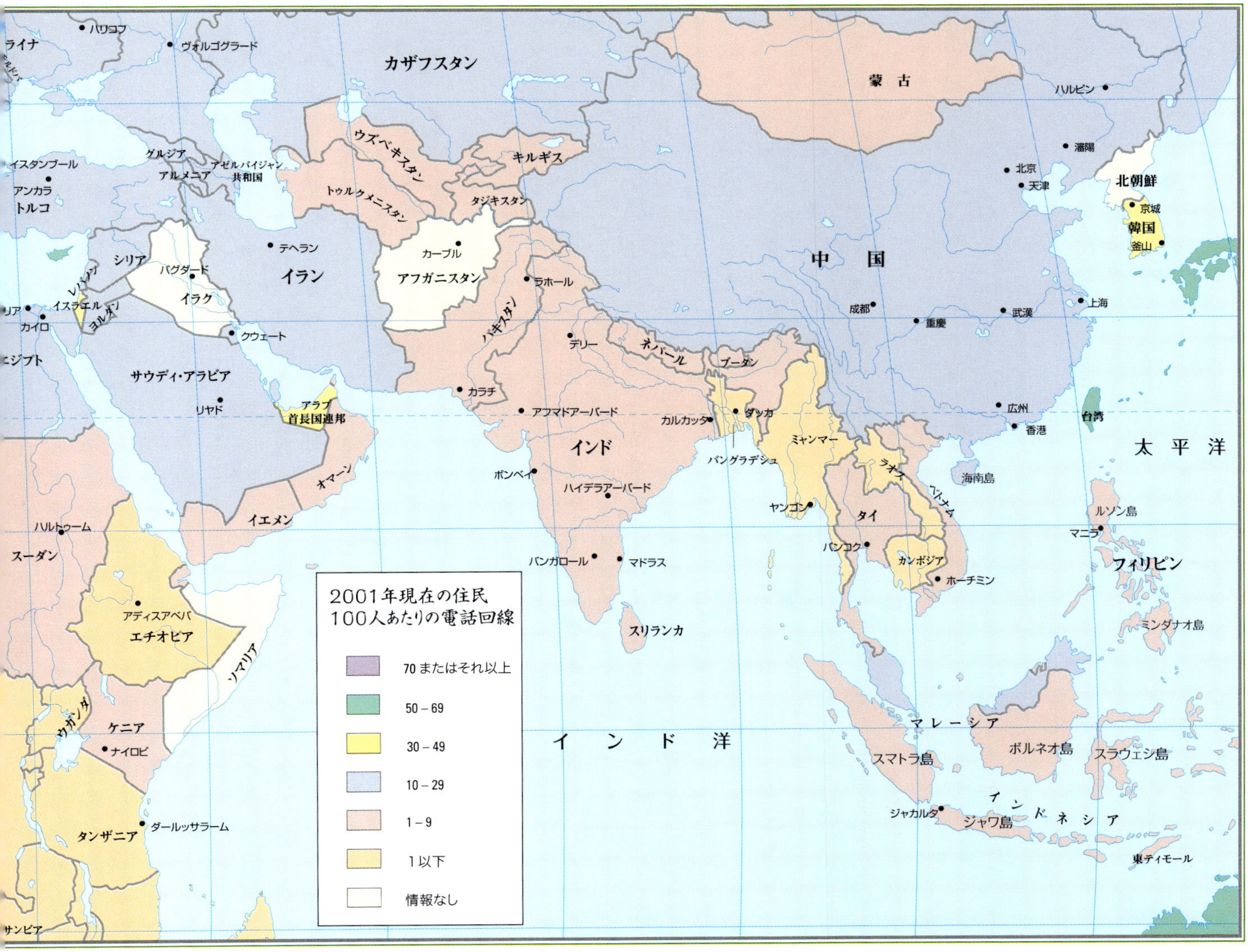

民主主義、検閲制度、人権、市民社会

西欧の学者達は、民主主義を個人の市民権と政治的権利を保護するための方法と定義している。民主主義は表現の自由、出版の自由、信仰の自由、思想の自由、私有権、集会の自由などを、投票権や公職に就く者を指名推薦したり、自ら公職を求める権利と共に保証する。ムスリムの民主主義の伝統は、アラビアのシューラー（構成員全員の合議にもとづく評議会）の概念の中に存在している。シューラーはシャイフ（長老）が同輩中の首位であるベドウィンの制度にさかのぼることができる。

オスマン帝国が第１次大戦後に別々の国民国家に分割された時、民主政治の制度を導入しようという試みがいくつかなされた。それらの試みの大半は失敗に終った。操られた選挙、ないし有力な利益集団による操作が信用に値しないことが示されたからだ。多党制は、軍事政権あるいは軍事政権と文民政権の組み合わせによって一党独裁制に替えられた。しかしここでもまた、東欧から借りてきた革命モデルは、それでもやはり、与えられた利益やそのアサビーア（連帯意識）が親族関係や宗派への忠誠心に根差したものである集団によって操作されることを許してしまったのである。元オスマン領外のムスリム世界でも状況はそんなに変らない。イスラーム諸国会議に所属する国民多数がムスリムである50余りの国々の中で、ただ一国トルコのみが民主主義を確立したと言える。ただしトルコは軍部による政治操作の歴史も持っている。トルコ軍部は自らを、近代トルコの創始者ケマル・アタテュルクから受け継いだ世俗制の守護者であるとみなしているのである。マレーシアやインドネシアやヨルダンを含むその他の国々は、民主主義への過渡期にあるとか、あいまいな民主主義という風に言われてきた。パキスタンはひとしきり軍事政権が続いた中で、民主政治の期間を享受したことがある。

人権という観点から見ても状況は大雑把に言って似たようなものである。「世界人権宣言」や「市民的および政治的権利に関する国際規約」のような文書に盛りこまれた基本的人権の二つ——平和的な集会の権利と自由、表現の自由——があらゆる形態の民主政府にとって必要な条件であるとするならばだ。

たとえば、1991年にチャールズ・ヒュマーナが編纂した「人権指数」によれば、ムスリムが多数派の国は一貫して世界平均62％の水準以下である。内訳は、イラクが17％で世界の格付け表で最下位（ミャンマーに匹敵）である。スーダンが18％で下位から２番目だ。ヨルダンは65％で唯一世界平均を上廻っている。しかしチュニジアも60％で、マレーシアも61％とそれに近い。ヒュマーナのやり方を批判する人は、文化的に彼の方法論は西欧の自由主義的な価値観に左右されすぎていると言う。つまり、たとえばイスラーム諸国の女性は西欧諸国におけると同じような保護を必要としていないと言い、また女性の相続権や財産権はシャリーア（イスラーム聖法）によって、それらが西欧に導入される千年も前から制定されていたと言う。しかしながら、こうした文化相対主義は、しばしば、ムスリム諸国内の婦人団体によって反対を表明されている。これらの団体は、法的地位、結婚、離婚、児童の保護や相続などに関して個人の地位を定めた法典の中にある差別的な条項を排除しようという運動をやっている。諸婦人団体はまた、“名誉殺人”の場合に法廷が宣告した減刑判決に反対する運動もやっている。名誉殺人とは、犠牲者が伝統的な掟を破るような性的行為をしたというかどで男性の親族が“憤慨した”と考えられている事例である。婦人団体は、彼女達の子供に国籍を伝えるのを妨げる法律にも反対している。

自由な出版によって実証される言論の自由は、国によって制限の度合に差があるが、やはり多くのムスリム諸国で著しく欠けているものである。イスラーム主義者をも含めて反対勢力は、彼らを政治的に抑圧している諸手段に反対して抗議している。しかしイスラーム主義者自身が、イスラームに対して批判的であると彼らがみなしている著作家達を襲うことによって、無制限な言論の自由に対する反対をあらわに示した。ファラグ・フォダーは1992年に暗殺された。エジプト第一の小説家でノーベル賞を受賞したナジーブ・マフフーズは同じ下手人に襲われ負傷した。エジプトの学者ナスル・アブー・ザイドはコーランの解釈にあたって歴史的批判的な方法を適用したため、亡命を余儀なくされた。

“テロとの戦い”は、ニューヨークとワシントンへの攻撃が９月11日にあって、それに続いて米国政府によって開始された。アフガニスタンとイラクの政府が倒され、米国内の市民的自由が削減される結果となった。米国愛国法はテロリスト容疑者の無制限的拘禁とアフガニスタンのターリバーン政権のために戦ったかどで聖戦士達（彼らの中には子供よりちょっと年がいっているだけという者もいる）を行政上拘禁することを許している。同時に政府を動かしている新保守主義者《ネオ・コンサヴァティブ》達は、彼らの目的はイラクやアフガニスタンのような国に民主主義や良き統治や法の支配や人権とか婦人の権利といった西欧的基準をもたらそうというものであると言明した。しかしながら、ムスリム世界の多くの人が、軍事的行動の結果としてこのような基準が制度化され得るものなのか疑っている。アラブの国でも、より広範囲なイスラーム世界でも、現政権もそれに反対しているイスラーム主義者でも双方とも、シューラー（評議会）という土着の伝統とバイア（忠誠の誓い）という伝統を組み合わせた方が安定のために良いので、西洋風の多元主義はフィトナ（騒乱）への処方箋であると主張するだろう。

サウディ・アラビアやイランやスーダンのような国々の支配層も、彼らに反対する時もあるイスラーム主義者達も、双方とも、コーランの中に秘蔵された安全装置は、西欧の法典に守られたそれと同様有効であると主張している。彼らは、私的領域も公的領域も両方とも法に従わねばならず、世俗主義は彼らの歴史とは相入れない考え方だと考えている。しかしながら、民主主義の主唱者達は、世俗的な自由主義の主唱者同様、何人かの指導的なイスラーム主義思想家達も含め、こうした議論は権力を握り続けるための戦術として使われているにすぎないと信じている。“９月11日”の事件とアフガニスタンおよびイラクでの戦争の結果、平和的な政治的変化への道は閉ざされてしまった。残された人達は、現状維持で耐え抜くか、亡命（それが何とか可能な人にとっての方法）か、あるいは暴力を選ぶしかないわけである。西欧政治の批判者は、西欧政治は好都合だからという理由で口に出さずにこの型の抑圧を受け容れたのであり、西アジアの産油国の場合は、エネルギー供給力を守るために受け容れたのであると指摘している。

❤民主主義のイスラーム版はシューラー（評議会）にさかのぼる。しかし、成人による一般投票という西欧流の理想は、多くのムスリム多数派国家でまだまだ浸透していない。

近代の運動、組織とその影響力

“イスラーム主義”とか“イスラーム主義者”とかいう言葉は、政治的運動とその支持者を指す言葉として使われてきた。その目的とするところは、イスラームのシャリーア（聖法）の支配にもとづくイスラーム国家の建設ないし復興である。“Islamists”という単語はアラビア語のイスラーミーユーンの英語訳である。この運動の主唱者達は、普通のムスリム信者達を指す言葉ムスリムーンと自らを区別するためにイスラーミーユーンという言葉を使う。すべてのイスラーム主義者が、イスラームこそがムスリム国家群の現代的問題に対する解決になると信じている。20 世紀のここ 30 年間にムスリム世界全域で急速に成長し広がっていった多くのイスラーム主義者集団は、イスラーム国家はいかに経営されるべきかという詳細について彼らの間でもいろいろ意見の相違があるのだが、ほぼ全員が合意していることは、神への回帰は西欧の唯物主義と快楽主義（性的許容性によって実証された）の文化を拒否することを含み、またすべてのイスラーム主義者がテロ活動を支持しているわけではないが、パレスチナやカシュミールのような場所で非ムスリムと闘っている同胞ムスリム達を支援する義務を含むということである。

イスラーム主義運動の基礎は、18 世紀および 19 世紀の改革主義者やサラフィーヤ運動（イスラーム純化運動）によって準備された。これらの運動は、何世紀にもわたっての付着物や新機軸からイスラームの信仰と儀式を清めようとしてきた。特に、生ける、または死せるスーフィーのワリー（聖者）崇拝からイスラームを清めんとした。中世に付着増加したものを取り除いたイスラームは、特定の聖者や聖者の家族の仲裁能力に限られた地方的な聖者崇拝よりも、外国勢力の挑戦により良く立ち向うことができた。近代のイスラーム主義運動は、しかしながら、通常は、エジプトの学校教師ハサンヌル・バンナーによって 1929 年に創設されたムスリム同胞団にさかのぼるとされる。同胞団の当初の目的は、政治的であるよりはむしろ精神的なものであった。同胞団は、直接的な政治行動によって国家を分捕るというよりは、イスラームの教えを遵守することを勧め、西欧の文化的影響に反対することによって、社会を改革せしめんとしていたのである。ところが、第2次世界大戦後パレスチナをめぐる危機が高まっている中で、同胞団はどんどん過激化してしまった。同胞団は、1952 年の王制転覆に至った動乱のさ中で主導的な役割を果した。しかし革命後はジャマール・アブドゥン・ナースィルの民族主義的政府と闘争することが多くなっていった。ナースィルを殺そうとしたため、1954 年、同胞団は弾圧された。その構成員は投獄されたり、追放されたり、地下に潜行した（バンナー自身は旧政権の秘密警察によって、1949 年に殺されていた）。弾圧を受けたあと同胞団は国際化した。提携運動がヨルダン、シリア、スーダン、パキスタン、インドネシアやマレーシアにも発生した。同胞団はアミール（のち国王）ファイサル・ブン・アブドゥル・アズィーズ治下のサウディ・アラビアに避難先を見出した。政治的かつ財政的支援を得たのみならず、地下に潜ったエジプト人知識人が給料の支払を受けられる地位を獲得できるよう資金が用意された。

同胞団の過激な構成員であったサイイド・クトゥブは 1966 年に処刑された。エジプト政府を転覆せんとしたからだと言われている。彼はこの運動で最も影響力のある理論家であった。しかし彼の思想の一部は、インドの学者であり新聞編集者でもあるアブー・アラル・マウドゥーディー（1906 ～ 79 年）の影響を受けていた。特にマウドゥーディー理論のひとつは、イスラームの政治運動に大きな衝撃を与えることができた。彼はイスラームのための闘争は理想的な過去の復興のためではなく、今、ここで決定的に重要な原則、すなわち神の主権のもとで人が神に代って政治を行なうために闘うのだと信じていた。ジハード（聖戦）はイスラームの領域を守るための単なる防衛戦争ではなかった。聖戦は、真のイスラーム（イスラーム主義者版のイスラーム）を説くことを妨げている諸政府に対してなされるかもしれない。マウドゥーディーからヒントを得て、クトゥブは現代イスラーム社会をジャーヒリーヤ（無明時代）になぞらえている。預言者自身が痛罵しそれと戦った“無知の状態”がジャーヒリーヤであった。

ほとんどのスンニー派諸国では、同胞団とその分派は二つに分けられる。ひとつは現存の体制の中で働き、許されるなら社会福祉の仕事に従事する主流の傾向。もうひとつは急進的かつ過激な傾向で、暴力によって目的を達成しようとする。しかし主流の人達と過激派の人達を分ける境界は必ずしも明瞭ではない。暴力は相互に作用し合っている。インドやイスラエル－パレスチナやエジプトでイスラームのテロリストによって犯された残虐行為のように、多くの場合、政府によってイスラーム主義者に加えられた暴力への反応であることもある。政府自体が拷問や“標的とした殺戮”などの暴力を、反対者を抑圧したり滅ぼすために行使しているのである。政治的参加の機会が与えられているところでは、暴力は著しく少なかった。たとえば、イスラエル－パレスチナやアルジェリアと比べると、ヨルダン、イエメン、クウェートやマレーシアではずっと少ない。エジプトではジャマーア・イスラーミーヤ（イスラーム集団）の過激分子による暴力沙汰――旅行客襲撃事件を含む――が大衆にうとまれた。なぜなら、何百万というエジプト人が観光によって身を立てていたからである。

しかし、状況の如何にかかわらず、ムスリムの地を“異教徒の”支配から“解放”すると公約したイスラーム主義者の闘士達の核心部分は未だ生き残っている。サイイド・クトゥブの著作とアブドゥッラー・アアザム――サウディの反対者ウサーマ・ブン・ラーディンのかつての顧問――の火のような弁舌に鼓舞されたこの運動の戦闘部隊は、アフガニスタンのソ連占領（1979～89年）に米国とパキスタンの支援を得て抵抗している間に勢いを得た。この間、何千という志願兵が不正規戦のやり方について訓練を受けた。戦士達は、彼らがアフガニスタンで神助による勝利と見ているものに心を燃え立たせて、かつてイスラームのもの（スペインも含めて考えている）であったすべての地を、非ムスリムまたは不正な“異教徒”の政府（彼らが意味するところは、たいてい現存のムスリム諸国の政府）から“解放”せんとしているのだ。彼らは西欧による財政・軍事支援が“非イスラーム的”政権の生き残りにとって最重要のものであると見ているので、西欧勢力の心臓部に聖戦を仕掛けるのをためらわない。

▼コンピューター・グラフィックのさし絵。マムン・サッカルは、生き生きした構成にもかかわらず、イスラームの多様な宗教思想を反映した画像を作り出している。3次元のクーフィー書体で、イスラームの信仰告白が読み取れる。「神以外に神はない。ムハンマドは神の使徒である。」

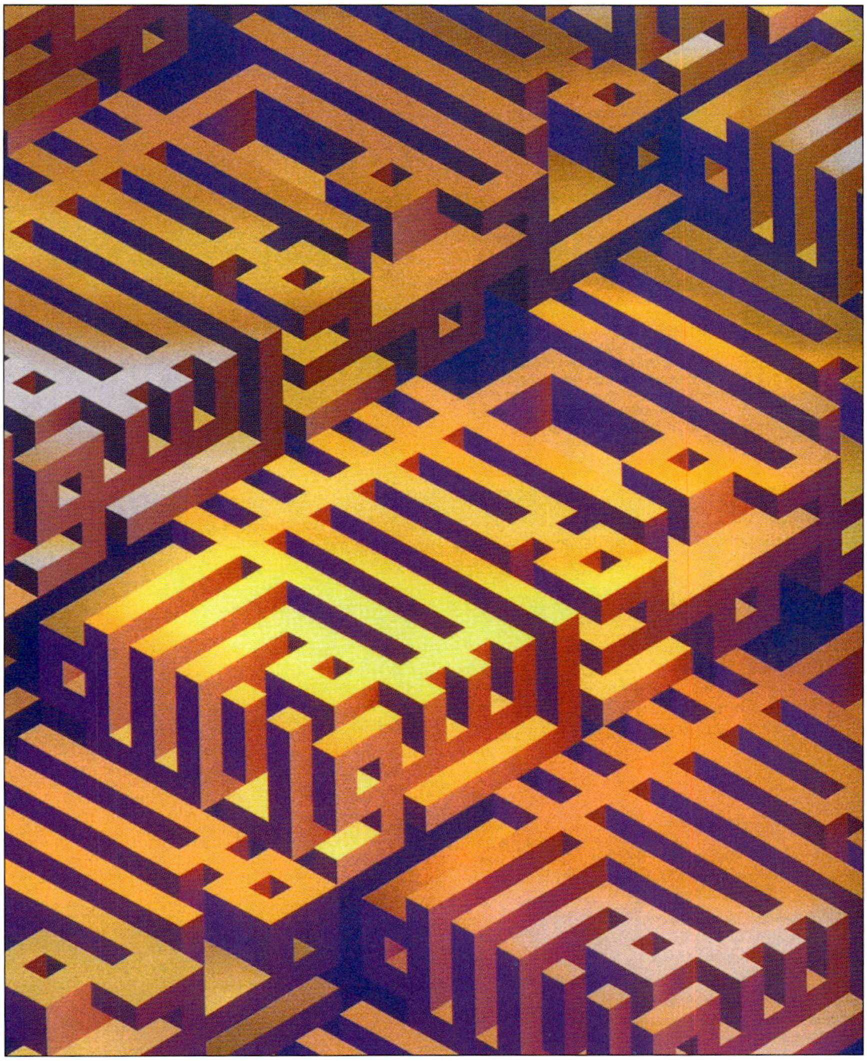

年　表

570頃～622	ムハンマドのメッカ時代
622～632	ムハンマドのメディナ時代
632～634	初代カリフ、アブー・バクル時代。離反《リッダ》鎮圧。アラビア半島の統一。
634～644	カリフ・ウマル時代。三ヶ月地帯の多くとエジプトやイランの大半を征服。北アフリカに進出。
644～656	カリフ・ウスマーン時代。北方や東西へ征服事業拡大。欽定コーラン結集。
656～661	カリフ・アリー時代。最初の内乱起る。
661	アリー暗殺。ムアーウィヤ、バクダードでウマイヤ朝建設。
680	ヤズィードがウマイヤ朝カリフ位を世襲。カルバラーにてアリーの息子フサインが殉教。
685～705	ウマイヤ朝カリフ・アブドゥル・マリク時代。
711	アラブ軍スペインに進出。
712～713	アラブ軍の中央アジア進出。
728	ハサヌル・バスリー歿。
732	ポワティエの戦い。
749	アッバース朝革命。
750	アッバース朝成立（～1258)
756	スペインに後ウマイヤ朝成立。
765	シーア派第6代イマームのジャアファルツ・サーディク歿。イスマアイール派と十二イマーム派が分岐。
767	ハナフィー派の学祖アブー・ハニーファ歿。
786～809	アッバース朝カリフのハールーヌッラシード時代。
795	マーリク派の学祖マーリク・ブン・アナス歿。
801	聖女ラービア歿。
813～833	アッバース朝第7代カリフのマアムーン時代。
820	シャーフィイー派の学祖シャーフィイー歿。
847～861	カリフ・ムタワッキル時代。
855	ハンバル派の学祖イブン・ハンバル歿。
861	マムルークがカリフ・ムタワッキルを殺害、マムルーク専横時代の開始。
870	ハディース集成者ブハーリー歿。
874	神秘主義者バスターミー歿。
909	ファーティマ朝の成立。
922	神秘主義者ハッラージ処刑。
929	後ウマイヤ朝のアブドゥッラマーン3世がカリフの称号を用いる。
945	シーア派のブワイ朝バグダード占領。
969	ファーティマ朝がエジプト攻略。
998～1030	ガズニー朝マフムード即位。
1038	セルジューク・トルコ、イラン侵入。
1056	ムラービト朝成立。
1071	マンズィケルトの戦いでセルジューク朝軍がビザンチン軍を撃破。
1090	イスマアイール派のニザール派が暗殺者教団として確立。
1099	十字軍がイェルサレム占領。
1111	神学者ガザーリー歿。
1130	イブン・トゥーマルト歿。
1187	サラーフッディーン（サラディン)、イェルサレムを十字軍から奪回。
1198	イブン・ルシュド歿。
1220	蒙古軍の中央アジア侵寇。
1227	ジンギス汗歿。
1230	グラナダにナスル朝成立。
1240	イブヌル・アラビー歿。
1256	アラムート山砦陥落。
1258	蒙古軍によりバグダード陥落。アッバース朝滅亡。
1260	アイン・ジャールートの戦いでマムルーク朝軍蒙古を敗る。
1300頃	オスマン朝の基が開かれる。
1326	オスマン朝ブルサ攻略。
1362	オスマン朝アドリアノープル攻略。
1378頃	白羊朝建国。
1389	コソボの戦いにて、オスマン朝はセルビアを敗る。
1405	ティームール歿。
1453	コンスタンチノープル陥落。
1498	バスコ・ダ・ガマ喜望峰を通過してインドに至る。
1501	サファヴィー朝創設。
1517	マムルーク朝滅亡。エジプトやシリアはオスマン朝治下に。
1526	パーニーパットの戦いにて、バーブル、ムガール朝創設。モハーチの戦いにて、ハンガリーはオスマン朝軍に敗北。
1529	オスマン朝軍ウィーン包囲。
1552	ロシア、カザーン汗国を征服。
1556～1605	ムガール朝アクバル大帝時代。

1683　第２次ウィーン包囲失敗。
1718　パッサロヴィッツ条約締結。
1739　ナーデル・シャー、デリー入城。
1757　プラッシーの戦い。
1774　キュチュク・カイナルジ条約締結。
1779　カージャール朝創設。
1789　セリム３世の改革開始。
1798　ナポレオン、エジプト征服。
1805　ムハンマド・アリー新総督に就任。
1820　ムハンマド・アリー、スーダン侵攻。
1821～30　ギリシャ独立運動。
1830　仏軍、アルジェ占領。
1832　オスマン政府、ギリシャ独立承認。
1839　英東インド会社軍、カンダハール占領。
1859　スエズ運河建設工事開始。
1867　デーオバンドに神学校設立。
1868　ロシア、サマルカンド占領。
1869　スエズ運河開通。
1875　エジプト、スエズ運河会社株の大半を英に売却。
1876　オスマン朝立憲制開始。
1881　仏とチュニジア、バルドー条約調印。
1882　エジプト、英占領下に入る。
1885　ハルトゥーム陥落。スーダンにマフディー国家設立。
1889　ムハンマド・アブドゥフ、エジプトに帰還。オスマン・トルコで「統一と進歩委員会」結成さる。
1897　アフガーニー歿。
1898　スーダンで、マフディー国家が英軍に滅ぼされた。
1905　ムハンマド・アブドゥフ歿。
1906　全インド・ムスリム連盟創立大会開催。イランで立憲革命起る。
1908　トルコで青年トルコ党革命。
1909　インドで宗教的分離選挙による議員選出。
1911　イタリア、トリポリ戦争に突入。
1912　モロッコ、仏の保護領化。
1914　第１次世界大戦勃発。オスマン朝は同盟国側に立って参戦。英、エジプトの保護国化を宣言。
1916　メッカのシャリーフたるフサインを旗印に、アラブ民族主義者の対オスマン朝反乱が起る。
1917　バルフォア宣言。ロシア革命起こる。タシュケントにソヴィエト権力成立。
1919　エジプトが英保護国体制打倒を目ざす。ギリシャ軍、トルコのイズミールを占領。英国がシリアの管理権を仏に移譲。
1923　ローザンヌ講和条約調印。
1924　トルコがカリフ制廃止。イブン・サウードがメッカ占領、ヒジャーズ併合。ソ連で中央アジアの民族的境界区分が確立。
1925　シリアで反仏叛乱が起こる。
1928　ムスリム同胞団結成。
1932　イラクが英委任統治から独立し、国際連盟に加入。
1935　ラシード・リダー歿。
1936　パレスチナ人の蜂起開始。インドでムスリム連盟第 24 回大会開催。ソ連で新憲法採択。
1938　ムハンマド・イクバール歿。
1940　インドのムスリム連盟第 27 回大会で、ムスリム国家の独立要求決議を採択。
1941　英はイラクの対英抗争鎮圧。
1942　英軍、エジプトの親枢軸の宮廷派内閣の罷免要求。
1943　レバノンで国民協約成立。
1945　第１回アラブ連盟理事会開催。
1946　トランスヨルダン、シリア、レバノンが独立達成。インドで広範囲な叛乱勃発。
1947　インドとパキスタンが英連邦の自治領として独立。
1948　パレスチナの英委任統治終る。イスラエル独立宣言。エジプトのヌクラーシー首相がムスリム同胞団により暗殺さる。パレスチナ難民増大。
1949　ハサンヌル・バンナー、秘密警察によって暗殺さる。
1952　自由将校団によるエジプト政権掌握。
1956　エジプト、スエズ運河国有化宣言。第２次中東戦争開始、英仏によるエジプト空爆開始。
1958　自由将校団によるイラク王制打倒。
1963　イラク・バアス党政権内の内紛と武力衝突、アーリフが全権掌握。
1965　パレスチナ解放運動、コマンド活動開始。
1967　第３次中東戦争。イスラエル軍、ヨルダン河西岸、東イェルサレム、ガザ、シナイ半島、ゴラン高原を占領。
1968 イラク、クーデターによるアーリフ政権打倒。バクル大統領就任。
1969 カッザーフィー、クーデターにより、リビア王制打倒。
1970 ヨルダン、黒い9月事件起きる。エジプトでアブドゥン・ナースィル歿、後継はサーダート。シリアでクーデター、ハーフィズ・ル・アサドが全権掌握。
1971 インドはバングラデシュを承認。
1973 第4次中東戦争開始。アラブ石油輸出国機構、石油戦略発動。
1975 レバノン内戦開始。
1977 パキスタンでジアウル・ハツクによるクーデター成功。エジプトのサーダート大統領、イェルサレムを訪問。
1978 イラン政情不安定化。
1979 イラン・イスラーム革命成立。米大使館人質事件、イランで勃発。
1980 イラン＝イラク戦争勃発。
1981 エジプト大統領サーダート暗殺さる。
1982 イスラエル、ＰＬＯ排除のためレバノンへ全面侵攻開始。
1987 パレスチナでインティファーダ開始さる。
1988 イラン・イラク戦争、停戦成立。パレスチナのガザでイスラーム抵抗運動（ハマース）結成。
1989 イランのホメイニー師が、『悪魔の詩』の著者に対する死刑宣告の意見書《ファトワー》を出す。アフガニスタン駐留ソ連軍撤退。ホメイニー師歿。イランの最高指導者はハーメネイー師となる。
1990 アルジェリア、地方選挙でイスラーム救国戦線が躍進。イラク軍、クウェートに侵攻。
1991 多国籍軍、イラク空爆開始。イラク停戦受諾。アルジェリア、総選挙でイスラーム救国戦線が圧勝。ソ連消滅。
1992 アルジェリアで、イスラーム救国戦線が非合法化さる。米英仏がイラク南部に飛行禁止区域を設定。
1993 ＰＬＯ、イスラエル、相互承認文書に調印。
1995 トルコの作家アズィーズ・ネシン逝去。
1996 ターリバーン、カーブル占拠。
1997 ルクソール事件でイスラーム主義者が観光客を襲撃。イランでハータミー大統領就任。
1998 マザーリ・シャリーフ占領後、ターリバーンがハザラ人虐殺事件を起す。アル・カーイダが東アフリカの米大使館攻撃。
1999 アルジェリアでブーテフリカ大統領就任。ヨルダンのフサイン国王崩御。
2000 パキスタンでクーデター、パルヴィーズ・ムシャッラフが全権掌握。シリアのアサド大統領逝去。
2001 同時多発テロ勃発。米英、アフガニスタン空爆開始。
2002 インドネシアのバリ島でナイトクラブ爆破事件。
2003 米英軍イラク侵攻開始。サッダーム・フサイン拘束さる。

語彙集

アサビーヤ	「連帯意識」の意。
アザーン	招祷。
アーシューラー	イマーム・フサインが殉教したムハッラム月10日のこと。
アブド	「下僕」または「奴隷」の意。「アッラー」と連結してよく人名に使われる。
アフル・ル・キターブ	「啓典の民」の意。元はムスリムやユダヤ教徒やキリスト教徒達のことであったが、後にゾロアスター教徒など聖典を持つ人達を意味するに至った。
アフル・ル・スンナ	「スンナの人達」の意。シーア派やハーリジュ派の反対語。
アフル・ル・バイト	「家の人達」の意。特に預言者一族を指して言う。
アミール	「司令官」とか「王子」の意。アミール・ル・ムミニーンとは「信徒の長」すなわちカリフを指す。
アーヤ	「兆し」、「奇跡」; コーランの一節。
アラウィー派	アリーを尊崇する北東シリアのヌサイリー派構成員。
アーリム	「学者」の意。ウラマーの単数。
アリー一門	預言者の徒弟であり女婿であったアリーの末裔。
アール	「氏族」または「一門」の意。
アンサール	「援助者」の意。ムハンマドがメディナに聖遷する際援助した人々を指す。
イジュティハード	「努力」の意。教義決定および立法行為。
イジュマー	「合意」の意。イスラーム法の法源のひとつ。理論的にはイスラーム教徒全体の合意を指すが、実際には学者達の合意。
イスナード	伝承をその出所に帰すること。
イスラーム	「自己放棄」「絶対的帰依」の意。
イードゥル・アドハー	巡礼月に行なわれる犠牲祭のこと。
イードゥル・フィトル	断食明けの祭り。
イバーダ	「崇拝」、「服従」の意。
イフワーヌル・ムスリミーン	ムスリム同胞団。ハサンヌル・バンナー創設。
イフワーン	「兄弟」の意。
イマーム	「指導者」、「導師」の意。集団礼拝を指導する導師を指したり、シーア派の最高指導者を指したりする。
イーマーン	「信仰」の意。
イルム	「知識」「学問」の意。
インフィターフ	「門戸開放」の意。外資導入を期して、1972年エジプト経済は欧米に対して開放された。
ウスール	アスルの複数形。アスルとは「根本」、「原理」の意。イスラーム法の用語としては、それにもとづいて立法行為を行なう法源。
ウムラ	「小巡礼」の意。任意の時に個人で行なうカアバ参詣のこと。
ウラマー	アーリムの複数。「学者達」の意。
ウンマ	「共同体」の意。
カアバ	メッカにあるイスラームの最も神聖な神殿。立方体をしている。
ガイバ	「イマームの隠れ」を意味するシーア派の用語。
カーディー	「法官」の意。
カーフィル	「不信者」、「異教徒」の意。
キスワ	「着物」の意。ここではカアバ神殿外側面にかけられている黒い絹布のこと。
キターブ	「本」の意。ここでは聖典を指す。
キブラ	ムスリムが礼拝する方向、すなわちメッカのカアバ神殿がある方向。
キヤース	「類推」の意。イスラーム法の法源のひとつ。
クッターブ	コーラン学校。
クフル	「不信心」の意。
クルアーン	「誦まるべきもの」の意。コーラン。
サイイド	「聖裔」の意。預言者一門の末裔。
ザーウィヤ	「隅」の意。転じてスーフィーの修道場のことを指すが、リバートやハーネカーフよりも規模の小さい施設を指す。
サウム	「断食」の意。
ザカート	イスラーム法に定める勤行としての「喜捨」を意味する。五柱のひとつ。
サダカ	「喜捨」の意。 自発的な喜捨を指す。
サラート	「礼拝」の意。五柱のひとつ。
サラフ	「祖先」の意。サラフ主義とは、後世の逸脱を排して初期イスラームの原点に帰ろうとする立場を言う。
シーア派	イスラーム共同体の首長としてアリーを支持した人達。
ジクル	「唱名」の意。仏教の「念仏」に当る。
ジズヤ	イスラーム法に定める人頭税。
ジハード	「聖戦」の意。イスラーム世界の拡大または防衛のための戦い。
ジャアファル派	イマーム・ジャアファルッサーディクを尊崇する宗派。
シャイフ	「長老」、「首長」、「導師」の意。
シャハーダ	「信仰告白」の意。五柱のひとつ。
ジャフル	「無知」の意。ここからジャーヒリーヤ（無明時代）の語が派生。
シャリーア	「イスラーム聖法」の意。水飲み場の意味もある。
シルク	偶像崇拝のこと。
ジンミー	イスラーム法によって、生命・財産の安全の保障を得た者の意。
スィルスィラ	「鎖」の意。「家系」の意味も持つ。
スーフィー	イスラーム神秘主義者が粗末な羊毛のぼろ（スーフ）をまとっていたのでこう呼ぶ。スーフィズムは英語で、アラビア語ではタサッウフという。
スーラ	コーランの「章」のこと。
スルターン	「権威」または「支配者」の意。
スンナ	預言者ムハンマドおよびその教友達の慣行。
スンニー	正統派ムスリムの人。
タアウィール	「解釈」の意。特にシーア派は秘義の解釈に凝る。
ダアワ	「呼びかけ」、「布教」の意。
ダーイー	「宣教員」の意。
ターイファ	「宗派」、「小宗派」の意。

タウヒード	神の唯一性。
タキーヤ	「偽装」の意。特にシーア派教徒が生命・財産を守るため己れの信仰を隠すこと。
タクビール	「神は至大なり」と唱えること。
タクリード	「模倣」の意。イスラームの用語としては、過去の権威によって確立された所にそのまま従うことを意味する。
タサッウフ	イスラーム神秘主義のこと。
タフリール	神を讃えること。「神以外に神はない」と唱えること。
タリーカ	「道」の意。転じて神秘主義教団を指す。
ダール・ル・イスラーム	「イスラームの館」の意。イスラーム圏を指す。
ダール・ル・ハルブ	「戦争の館」の意。イスラーム圏以外の地を指す。
ダルヴィーシュ	スーフィー教団の修業僧。
タワーフ	カアバ神殿を巡回すること。
タンズィマート	オスマン帝国史上、19世紀における一連の西欧化改革運動およびその成果をいう。
チャードル	イランの「被衣」。
ディーン	「宗教」、「信仰」の意。
テッケ	トルコ人スーフィーの宗教活動における修道場のこと。
ドゥアー	「祈願」の意。
ニサブ	「比率」の意。ザカートの課せられる最小率のこと。
バイア	「忠誠の誓い」の意。
バスト	官憲が入りこめない「聖域」の意。
ハッジ	メッカ巡礼のこと。五柱のひとつ。
ハディース	ムハンマドの言行録。イスラーム法学の法源のひとつとなる。
ハナフィー派	イスラーム四大法学のひとつ。学祖はアブー・ハニーファ。
ハーネカーフ	神秘主義者の庵、修行者。
バラカ	「神の恩寵」、「御利益」の意。
ハラーム	「如法の」の意。
ハラーム	イスラーム法上禁止された行為。
ハーリジュ派	「脱出した人」の派。7世紀アリーの陣営から出て行った。
ハリーファ	「継承者」、「代理者」の意。
ハンバル派	イスラーム四大法学派のひとつ。学祖はイブン・ハンバル。
ヒジャーブ	「面紗」、「かぶりもの」。
ピール	神秘主義道における「師」をペルシャ語でこう言う。
ファキーフ	イスラーム法学者。
ファキール	苦行僧。
ファトワー	法学に関する意見書。
ファナー	「絶滅」の意。神秘主義における自我滅却の境地。
フィクフ	イスラーム法学のこと。
フィダーイー	「献身者」の意。
フィトナ	「誘惑」、「魅了」、「反乱」、「騒乱」
フトバ	金曜集団礼拝の際の説教。
フムス	シーア派の人が納める利益の1/5。
マアルーフ	「知られている」の意。転じて「善行」の意味にもなる。
マウリド	「生誕祭」の意。宗教的に重要な人物の生誕を祝う祭り。
マグリブ	「日没する所」、「西方」の意。普通はチュニジア、アルジェリア、モロッコを含む北西アフリカを指す。
マシュリク	「東方」の意。
マズハブ	「宗派」、「学派」の意。
マスラハ	「利益」の意。イスラーム法学の用語としては、公共の利益を意味する。
マドラサ	「学校」の意。ここではウラマーを養成するための高等教育機関を指す。
マフディー	「導かれた者」の意。「救世主」を意味することもある。
マーリク派	イスラーム法学派のひとつ。マーリク・ブン・アナスが学祖。
マワーリー	マウラーの複数形。マウラーとは「被保護者」の意。改宗してイスラーム教徒となった非アラブ達がマワーリーと呼ばれた。
ミッレト	オスマン帝国において公認された非ムスリムの宗教共同体。
ミフラーブ	「聖龕」の意。礼拝の方向を示す壁龕のこと。
ムウタジラ派	ムウタジルとは「孤立した者」の意で、ムウタジラ派はイスラームの根本教義を合理的な思惟によって擁護しようとした人達。
ムジタヒド	「努力する者」の意。イジュティハードを行なう者を指す。
ムジャーヒド	「ジハードに参加する者」の意。
ムスリム	「神に自己を委ねた人」の意。イスラーム教徒。
ムハージルーン	「移住者」の意。ヒジュラ前後からメディナに移住した人々のこと。
ムハーバラート	「情報機関」の意。
ムフティー	イスラーム法の解釈・適用に関し意見を述べる資格を認められた法学の権威者。
ムリード	イスラーム神秘主義における「弟子」のこと。
ムルシド	「精神的指導者」、特にイスラーム神秘主義における「師」のこと。
ムンカル	「否認された」の意。転じて「悪行」の意となる。
リサーラ	「論文」、「通信」の意。
リバート	イスラーム神秘主義者の修道場。
ルクン	「柱」の意。五柱には、信仰告白、礼拝、喜捨、断食、巡礼がある。
ワクフ	イスラームの寄進財産。
ワジール	「大臣」、「宰相」の意。
ワタン	「母国」、「祖国」の意。
ワリー	「神に近い人」すなわち「聖者」の意。

より良くイスラームを理解するために

アイニ著『ブハラ』未来社、1973

アッタール著『イスラーム神秘主義聖者列伝』図書刊行会、1998

アービング『アルハンブラ物語』講談社、1976

アルバート・ホーラーニー著『アラブの人々の歴史』第三書館、2003

井筒俊彦著『イスラーム思想史』岩波書店、1975

井上靖著『西域物語』朝日新聞社、1969

イブン・バットゥータ著『大旅行記』1～8、平凡社、1998

イブン・ハルドゥーン著『歴史序説』岩波書店、1～3、1979

太田かおり他訳『デデ・コルクトの書』平凡社、2003

オルハン・パムク著『わたしの名は紅』藤原書店、2005

カイ・カーウース他著『ペルシャ逸話集』平凡社、1969

梶田孝道編『ヨーロッパとイスラーム』有信堂、1993

加藤和秀著『ティームール朝成立史の研究』北海道大学図書刊行会、1999

キールナン著『秘教アラビア探険史』上、下、法政大学出版局、1994

小杉泰著『イスラームとは何か』講談社、1994

小松久男著『革命の中央アジア』東京大学出版会、1996

間野英二他著『内陸アジア』朝日新聞社、1992

酒井啓子著『イラクとアメリカ』岩波書店、2002

鈴木董著『オスマン帝国』講談社、1992

田中千里著『イスラム文化と西欧』講談社、1991

チャールズ・トリップ著『イラクの歴史』明石書店、2004

ニコルソン著『イスラムの神秘主義』東京新聞出版局、1980

バーナード・ルイス著『イスラーム世界の二千年』草思社、2001

ハミルトン・ギブ著『イスラーム文明史』みすず書房、1968

フィリップ・ヒッティ著『アラブの歴史』上、下、講談社、1982

フレッド・ハリデー著『現代アラビア』法政大学出版局、1978

ペンザー著『トプカプ宮殿の光と影』法政大学出版局、1992

フェルドウスィー著『王書』岩波書店、1999

前嶋信次著『シルクロードの秘密国』芙蓉書房、1972

前嶋信次著『イスラムの蔭に』河出書房新社、1975

前嶋信次篇『メッカ』芙蓉書房、1975

牧野信也著『アラブ的思考様式』講談社、1979

三橋冨治男著『オスマン＝トルコ史論』吉川弘文館、1966

山内昌之著『スルタンガリエフの夢』東京大学出版会、1986

ワット著『イスラーム・スペイン史』岩波書店、1976

ロナルド・シーガル著『イスラームの黒人奴隷』明石書店、2007

謝辞

Most of the essays accompanying the maps in this volume were written by Malise Ruthven, with editorial overview provided by Professor Azim Nanji (with contributions on pages 24 25, 66 69, 96 102), and, for Harvard University Press, Professor Nur Yalman and Kathleen McDermott. In preparing the texts and maps special mention should be made of the works of two outstanding American scholars of Islam: Marshall G.S. Hodgson s *The Venture of Islam* (3 volumes, University of Chicago Press, 1974) and Ira Lapidus s magisterial *A History of Islamic Societies* (revised edn. Cambridge University Press, 2002). Sheila Blair and Jonathan Bloom wrote the texts and kindly provided the cartographical information for pp. 172 179. The following also contributed to the text: Dr Jonathan Meri (p. 36 37); Dr Nader El-Bizri (p. 38 39), Farhad Daftari (p. 50 51); Dr Zulfikar Hirji (p. 76 77, 152 153); Safaroz Niyozof (p. 94 95); Richard Gott (p. 116 117); Dan Plesch (p. 150 151, 164 165); Trevor Mostyn (p. 162 163, 192 193); Mustafa Draper (p. 166 169); Nacim Pak (p. 188 189). Dr Abdou Filali Ansari contributed to the initial discussions concerning the choice of subjects.

The publishers would like to thank the following picture libraries for their kind permission to use their pictures and illustrations:
The Collection of Prince and Princess Sadruddin
Aga Khan 10, 35, 173
Bodleian Library, Oxford 11
Werner Forman Archive 16
Hulton Getty Archive 17, 36, 44, 49, 53, 59, 62, 91, 101, 102, 111, 112, 114, 118, 132, 146, 150, 152, 156, 160, 169, 180, 185, 188, 193
Corbis 21
e.t. archive 24, 72, 82, 84
Metropolitan Museum of Art 26
Deutsches Archaiologisches Institut, Madrid 28
Aga Khan Trust for Culture, Geneva 30, 74, 80, 94, 122, 170
Biblioth ue Nationale, Paris 31, 57, 64, 177
Bildarchiv Steffens 39, 147
Cartographica Limited 40, 43, 76
Bildarchiv Preu ischer Kulturbasitz 51, 172
David N. Kidd 69
Ianthe Ruthven 71
D. Dagli Orti, Paris 78, 88
Agence Rapho, Paris 87
Institute of Oriental Studies of the Russian Academy of Science 92
Images Colour Library 128
British Museum 131
Foto-Thome, Germany 167
Dr Omar Khalidi 171
Institut Amatller, Barcelona 176
Mamoun Sakkal 195

For Cartographica Limited:
Illustration: Peter A.B. Smith
Cartography: Francesca Bridges, Peter Gamble, Isabelle Lewis, Jeanne Radford, Malcolm Swanston and Jonathan Young
Typesetting: Jeanne Radford
Picture Research: Annabel Merullo and Mich e Sab e

索引

【ア行】

【カ行】

【サ行】

【タ行】

【ナ行】

【ハ行】

訳者あとがき

世界史におけるイスラームの意義とは何であろうかと考えてみると、秩序なき世界に秩序をもたらし、人々に人倫の基本を提示する宗教の偉大さを我々に教えてくれたことであろうか？　ムハンマドは紛う方なき革命児であった。彼以前のメッカは少し乱れた社会だったといわれる。彼はここに一連の新風を吹き込み、のちに三大宗教の一つに数えられるほどになった普遍的思想の礎《いしずえ》を築いた。世は改まったのである。もし７世紀にムハンマドが出現していなかったらと想定してみれば、彼の存在意義が決定的なものであったことが良くわかる。彼の創始した宗教は、新たな文明の枠組として今日に至るまで存続している。イスラーム文明は、先行文明であるメソポタミヤ文明やビザンチン文明、ペルシャ文明の枠から、自文明に適した要素を取り出して吸収していった。その吸収融合の過程で、ギリシャ文明の重要な部分が生き残り、西洋文明への媒体となった。さらにインド文明の一部である医術や零《ゼロ》の観念がイスラーム世界に伝えられ、我々もその恩恵に浴している。

現代世界においては、イスラームはややまま子扱いを受けているようでもある。しかし、そうした取り扱い方は適切なものであるだろうか？　我々はもう一度、大いなるものへの敬虔な思いを新たにして、その視点からイスラームを見直してみてもよいのではあるまいか？　我々が遂行してきた近代化の推進が、結局のところ我々をどこへ連れて行ってくれるのかと考えた時、我々もまた太初の原点に立ち戻って考えざるをえない。過激派の破壊活動は容認できないが、イスラーム圏の熊さん八さんが一日５回の礼拝を要請されているのを見ると、この宗教が近代化への歯止めの役割も果たしていることが見て取れる。また、「核兵器はイスラームになじまない」と主張している宗教家もいるそうで、大いに注目してしかるべきであろう。

本書は、きわめて包括的な参考書である。著者ルースヴェンは、イスラーム圏を全て網羅したかったのであろう。今日、日本のイスラーム圏に関する研究も、相当程度発達しているようである。しかし、アフリカやバルカンや東南アジア方面にまで目くばりできる博覧の学者はそんなに多くはない。数えるほどしかいないであろう。従って、「イスラーム」のことを総合的に知りたいと思っている一般読者にとって、本書はよき基本書になりえよう。

本書のもう一つの特徴は、豊富な地図の収載である。歴史書の愛読者なら知っての通り、歴史地図を座右に置いての学習は実に効果的である。本書はかなり細かい地名まで収録しているので、大学の授業における参考書としても適している。カラー印刷であるため、国の区別も分かりやすい。従来の歴史地図が主要地名を挙げただけのものが多いのと比べると、圧倒的な貢献であろう。

以上述べきたったことからもわかる通り、本書邦語版出版の意義はまことに大なるものである。日本人の頭脳の中に描かれる地理的世界は、以後広大なものとなっていくであろう。日本の前途は、欧米のみならず、その他残余の多くの国々に支持され支援されることによってのみ切り開かれていく、ならば我々も彼らの世界をより良く知るため、いっそうの努力を傾けようではないか。

この有意義な企画を終始一貫見守り、支持して下さった悠書館編集部の長岡正博氏に深甚の感謝を捧げる。

平成 19 年 12 月　中村公則

【著者】
Malise Ruthven（マリーズ・ルースヴェン）
イスラームおよびイスラーム世界に関する著名な研究者。著書に、"*Fundamentalism : The Search for Meaning*"（2004), "*Islam : A Very Short Introduction*"（1999), "*A Fury of God : The Islamist Attack on America*"（2002), "*A Satanic Affair : Salman Rushdie and the Wrath of Islam*"（1990), "*Islam in the World*"（1984, 2000）など。イギリスやアメリカの大学で、イスラームや文化史などを講ずる。現在は、ロンドンと ノルマンディーで著作に専念。

Azim Nanji（アズィーム・ナンジー）
ロンドンの the Institute of Ismaili Studies の所長。元フロリダ大学宗教学教授。著書に、"*Mapping Islamic Studies*"（1997), "*The Muslim Almanac*"（1996）など。

【訳者】
中村公則（なかむら・きみのり）
1967 年、慶應義塾大学法学部卒業。1977 年、慶應義塾大学大学院東洋史博士課程修了。1992 年より、慶應義塾大学講師。 訳書に、サーデク・ヘダーヤト『盲目の梟』（1983 年、白水社）、『サーデク・ヘダーヤト短篇集』（1985 年、大学書林）、『ジャマールザーデ短篇集』（1987 年、大学書林）など。

イスラーム歴史文化地図

2008 年 10 月 10 日　第 1 刷　発行

著　者　　マリーズ・ルースヴェン＆アズィーム・ナンジー
訳　者　　中 村 公 則
装　丁　　高 麗 隆 彦
発行者　　長 岡 正 博
発行所　　悠　書　館

〒 113-0033　東京都文京区本郷 2-35-21-302
TEL 03（3812）6504　　FAX03（3812）7504
URL http://www.yushokan.co.jp/

ISBN978-4-903487-23-6